ATLAS PRATIQUE

LE CROCHET

Edité par :
Editions Glénat

Services éditoriaux et commerciaux :
Editions Glénat – 31-33, rue Ernest Renan
92130 Issy-les-Moulineaux

Cet ouvrage est une édition partielle de l'encyclopédie « L'art du crochet»
publiée par les Editions Atlas.

Crédits photographiques
Couverture : De Agostini
Editions de Saxe : 7, 11, 12, 13, 14, 15, 16 h, 19, 20, 21, 22, 25, 26, 31, 32, 35, 36, 37, 38, 39 et 40 (dessins), 51 à 66, 67, 68, 69, 70, 99 à 104, 107 à 110, 113, 114, 123 à 125, 131, 132, 151 à 170, 173 à 188, 191 à 206, 209 à 216, 221 à 234, 238
De Agostini : 7, 16 b, 21 et 22 (photos), 24 bd, 33, 34, 39 h, 40 b, 43 à 50, 67 h, 73 à 98, 105, 106, 111, 112, 115 à 122, 129, 130, 133 à 150, 171, 172, 207, 208, 217 à 220, 235, 236
Miriam Rouisseau : 17, 18, 23, 24, 27, 28, 29, 30, 41, 42

Maquette de couverture : Les Quatre Lunes

Imprimé en Italie
Achevé d'imprimer : avril 2003
Dépôt légal : avril 2003
ISBN : 2.7234.4647.6

Introduction

Authentique et traditionnel, le crochet revient aujourd'hui à la mode. De plus en plus de jeunes femmes redécouvrent l'art du crochet et le pratiquent avec plaisir. Grâce à cet *Atlas pratique du crochet*, vous réaliserez facilement de superbes ouvrages qui feront l'admiration de tous. Grâce aux motifs originaux et très actuels de cet ouvrage, vous allez donner de la fraîcheur à votre intérieur… Des idées à reprendre pour soi ou à réaliser pour votre entourage.

Vous trouverez des idées faciles à réaliser pour décliner votre passion du crochet en napperons ou courtepointes. Une façon très originale de se détendre et d'exprimer sa créativité !

Pour chaque modèle, une superbe photo de l'ouvrage terminé, une suggestion ou un conseil de décoration supplémentaire, un schéma très clair de montage et d'assemblage ; étape par étape, le mode d'emploi à suivre et le détail précis des fournitures.

Cet ouvrage propose une multitude de projets pour votre décoration intérieure, des bordures aux rideaux en passant par les coussins, les napperons ou les dessus-de-lit; et de ravissants modèles de vêtements pour les enfants vous donneront également des idées cadeaux... Et les conseils ne sont pas oubliés : la technique, les secrets des points principaux et les finitions sont expliqués clairement.

Cet ouvrage est indispensable pour tous les amateurs de crochet !

L'éditeur

Sommaire

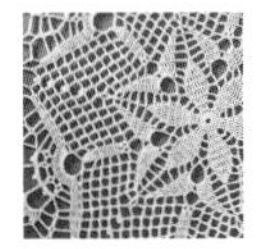 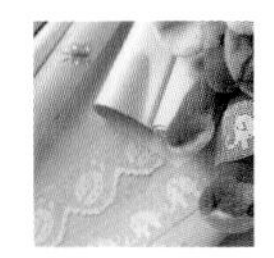  

Les conseils

Symboles et exécution des points

 Attacher le fil

 Couper le fil

 Piquer dans la maille indiquée par ce symbole

CHAÎNETTE (ml.air)

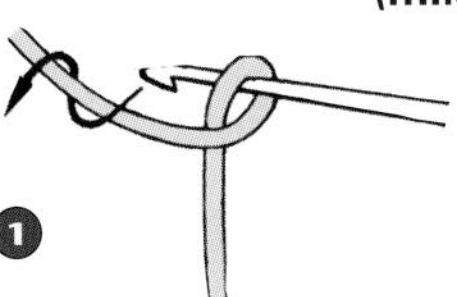

Mettre le crochet derrière le fil et tourner le crochet en suivant la flèche.

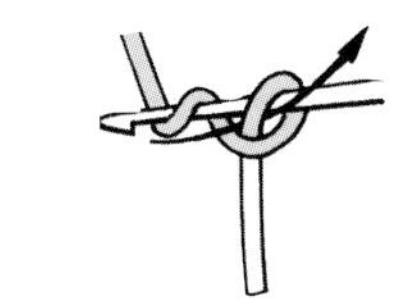

Faire un jeté sur le crochet et le ramener à travers la boucle.

Faire un jeté sur le crochet, puis le ramener à travers la boucle de base pour faire la 1re maille en l'air.

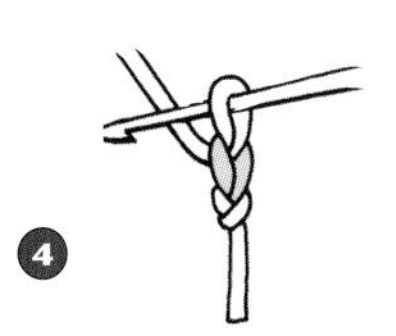

La 1re maille en l'air est réalisée.

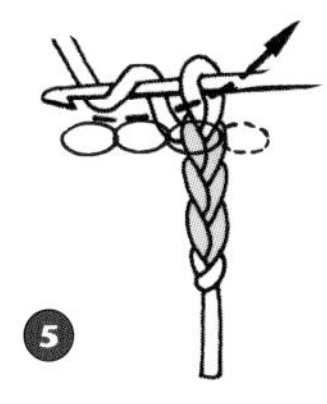

Avancer ainsi en répétant le même mouvement.

MAILLE SERRÉE (m.s.)

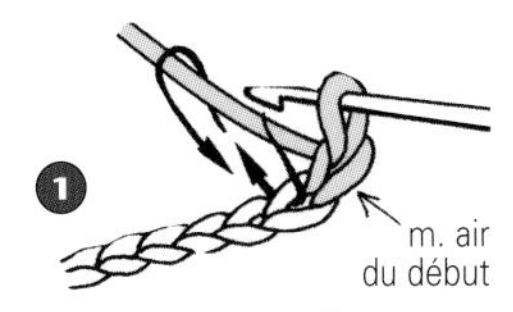

Faire 1 maille en l'air pour remplacer la hauteur de la 1ère maille serrée. Piquer le crochet en prenant 1 brin de la maille suivante, faire 1 jeté sur le crochet et le ramener à travers la maille.

Faire un autre jeté sur le crochet en suivant la flèche.

Ramener le jeté à travers les 2 mailles qui se trouvent sur le crochet.

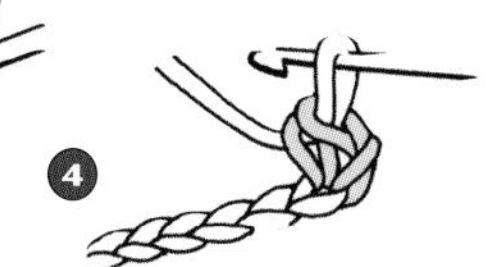

Une maille serrée est crochetée.

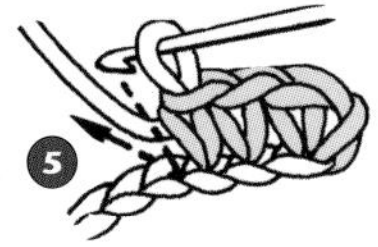

3 mailles serrées sont crochetées.

MAILLE COULÉE (m.c.)

Piquer le crochet en prenant 2 brins de la maille et faire un jeté sur le crochet en suivant les flèches.

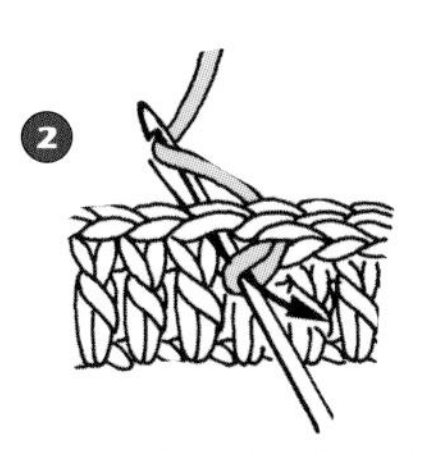

Ramener le jeté sur le crochet en suivant la flèche.

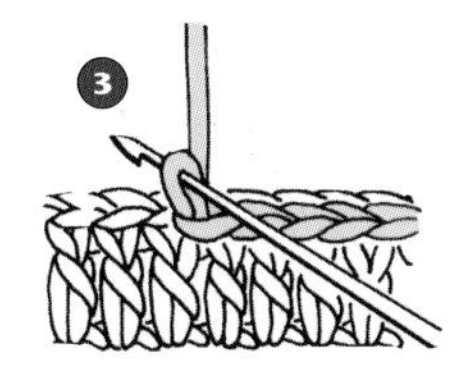

La maille coulée par dessus des brides : crocheter les mailles coulées comme précédemment.

Symboles et exécution des points

DEMI-BRIDE (demi-br.)

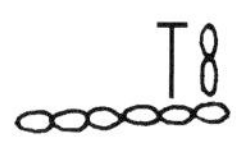

2 m. en l'air remplacent la hauteur de la 1e demi-br.

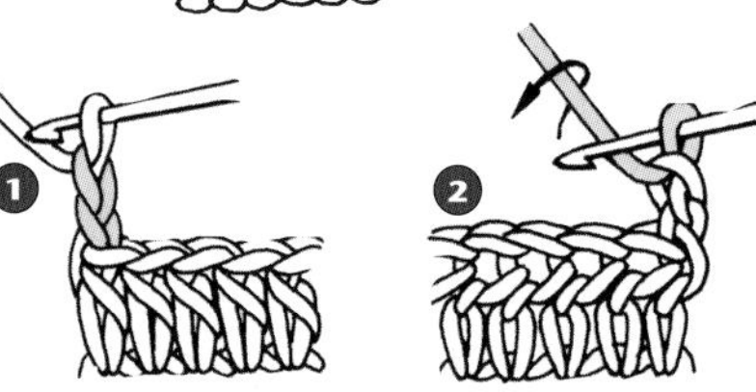

1. 2 mailles en l'air remplacent la hauteur de la 1re demi-bride.

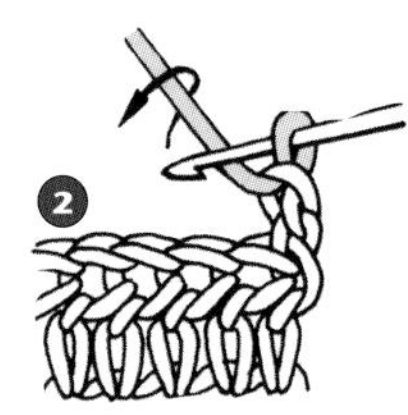

2. Retourner l'ouvrage et faire un jeté sur le crochet en suivant la flèche.
3. Piquer le crochet dans les 2 brins de la maille, faire un jeté sur le crochet et le ramener à travers la maille.

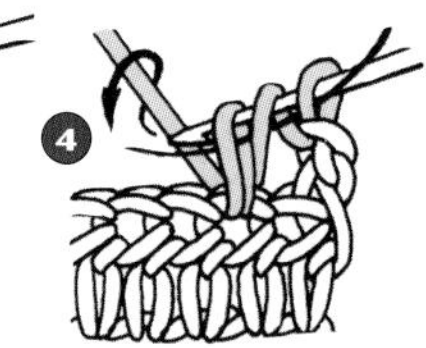

4. Faire un autre jeté sur le crochet et le ramener à travers toutes les boucles qui se trouvent sur le crochet.

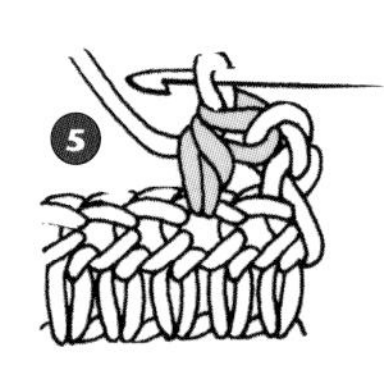

5. Les 2 demi-brides sont réalisées.

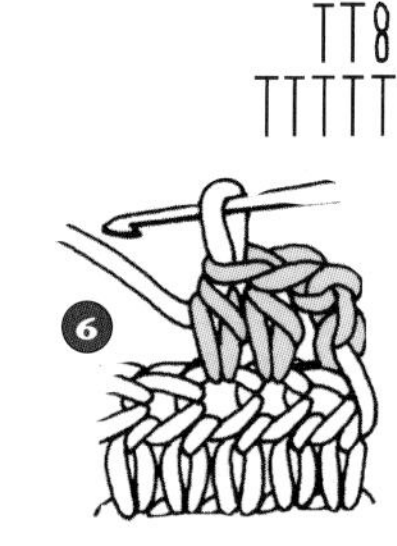

6. 3 demi-brides sont crochetées.

BRIDE (br.)

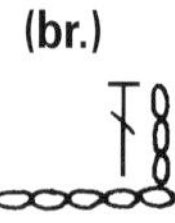

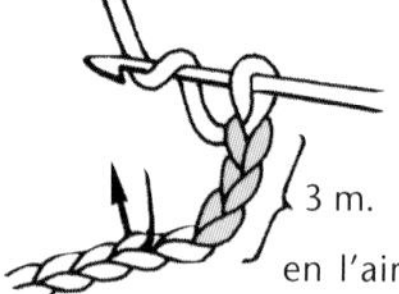

3 m. en l'air remplacent la hauteur de la 1e br.

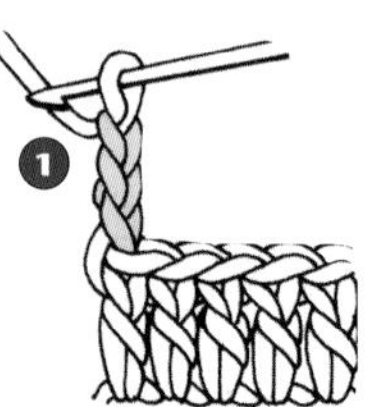

1. 3 mailles en l'air remplacent la hauteur de la 1re bride.

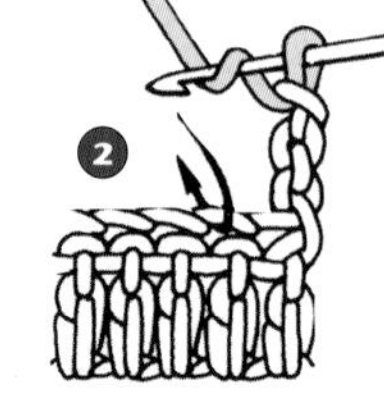

2. Retourner l'ouvrage, faire un jeté sur le crochet, piquer le crochet dans la maille en suivant la flèche, et le ramener à travers la maille.

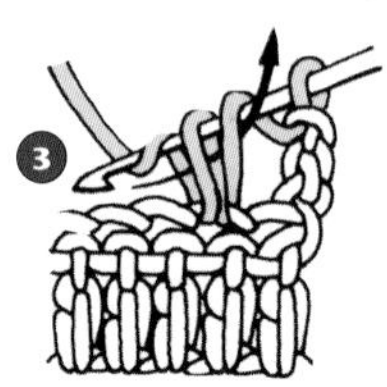

3. Faire un autre jeté sur le crochet et le ramener à travers les 2 boucles qui se trouvent sur le crochet.

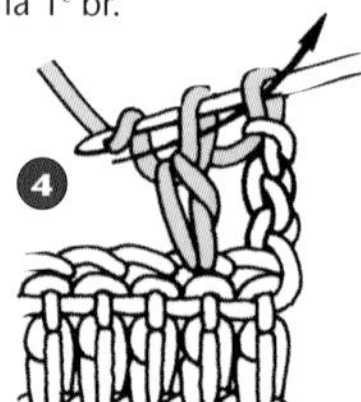

4. Faire un autre jeté sur le crochet et le ramener à travers les 2 boucles qui restent sur le crochet.

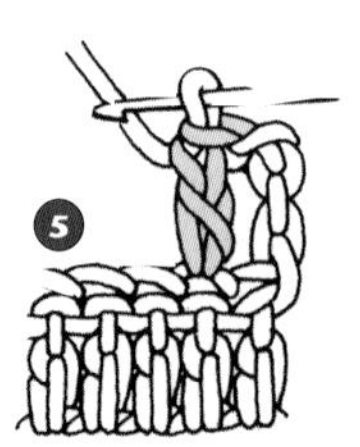

5. 2 brides sont crochetées.

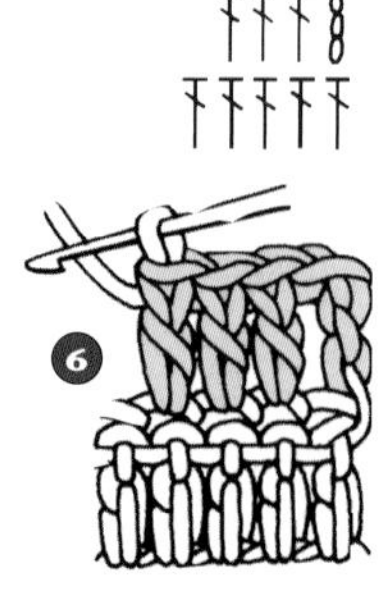

6. 4 brides sont crochetées.

DOUBLE BRIDE (double br.)

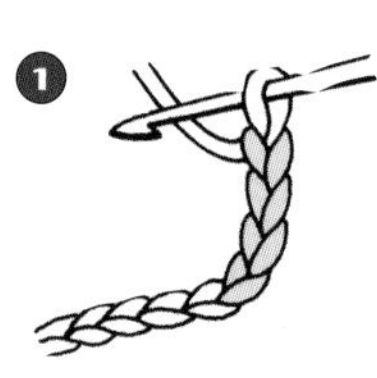

1. Crocheter 4 mailles en l'air pour remplacer la hauteur de la 1re double bride, ajouter une maille en l'air pour la base.

2. Faire 2 jetés sur le crochet, piquer le crochet dans la 6e maille à partir du crochet en prenant 1 brin de la maille, faire un jeté sur le crochet et le ramener à travers la maille.

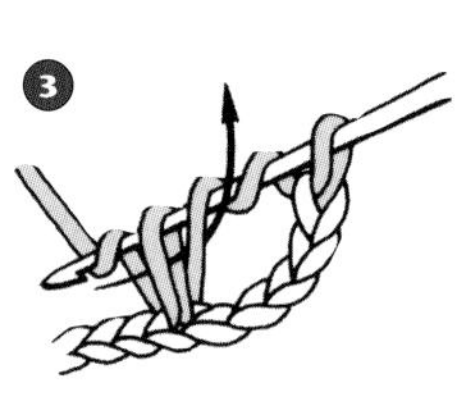

3. Faire un jeté sur le crochet et le ramener à travers les 2 premières boucles en suivant la flèche.

4. Faire un autre jeté sur le crochet et le ramener à travers les 2 boucles suivantes.

5. Faire un dernier jeté sur le crochet et le ramener à travers les dernières boucles se trouvant sur le crochet.

6. 4 doubles brides sont crochetées.

Les abréviations

Tous les textes des ouvrages à réaliser comportent des abréviations qu'il faut connaître. Les voici.

CHAÎNETTE
(ch. ou ml.air)

MAILLE SERRÉE
(m.s.)

DEMI-BRIDE
(demi-br.)

BRIDE
(br.)

DOUBLE BRIDE
(double br.)

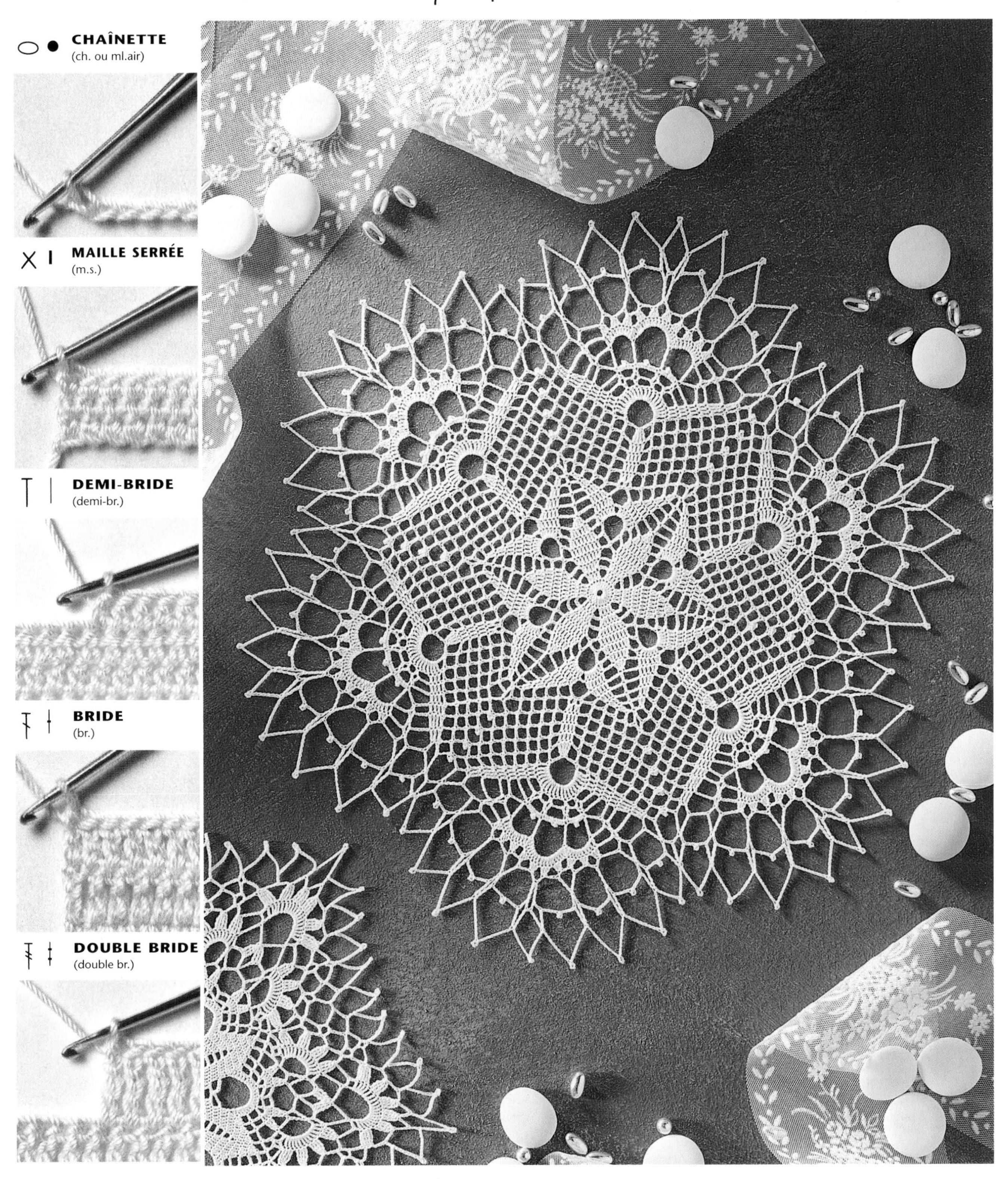

Les abréviations

CHAÎNETTE
(ch. ou ml.air)

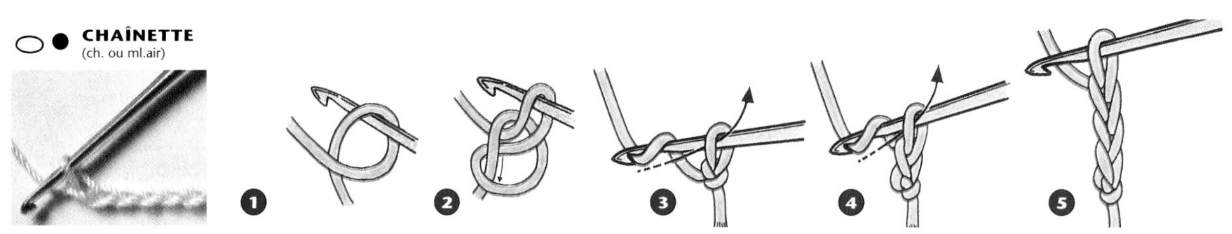

arc. = arceaux ; **ch.** = chaînette.

MAILLE SERRÉE
(m.s.)

m.s. = maille serrée ; **pt** = point ; **rép.** = répéter ; **rés.** = résille ; **rg** (s) = rang (s) ; **suiv.** = suivant (s), suivante (s) ;
t. = tour ; **trav.** = travailler.

DEMI-BRIDE
(demi-br.)

BRIDE
(br.)

DOUBLE-BRIDE
(double br.)

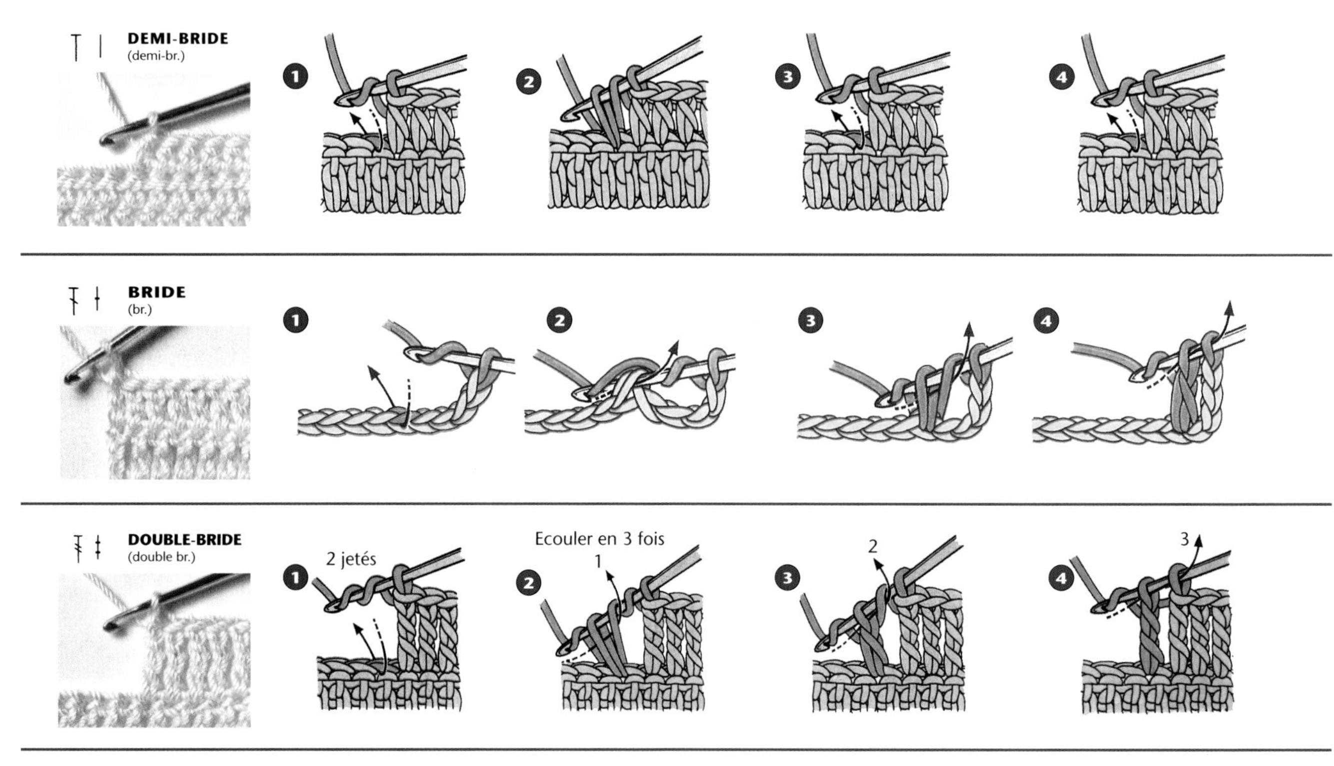

br. = bride ; **chq.** = chaque ; **cont.** = continuer ; **ens.** = ensemble ; **fs** = fois ; **m.** = maille ; **m.air** = maille en l'air.

Lire un schéma de grille

Lire un schéma ou un diagramme dispense le plus souvent de s'en référer aux explications et permet ensuite de créer ses propres modèles.

Le schéma de grille

Le principe du schéma de grille consiste à figurer par un symbole chacun des points de l'ouvrage expliqué. Comme les dessins se répètent, le schéma ne présente qu'une partie de l'ouvrage et il convient de reproduire ce qui a été déjà schématisé. Une esquisse de l'ensemble des motifs accompagne souvent le schéma détaillé. Les suites de mailles qui concernent respectivement le début et la fin de l'ouvrage sont toujours dessinées. Les rangs et les tours sont, eux, numérotés, ce qui facilite le repérage.

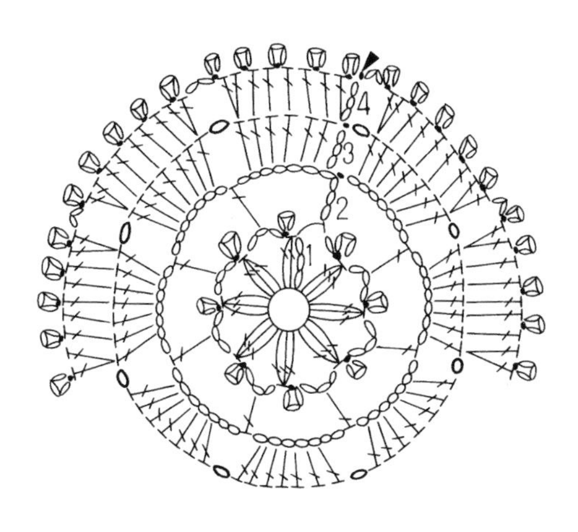

Les symboles

De la même façon que la lecture implique la connaissance des lettres de l'alphabet, décrypter une grille suppose de mémoriser la signification des symboles. Les plus utilisés se retiennent très vite, quant à ceux qui sont moins usités, ils sont toujours définis à côté du schéma.

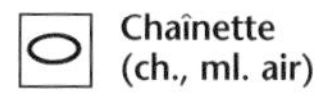
Chaînette (ch., ml. air)

Maille coulée (m.c.)

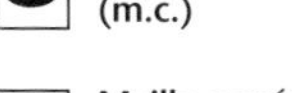
Maille serrée (m.s.)

Demi-bride (demi-br.)

2 mailles serrées écoulées ensemble

2 mailles serrées dans la même maille

2 brides écoulées ensemble

2 brides dans la même maille

Bride (br.)

Double bride (double br.)

Triple bride (triple br.)

Picot de 3 mailles en l'air fermé par 1 maille coulée

Attacher le fil

Couper le fil

Où piquer le crochet ?

Le crochet est en général piqué dans les mailles du tour ou du rang précédent. Toutefois, s'il doit être piqué en un point particulier, celui-ci est indiqué par un symbole défini à côté du schéma comme ci-dessous.

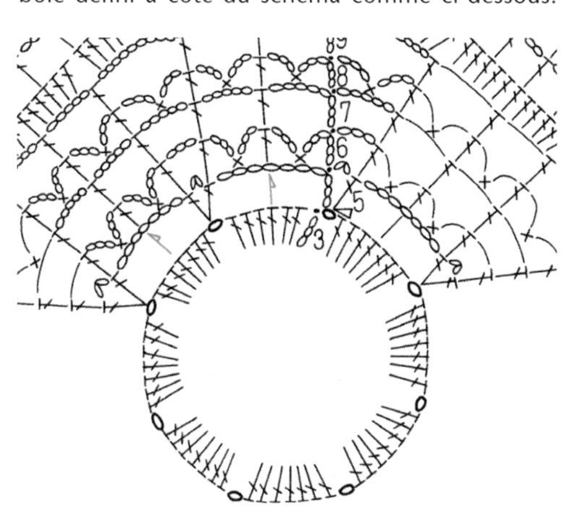

Piquer dans la maille indiquée par ce symbole

Lire un schéma de grille

Le schéma circulaire

Il concerne toutes les pièces crochetées en rond, napperons, nappes, corbeilles... et se lit du centre du cercle vers l'extérieur. Les tours sont numérotés.

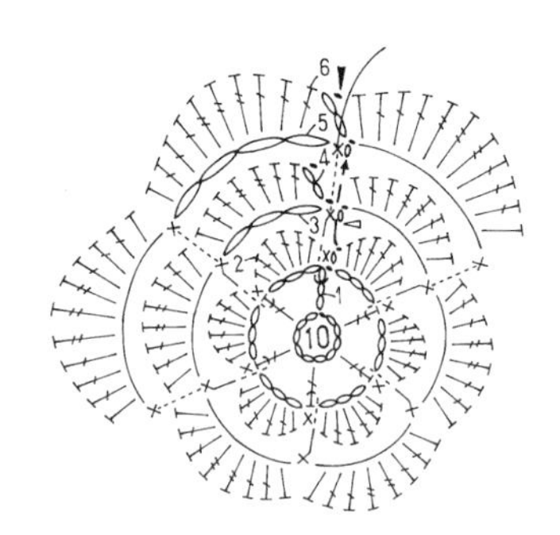

Le schéma linéaire

Il illustre les ouvrages qui se travaillent par rang toujours de droite à gauche. Le rang terminé, on retourne l'ouvrage. Le schéma, lui, se lit toujours, en alternance sur deux rangs, de droite à gauche (rang impair) et de gauche à droite (rang pair). Ce sens de lecture peut être indiqué par des flèches.

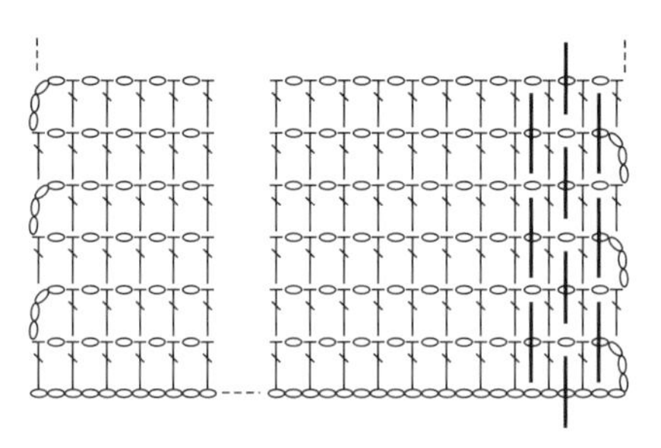

Le diagramme

Il est réservé à la technique du filet dont le principe est de travailler des motifs (les résilles pleines) sur un fond de filet (les résilles vides).

Les explications sont données sur papier quadrillé. Les cases blanches représentent les résilles vides, les cases moires ou marquées d'une croix, les résilles pleines.

Le diagramme ne fait pas appel à la mémorisation des symboles, il suffit de bien suivre la progression du dessin et d'en percevoir les structures, par exemple lignes de symétrie ou répétitions de motifs, pour évoluer avec aisance dans son ouvrage.

Sauf précision particulière, le diagramme se lit de droite à gauche pour les rangs pairs et de gauche à droite pour les rangs impairs.

Certains modèles présentent des résilles fantaisie. Dans ce cas, elles sont dessinées schématiquement sur le diagramme, le détail des points étant donné à côté de celui-ci.

Rés. vide (1br., 2 m air) ☐

Rés. pleine (3 br.) ☒

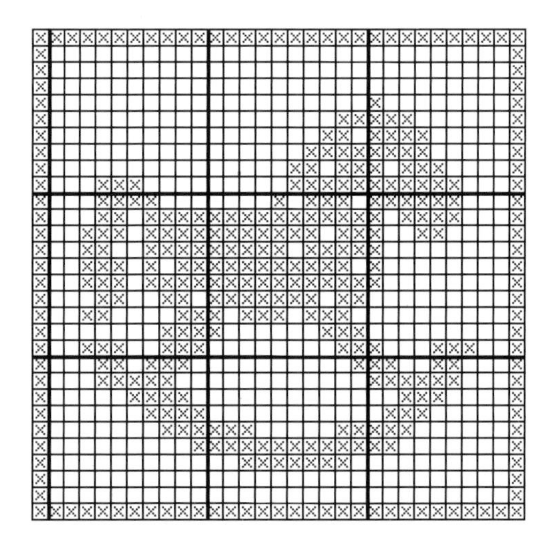

Variation autour des points de base

Un des atouts du crochet réside dans la souplesse de ses points.
À partir de la bride ou de la demi-bride, vous obtiendrez de multiples effets.

Tout l'art du crochet, et c'est là toute sa vitalité et sa force d'inspiration, tourne autour de quelques points qui se déclinent pour donner une gamme de motifs quasi infinie. Il suffit, par exemple, de piquer le crochet sur le seul brin arrière ou avant de la maille du rang précédent pour obtenir un effet différent de celui obtenu en piquant la maille sous les deux brins. Nous vous présentons ici quelques variations autour de la bride et de la demi-bride pour des effets de rayures, de zébrures ou de tissage.

Brides sur un seul brin, en alternance par rang devant, derrière

Ce point se fait sur un nombre indifférent de mailles, le motif se dessinant sur l'endroit du travail.
Faire une chaînette du nombre de mailles souhaité.
1er rang (endroit) : 3 m. air pour tourner, 1 br. dans la 4e m. à partir du crochet, 1 br. dans chacune des m. suivantes.
2e rang : 3 m. air pour tourner, 1 br. dans la 5e m. à partir du crochet, 1 br. dans chacune des m. suivantes en piquant le crochet dans le brin arrière de la m. du rang précédent.
3e rang : 3 m. air pour tourner, 1 br. dans la 5e m. à partir du crochet, 1 br. dans chacune des m. suivantes en piquant le crochet dans le brin avant de la m. du rang précédent.
Répéter toujours les rangs 2 et 3 jusqu'à obtenir la hauteur désirée.

Rayures horizontales en brides

Ce point se fait sur un nombre impair de mailles, le motif se dessinant sur l'endroit du travail.
Faire une chaînette du nombre de mailles souhaité.
1er rang (endroit) : 3 m. air pour tourner, 1 br. dans la 4e m. à partir du crochet, 1 br. dans chacune des m. suivantes.
2e rang : 1 m. air, 1 br. en relief devant dans chacune des m. suivantes : piquer le crochet devant et de droite à gauche sous la br. du rang précédent.
3e rang : 1 m. air, 1 br. en relief arrière dans chacune des mailles suivantes : piquer le crochet derrière et de droite à gauche sous la br. du rang précédent.
Répéter toujours les rangs 2 et 3 jusqu'à obtenir la hauteur désirée.

Demi-brides sur un seul brin, en alternance devant et derrière

Ce point se fait sur un nombre de mailles multiple de 2, le motif se dessinant sur l'endroit du travail.
Faire une chaînette du nombre de mailles souhaité.
1er rang (endroit) : 2 m. air pour tourner, 1 demi-br. dans la 3e m. à partir du crochet, 1 demi-br; dans chacune des m. suivantes.
2e rang : 2 m. air pour tourner, *1 demi-br. en piquant le crochet dans le brin arrière de la m. du rang précédent, 1 demi-br. dans la m. suivante en piquant le crochet dans le brin avant de la m. précédente*. Répéter toujours de *à*.
Répéter toujours le rang 2 jusqu'à obtenir la hauteur désirée.

Variation autour des points de base

Zébrures en brides

Ce point se fait sur un nombre de mailles multiple de 4, le motif est ici présenté sur l'endroit du travail. Sur l'envers, il est très proche, les zébrures étant inclinées en sens inverse.

Faire une chaînette du nombre de mailles souhaité.

1er rang : tout en m.s.

2e rang : 3 m. air (pour la 1re br.), 1 br. dans la 5e m. à partir du crochet, * sauter 1 m., 1 br. dans les 3 m. suivantes, 1 br. dans la m. sautée*. Répéter toujours de *à*.

3e rang : 1 m. air pour tourner, puis 1 m.s. dans chacune des m. du rang précédent.

Répéter toujours les rangs 2 et 3 jusqu'à obtenir la hauteur désirée.

Demi-brides en relief

Ce point se fait sur un nombre mailles multiple de 2, le motif se dessinant sur l'endroit du travail.

1er et 2e rangs : tout en demi-br.

3e rang : 2 m. air pour tourner, 1 demi-br. sur la 1re demi-br. du rang précédent, * 1 demi-br. en relief devant dans chacune des m. suivantes : piquer le crochet devant et de droite à gauche sous la demi-br. du rang précédent, 1 demi-br. dans la m. suivante*. Répéter toujours de *à*.

4e rang : 2 m. air pour tourner, 1 demi-br. sur chacune des m. du rang précédent.

Répéter toujours les rangs 3 et 4 jusqu'à obtenir la hauteur désirée.

Brides croisées

Ce point se fait sur un nombre mailles multiple de 2, le motif se dessinant sur l'endroit du travail.

1er rang : tout en br.

2e rang : 3 m. air pour tourner, *sauter 1 m., 1 br. dans la m. suivante, 1 br. dans la m. sautée en piquant le crochet par-devant la br. précédente*. Répéter toujours de *à*.

3e rang : 3 m. air pour tourner, *sauter 1 m., 1 br. dans la m. suivante, 1 br. dans la m. sautée en piquant le crochet par-derrière la br. précédente*. Répéter toujours de *à*.

Répéter toujours les rangs 2 et 3 jusqu'à obtenir la hauteur désirée.

LA SYMPHONIE DES POINTS

Essayer de nouveaux points, c'est toujours une aventure qui peut être aussi à la base d'un ouvrage original. En conservant tous vos échantillons, vous pourrez ensuite, en les assemblant, créer un plaid ou un jeté de lit d'une singulière harmonie. Vous pouvez opter pour un assemblage de motifs de formats différents, ce qui constituera une sorte de «crazy patchwork» ou, au contraire, essayer tous vos points sur des échantillons de mêmes dimensions. Vous avez également le choix entre un ouvrage monochrome ou associant plusieurs couleurs. La perspective de créer une symphonie de points redouble le plaisir de tester ou d'imaginer de nouveaux points.

Diminuer des mailles

Diminuer revient à supprimer une ou plusieurs mailles.
Les diminutions peuvent se faire à l'intérieur ou à l'extérieur d'un rang.

Les diminutions extérieures s'effectuent en début ou en fin de rang, les intérieures en cours de rang. Dans tous les cas, il est important d'apporter une réelle attention à leur réalisation : sur les bords, pour éviter des lignes irrégulières et, à l'intérieur, pour l'harmonie des effets.

Les diminutions de mailles serrées

Dans les exemples suivants, les mailles sont diminuées en début et en fin de rang. Pour diminuer en cours de rang, il y a deux possibilités : si l'inclinaison doit aller vers la droite, travaillez la maille précédant la maille à diminuer sans la fermer, puis la maille à diminuer et fermez les deux mailles ensemble ; pour une inclinaison à gauche, travaillez sans la fermer la maille à diminuer, puis la suivante et fermez les deux mailles ensemble.

• Une maille serrée ou deux à droite

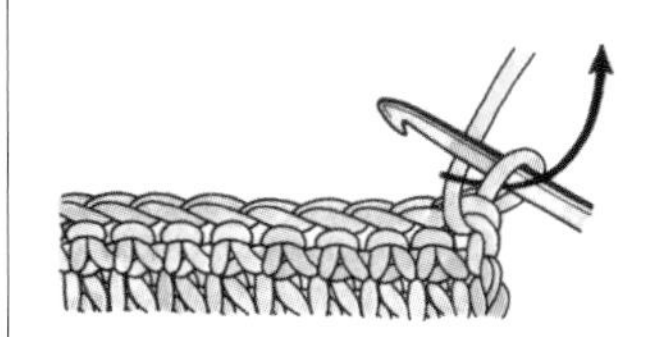

❶ Faire 1 m. air.

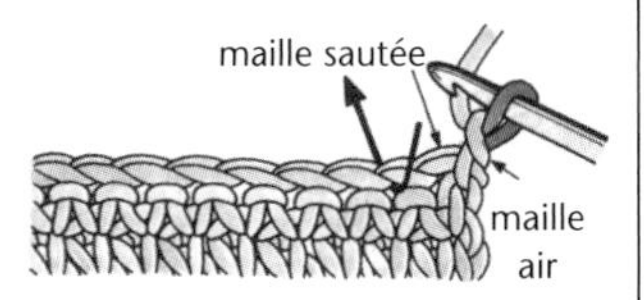

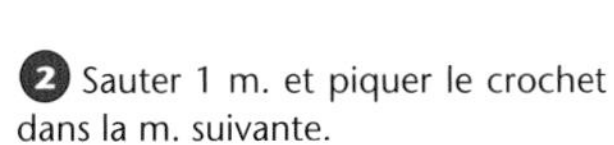

❷ Sauter 1 m. et piquer le crochet dans la m. suivante.

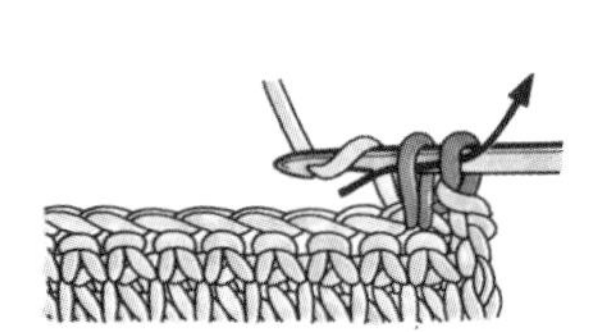

❸ Travailler la m. normalement

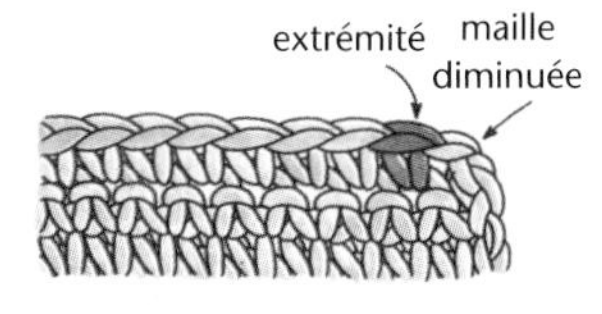

❹ La m. diminuée est la m. sautée

• Une maille serrée ou deux à gauche

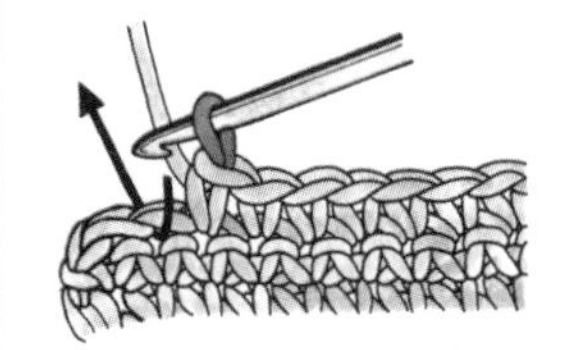

❶ Faire 1 m. serrée incomplète sur l'avant-dernière m.

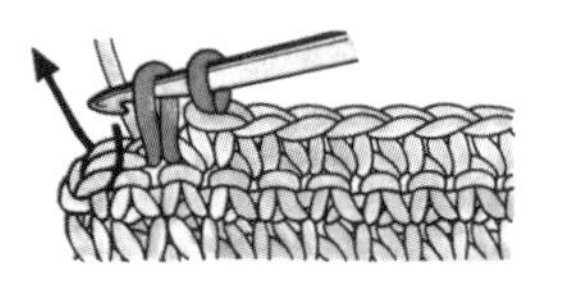

❷ Faire 1 m. serrée incomplète sur la dernière m.

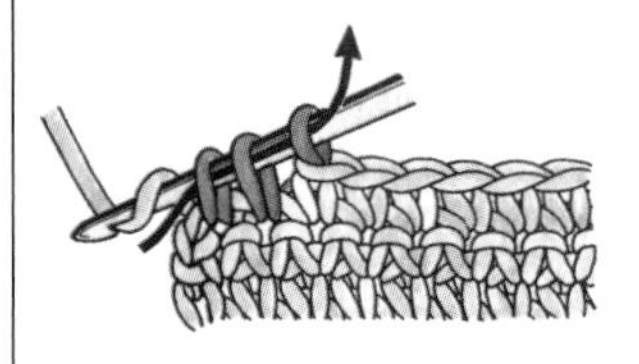

❸ Ramener un jeté pour écouler les 3 boucles.

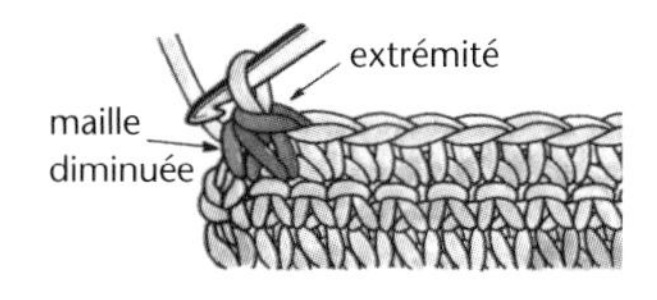

❹ La dernière m. est la m. diminuée.

Les diminutions de brides

C'est en fermant deux mailles ensemble que l'on procède aux diminutions d'une ou deux mailles. Pour plus, il est nécessaire de « sauter » les mailles à diminuer.

• Une bride à droite

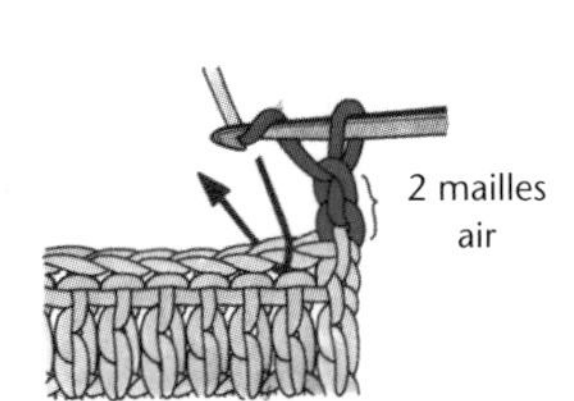

❶ Faire 2 m. air (au lieu de 3)

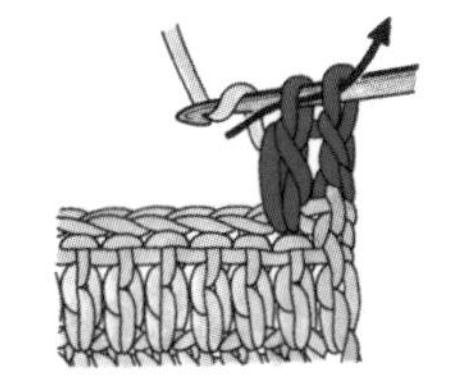

❷ Faire 1 br. sur la m. suivante.

❸ Fermer la br. On obtient l'équivalent de 2 br. fermées ensemble.

• Deux brides à droite

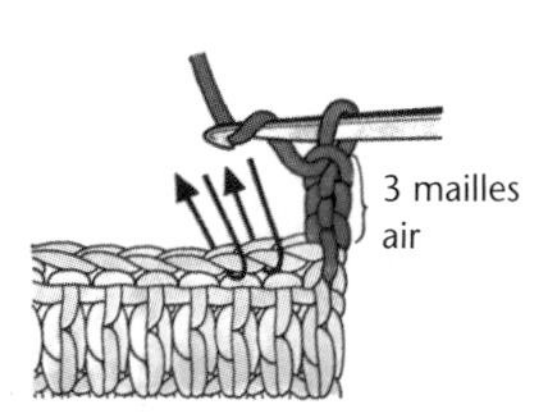

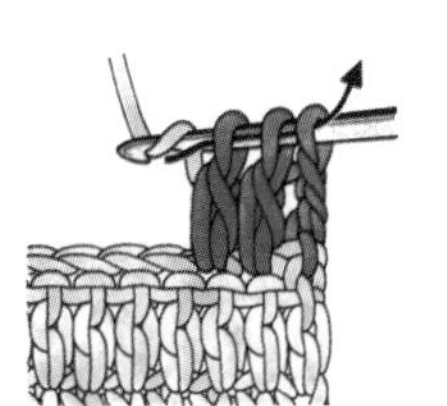

❶ ❷ Faire 3 m. air (pour remplacer la 1re br), puis 1 br. incomplète sur chacune des 2 m. suivantes.

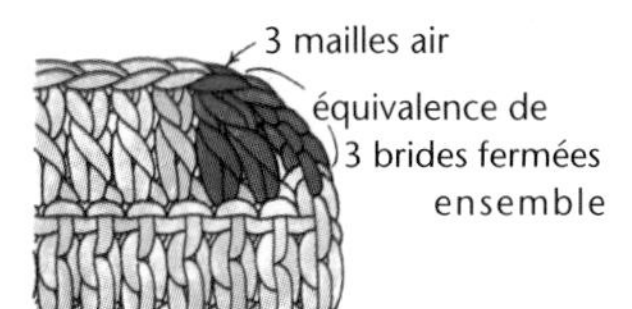

❸ Écouler les 2 br. ensemble.

Diminuer des mailles

- **Une bride à gauche**

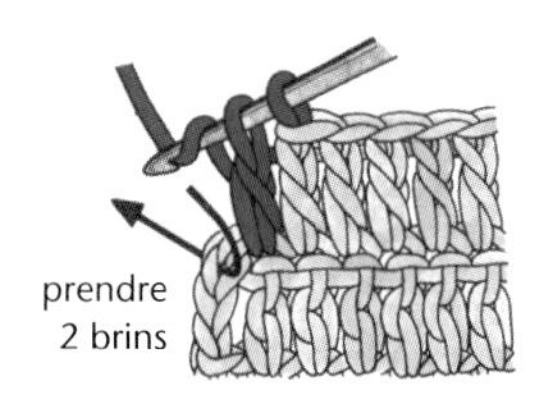

❶ Travailler 1 br. incomplète sur l'avant-dernière br. Piquer les 2 brins pour la dernière.

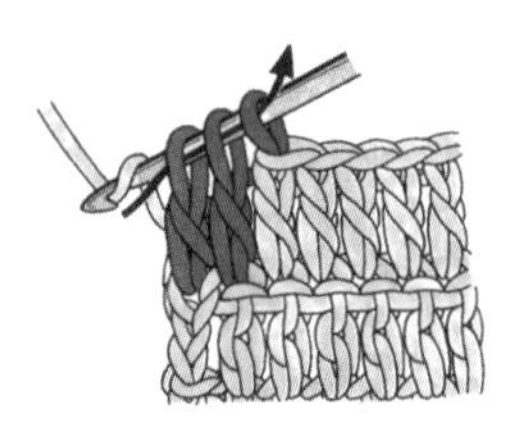

❷ Faire 1 br. incomplète sur la dernière br.

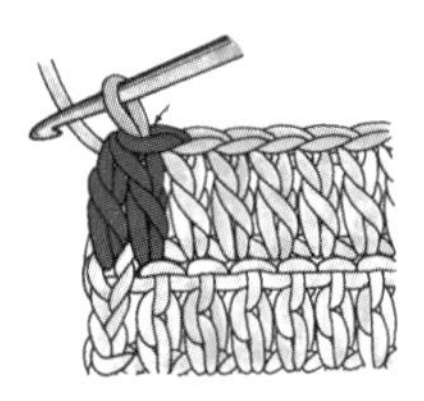

❸ Écouler les 2 br. ensemble.

- **Deux brides à gauche**

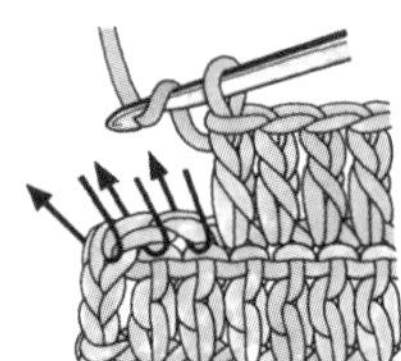

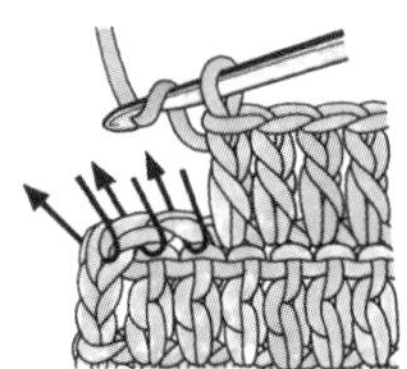

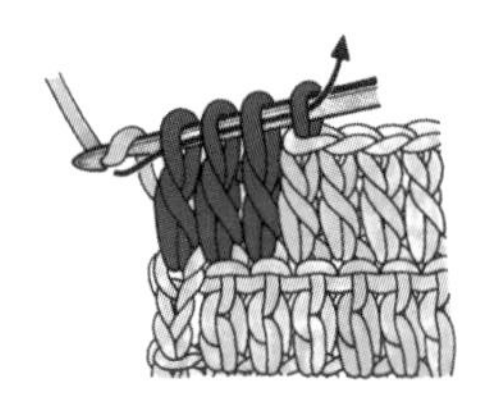

❶ ❷ Sur les 3 dernières m., faire 3 br. incomplètes.

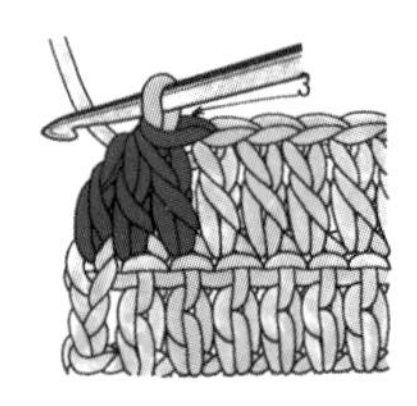

❸ Écouler les 3 br. ensemble.

Diminutions en biais

Ces diminutions servent surtout pour les vêtements et se font le plus souvent pour biaiser les épaules ou pour arrondir le haut des manches.

- **En brides**

Pour diminuer de plus de trois mailles en début ou en fin de rang. En fin de rang, on s'arrête avant la première maille à diminuer et en début de rang, on avance en maille coulée sur les mailles à diminuer. Dans ce cas, on obtient un effet « escalier ». Pour obtenir un effet de ligne inclinée, il faut avancer avec des points de taille croissante ou décroissante selon que l'on se trouve en début ou en fin de rang. Dans cet exemple, on diminue de 5 mailles en début et en fin de rang.

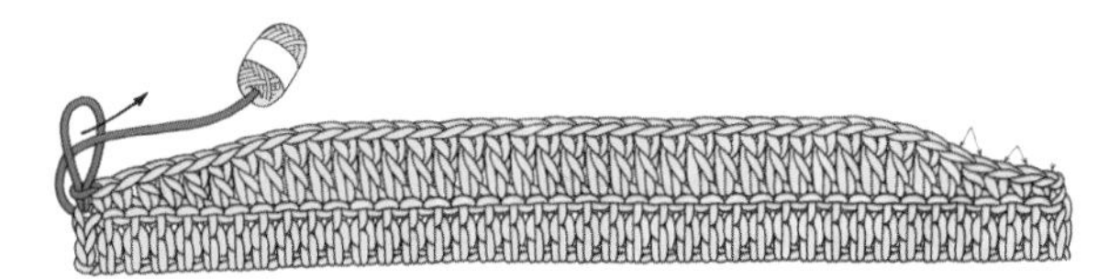

❶ Ici les diminutions portent sur 5 m. : à droite, la première est 1 m.c., les 2 suivantes des m.s., suivies à leur tour de 2 demi-br. En fin de rg, c'est l'inverse : 2 demi-br., 2 m.s. et 1 m.c. pour terminer et arrêter le fil en le passant dans la pelote.

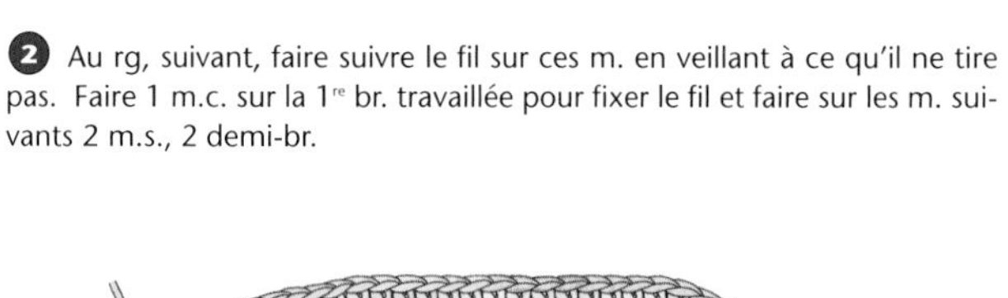

❷ Au rg, suivant, faire suivre le fil sur ces m. en veillant à ce qu'il ne tire pas. Faire 1 m.c. sur la 1re br. travaillée pour fixer le fil et faire sur les m. suivants 2 m.s., 2 demi-br.

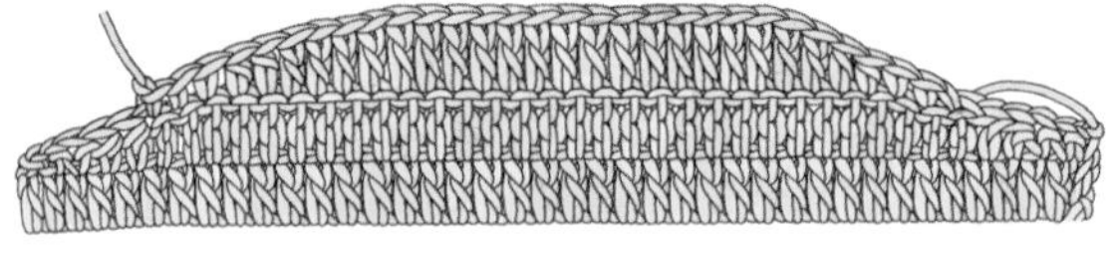

❸ Continuer de la même façon aux rgs suivants.

- **En mailles serrées**

Pour diminuer de plus de trois mailles en début ou en fin de rang, la maille serrée étant une maille basse, on peut procéder comme suit.

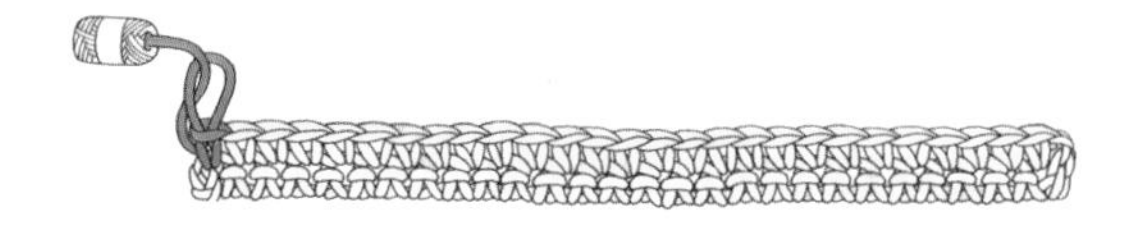

❶ À la fin du rg, avant les diminutions, arrêter le fil sans le couper en passant la pelote dans la dernière m.

❷ Faire suivre le fil sur les m. à diminuer et le fixer par 1 m.c. sur la dernière des m. à diminuer en veillant à ce qu'il ne soit pas tendu.

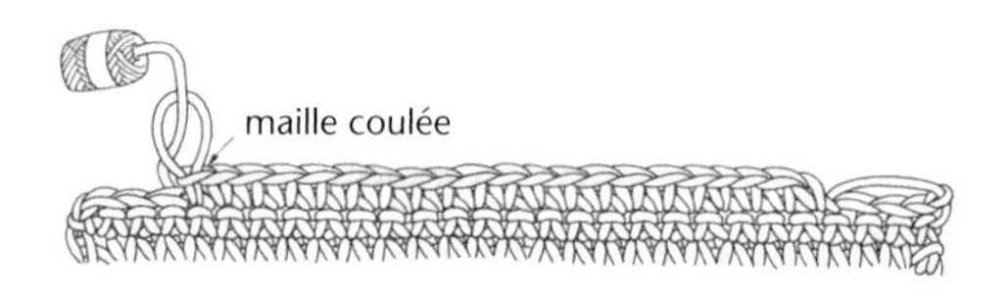

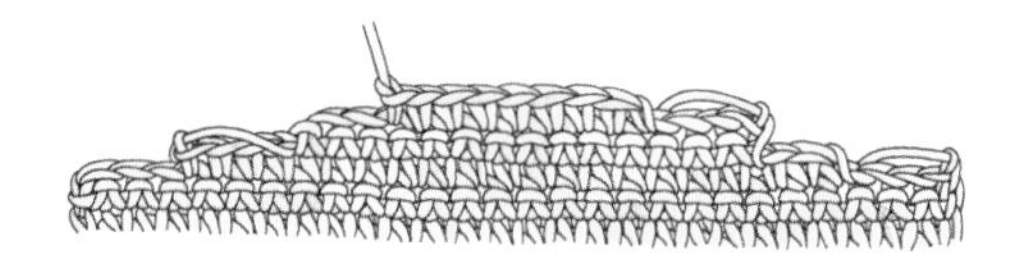

❸ ❹ À la fin du rang, il suffit de s'arrêter avant la première m. à diminuer. Continuer en procédant comme expliqué en 1 et 2 pour les diminutions en début de rg.

Augmenter des mailles

Les augmentations, comme les diminutions, permettent de moduler la forme d'un ouvrage. Elles peuvent se faire sur les bords d'un rang ou à l'intérieur.

Les augmentations peuvent être réalisées en crochetant 2 ou 3 mailles dans une même maille, aux extrémités d'un rang et à l'intérieur d'un rang ou d'un tour. Ce principe est le même quel que soit le point exécuté. Quand le nombre de mailles à augmenter dépasse 3, on ajoute une chaînette ou bien, dans le cas de points hauts (brides, double brides, etc.), on peut crocheter la maille ajoutée en piquant le crochet dans la boucle de base de la maille précédente.

Les augmentations d'une maille

Dans l'exemple présenté, c'est une maille serrée qui est augmentée.

- **À droite**

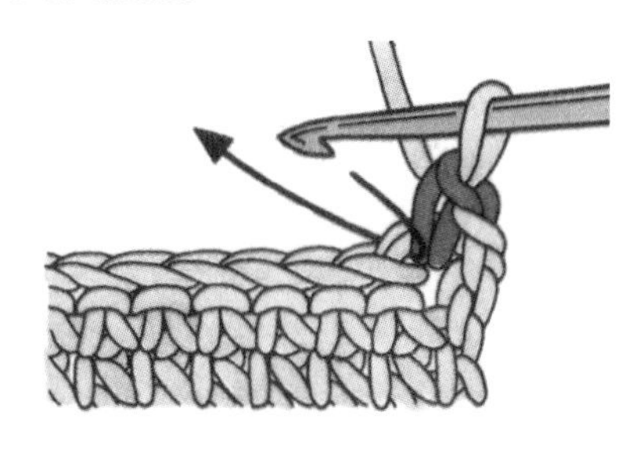

❶ Après avoir fait 1 m. air pour tourner, faire 1 m.s. dans la première m.

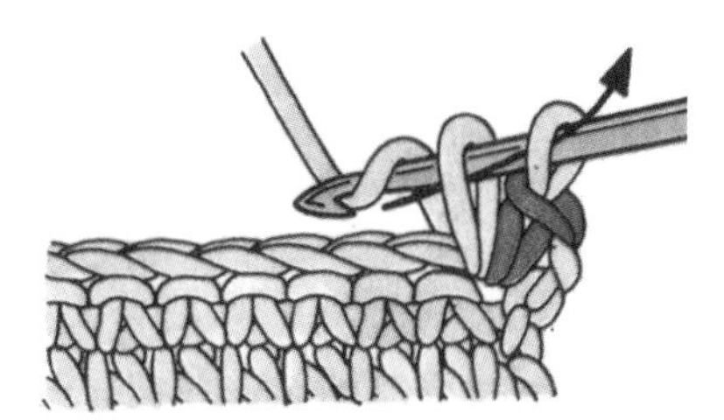

❷ Faire une deuxième m.s. dans la même m.

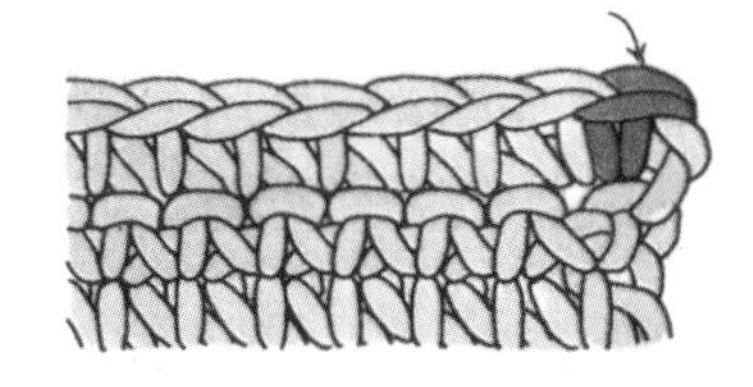

❸ Le rang terminé avec la maille en violet augmentée.

- **À gauche**

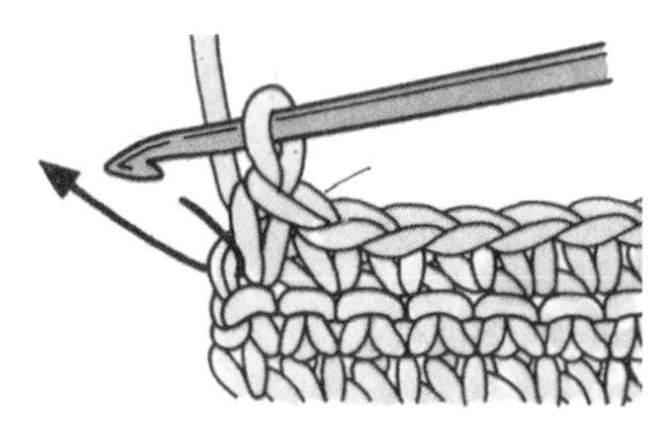

❶ Faire 1 m.s. dans la dernière m. du rg.

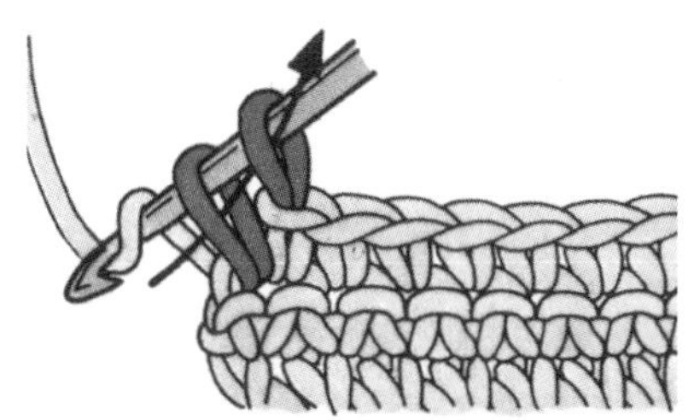

❷ Faire une deuxième m.s. dans la dernière m. du rg.

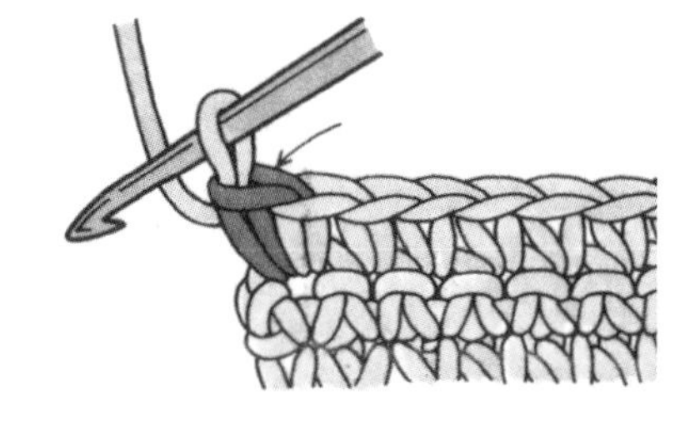

❸ Le rang terminé avec la maille en violet augmentée.

Le point de filet

Le travail particulier au point de filet suppose en général que l'on augmente d'une résille entière (3 mailles). Dans le cas de résilles pleines (3 brides), on utilise les méthodes exposées sur cette fiche. Dans le cas de résilles vides, on augmente en début de rang par une chaînette et à la fin du rang en faisant 2 mailles en l'air, puis une triple bride piquée dans la même maille que la dernière bride du rang.

Augmenter des mailles

Les augmentations extérieures multiples avec chaînette

Quand le nombre de mailles à augmenter dépasse le chiffre 3, l'une des méthodes pour augmenter consiste à faire une chaînette à gauche ou à droite du modèle. Dans ce deuxième exemple, ce sont des brides qui sont augmentées.

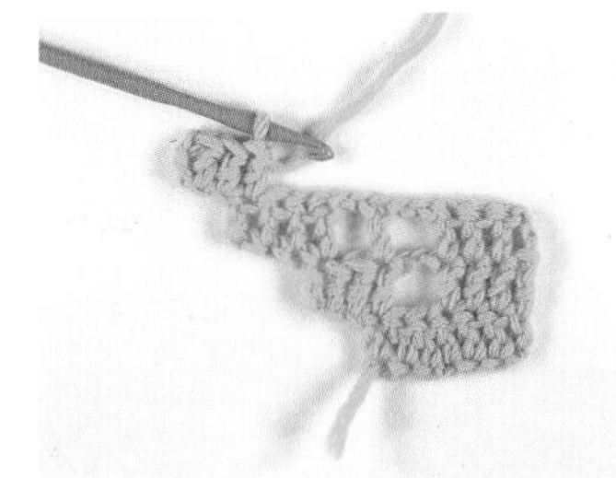

- **À droite**

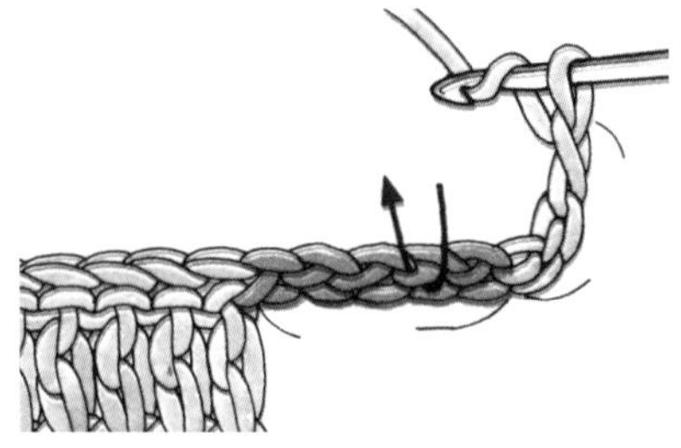

1 À la fin du rg précédant les augmentations, faire une chaînette comptant le nombre de m. à augmenter, ici 5 m., puis tourner l'ouvrage.

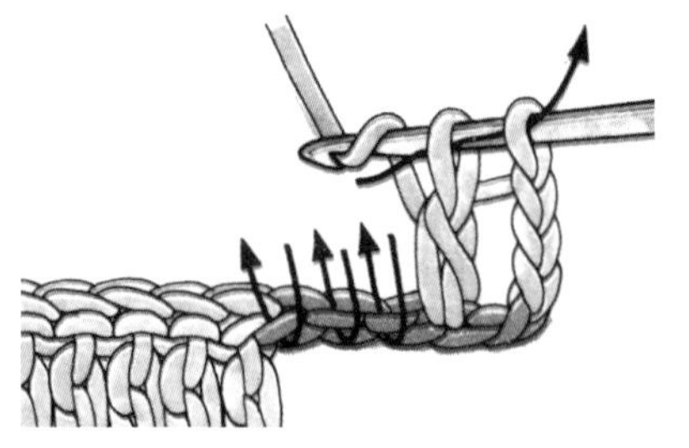

2 Faire 3 m. air (pour remplacer la 1re br.), puis 1 br. sur chacune des 4 m. de la chaînette.

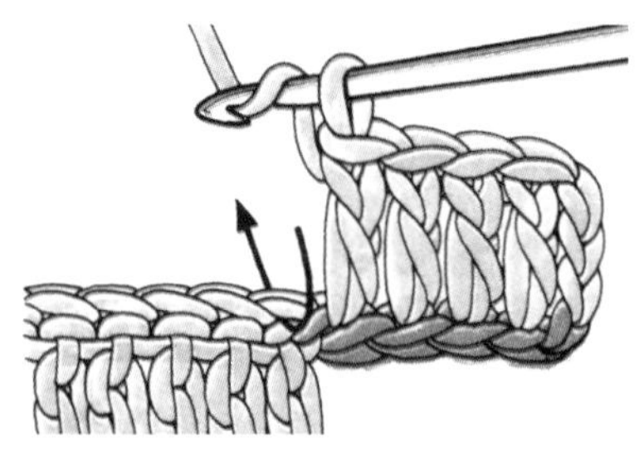

3 Puis continuer le rg normalement.

- **À gauche**

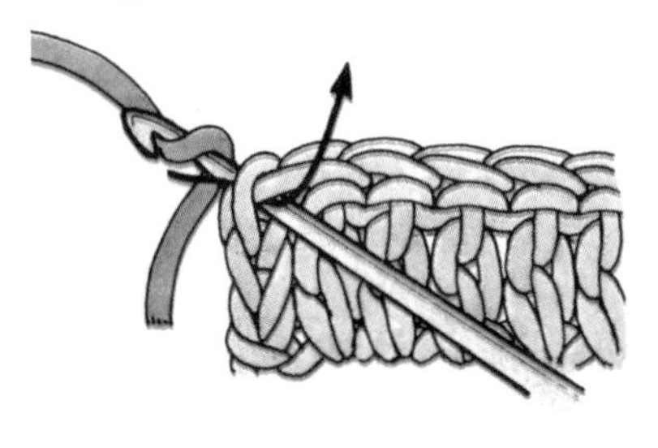

1 Attacher un fil auxiliaire par 1 m.c. à la dernière m. du rg.

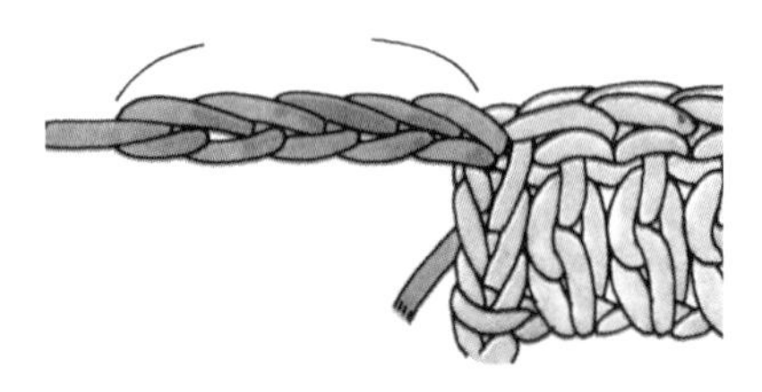

2 Faire 1 chaînette de 5 m. air

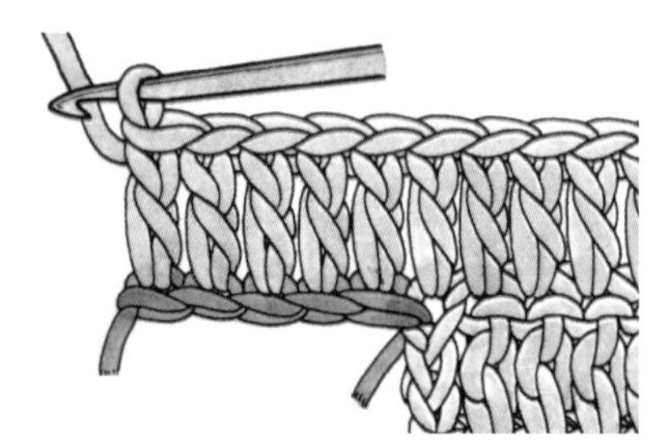

3 Reprendre le fil de l'ouvrage et piquer 1 br. dans chacune des m. de la chaînette.

Les brides ajoutées en fin de rang

En fin de rang, on peut, nous l'avons vu, ajouter une chaînette pour augmenter de plusieurs mailles. On peut aussi, et cela concerne essentiellement les mailles hautes et surtout la bride, utiliser une autre méthode, qui consiste à piquer les brides augmentées dans la base de la bride précédente, ces brides étant écoulées en 3 fois.

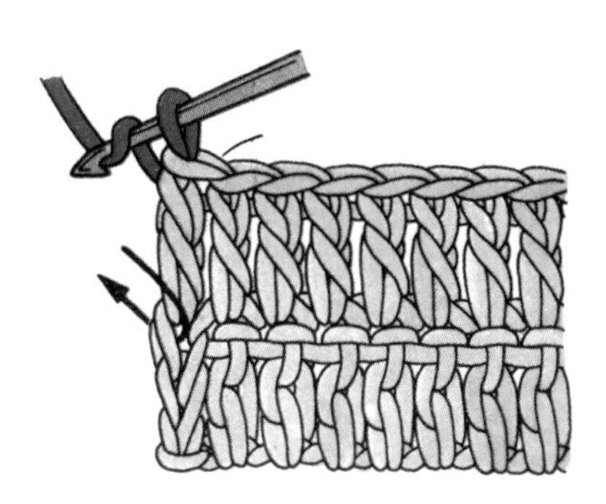

1 Faire 1 jeté et piquer le crochet à la base de la derrnière m., tirer 1 boucle, faire 1 jeté et le passer à travers la boucle, puis écouler les boucles 2 par 2.

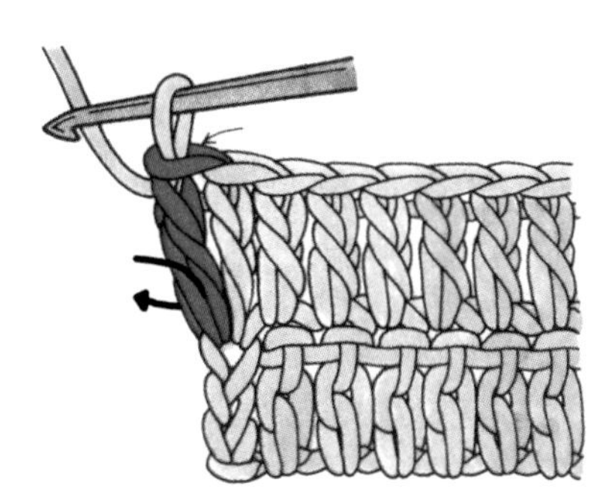

2 Faire la bride suivante en piquant le crochet dans la boucle de base de la br. précédente selon le même principe, soit en écoulant la br. en 3 fois.

L'échantillon

Avant de commencer un modèle, réalisez toujours un échantillon.
Cette étape est indispensable, car tout le monde ne crochète pas de la même façon.

Quel que soit l'ouvrage que vous avez choisi de crocheter, l'échantillon accompagne systématiquement les explications. Il va vous permettre de vérifier que ce que vous allez réaliser correspondra bien au modèle de référence. L'échantillon permet d'évaluer les dimensions que l'on obtient avec un certain nombre de points et de rangs, ou de tours. Le modèle est bâti à partir de ces données.

Un échantillon fiable

Pour qu'un échantillon vous renseigne, il convient de le mesurer avec précision, comme s'il s'agissait de l'ouvrage terminé. Donnez-lui un léger coup de fer puis posez-le donc bien à plat en le maintenant, si nécessaire, à l'aide d'épingles. Mesurez-le alors avec soin. Quand l'échantillon est proposé sur un carré 5 x 5 cm, il est préférable de le faire un peu plus grand, 10 x 10 cm par exemple, afin de ne prendre les mesures que sur sa partie centrale. Le travail de bordure ne reflète pas exactement celui de l'ensemble.

Il est même préférable de travailler un peu plus en hauteur parce que sur un petit nombre de mailles, on a tendance à travailler plus serré ou plus lâche. La distance permet de retrouver son tour habituel.

Mesure en largeur de maille à maille.

Comparaison

Si votre exemplaire correspond à l'échantillon de référence, vous pouvez attaquer le modèle sereinement, vous obtiendrez des dimensions identiques à celles indiquées dans les explications.

Mais il arrive assez souvent de constater des différences qui s'expliquent notamment par les variations de tension dans la manière de laisser glisser le fil. Dans ce cas un réajustement sera nécessaire. Vous pourrez, selon le cas :

- si votre échantillon est trop petit, vous pouvez essayer d'utiliser un crochet d'un diamètre immédiatement supérieur ;

- si votre échantillon est trop grand, vous procéderez inversement en essayant un crochet d'un diamètre immédiatement inférieur à celui indiqué dans les explications.

Ce réajustement ne sera pas toujours suffisant et il sera parfois nécessaire de diminuer le nombre de rangs, voire de réduire le nombre de mailles quand l'architecture du modèle le permettra.

Mesure en hauteur de rang à rang.

L'échantillon

L'échantillon, les fils et les points

Si vous optez pour un fil autre que celui préconisé, l'échantillon est indispensable, car le fil, comme les points, influence le travail.

On peut d'ailleurs obtenir différents effets en jouant avec la grosseur des fils et la taille des crochets.

Par ailleurs, certains points demandent plus de mailles que d'autres. Ne vous étonnez donc pas si l'on vous demande pour une même longueur, un nombre de mailles de base différent !

1 Même crochet, même point et fils différents.
Comme on peut le constater, en utilisant un même crochet pour deux fils de grosseurs différentes, on n'obtient pas le même nombre de mailles au centimètre.

2 Même fil, même point.
Là encore, on peut remarquer que la taille du crochet a une incidence sur les dimensions, car avec le même fil et un crochet différent, on obtient une hauteur et une largeur différentes.

3 Même crochet, mêmes fils et points différents.
Cette fois, c'est le point qui change (brides et mailles serrées) et cela se traduit par une maille différente en hauteur et en largeur.

Napperons et ouvrages en rond

Dans certains ouvrages, il n'y a pas vraiment de régularité de motif, chaque tour étant différent. Dans ce cas, l'échantillon est établi en fonction des premiers tours du modèle. C'est le cas pour la plupart des napperons.

Adapter un modèle

Un modèle vous a séduit, mais la taille proposée ne correspond pas à la vôtre, dans ce cas, vous pouvez l'adapter en faisant des conversions.

Mesures et échantillon

Nous allons convertir ce modèle du 40 en 44/46. Pour réaliser une autre taille, plus petite ou plus grande, vous prendrez les mesures sur un vêtement à la bonne taille.

Avant d'opérer les différentes conversions nécessaires à la modification des dimensions, il est nécessaire de faire un échantillon.

Lorsqu'il y a plusieurs points, selon les modèles, l'échantillon de référence est donné pour le point le plus significatif ou pour les différents points si l'équilibre de l'ouvrage en dépend.

Il concerne ici un point fantaisie qui, crocheté avec un fil double Cébélia n° 30 et un crochet acier n° 2,50, donne les caractéristiques suivantes : 8 rgs x 22 m. = 5 x 5 cm. Un motif du point fantaisie comptant 7 m.

C'est à partir des données de l'échantillon et des dimensions à obtenir que nous allons opérer les conversions.

Le dos et le devant

La largeur

En taille 44/46 la largeur du dos et celle du devant sont de 53 cm.

Il va falloir faire une règle de 3 pour obtenir le nombre de mailles nécessaires en prenant pour base l'échantillon. Si pour 5 cm, j'ai 22 m., pour 1 cm, j'en aurai 5 fois moins et pour 53 cm, 53 fois plus soit (22/5) x 53 = 233,2 mailles.

Quand on a un nombre décimal, on arrondit au chiffre supérieur ou inférieur en tenant compte éventuellement du nombre de mailles nécessaire pour un motif. Ici, le motif compte 7 m. Pour obtenir 33 motifs, il faut 231 m. Comme il est préférable d'ajouter 2 br. en fin de rang pour fermer le dernier motif, nous retiendrons donc 231 m + 2 m. = 233 m.

La hauteur

Pour adapter la hauteur, il faut simplement crocheter un plus grand nombre de rangs, en appliquant le même principe de règle de 3. La hauteur totale du modèle pour la taille 44/46 est de 41 cm (17 cm jusqu'aux emmanchures, et 24 cm des emmanchures jusqu'à la pointe haute de l'épaule.)

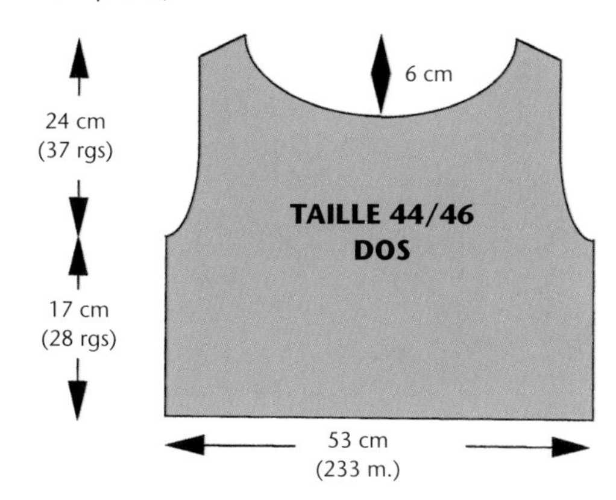

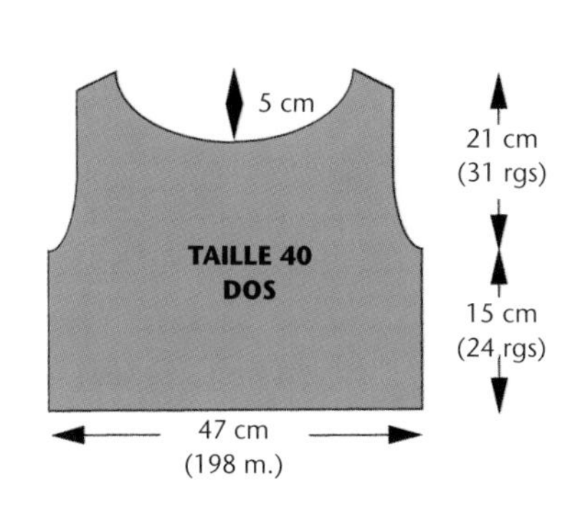

Adapter un modèle

Diminutions des emmanchures
À 17 cm de hauteur totale (28 rgs), vous allez définir le nombre des diminutions.
Pour la taille 40, elles étaient de 21 m. (3 motifs) sur 8 rgs. Toujours selon le principe de la règle de 3 et en ajustant pour ne pas couper le motif et préserver l'harmonie de l'ouvrage, nous allons calculer leur nombre.
Si pour une largeur de 47 cm, je diminue de 21 m., pour 1 cm, je diminuerai 47 fois moins et pour 53 cm, 53 fois plus, soit (21/47) x 53 = 23, 68... On retiendra là 28 m. pour avoir 4 motifs complets.
Ces diminutions se feront sur 12 rgs (pour 3 motifs, elles se faisaient sur 8 rgs), en continuant ensuite droit jusqu'aux épaules.

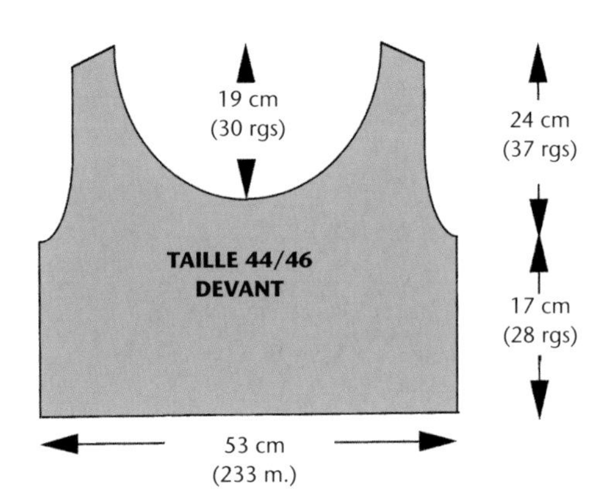

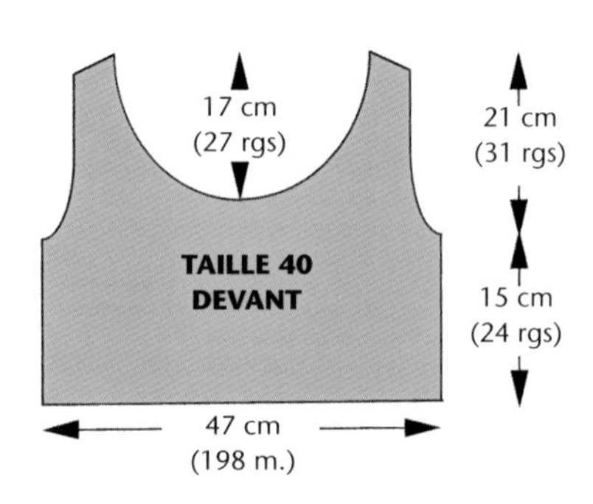

L'encolure et les épaules
Comme pour notre modèle, l'encolure présente en général une échancrure différente pour le dos (moins profonde) et pour le devant. Sur ce modèle, la largeur de l'encolure correspond à environ la moitié du dos et du devant. En profondeur, elle correspond à environ 15 % de la hauteur pour le dos, et un peu moins de la moitié de la hauteur pour le devant.

Dos : en respectant ces proportions, l'encolure aura 6 cm de profondeur et les diminutions se feront à 35 cm de hauteur (après 54 rgs) en travaillant chaque côté séparément (9 motifs), donc en laissant les 7 motifs centraux (49 m.). Travailler sur 12 rgs, à partir du 55e rg, en répartissant régulièrement 30 diminutions côté encolure, puis, parallèlement à partir du 61e rg, 21 diminutions côté épaule.

Devant : l'encolure aura 19 cm de profondeur et se fera à 22 cm de hauteur (après 35 rgs. Comme pour le dos, les deux côtés (10 motifs) se travaillent séparément en laissant cette fois les 5 motifs centraux.
Ici, les diminutions tendent à suivre un demi-cercle, il faut donc les répartir de manière à créer cette figure : 47 m. côté encolure et 17 côté épaule sur les deux derniers rgs.

Les franges se feront en crochetant des chaînettes de 30 cm de long. Vous pouvez les faire un peu plus longues en veillant toutefois à ne pas déséquilibrer le modèle.

Les Manches

Les manches s'évasent généralement de bas en haut et présentent une tête de manche en arrondi aplati pour s'ajuster au bloc dos-devant.

La hauteur totale de manche sera de 55 cm (42 cm + 13 cm, tête de manche) soit 85 rgs.

En taille 44/46, le bas de manche mesure 22 cm. En posant la règle de 3, on trouve le nombre de mailles à monter : (22/5) x 22 = 96,8. On retiendra 99 m. (ce qui fait 14 motifs + 1 m.).

Au bas de la tête de manche, cette dernière mesure 40 cm, ce qui correspond à : (22/5) x 40 = 176. On retiendra 177 m. Pour avoir un nombre pair d'augmentations, soit 177 – 99 = 78 m. Il faudra augmenter de 78/2 m., soit 39 m. de chaque côté.

L'arrondi se fera en répartissant régulièrement par palier 32 diminutions de chaque côté en 20 rgs.

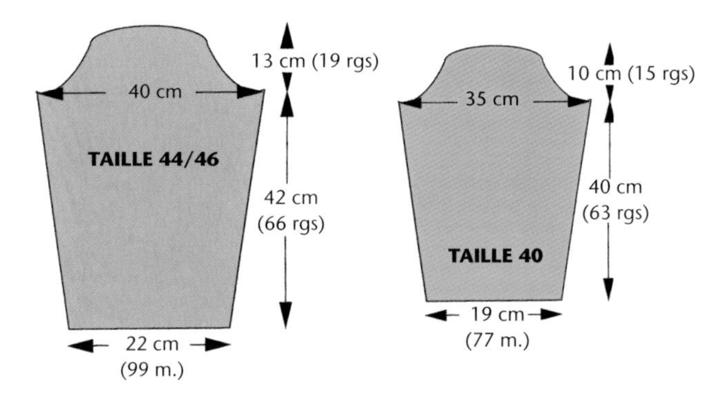

Les formes

Le crochet se plie à toutes les formes pour réaliser des pièces uniques, napperons ou maniques par exemple, ou des pièces à assembler en patchwork.

Carré, losange, rond, rectangle, toutes les figures géométriques trouvent leur expression à travers le crochet. Elles se crochètent par rangs ou en rond selon les modèles.

Le carré tavaillé en rond

Tout simple, il est très décoratif par le tracé de ses diagonales dessiné par les augmentations à chaque tour.

Tous les points conviennent ou presque, celui-ci est fait à partir de demi-br. et m.s.

Faire 1 boucle de 6 m. air, fermer par 1 m.c.

1er tour : 2 m. air (pour remplacer la 1re demi-br.), 1 demi-br. dans l'anneau, *2 m. air, 2 demi-br. dans l'anneau*, répéter 2 fois de *à* et terminer par 2 m. air, 1 m.c. dans la 2e m. air de début du tour.

2e tour : 2 m. air (pour remplacer la 1re demi-br.), 1 demi-br. sur chacune des demi-br. du tour précédent. Dans les angles faire 1 demi-br., 2 m. air, 1 demi-br.

3e tour : 1 m. air (pour remplacer la 1re m.s.), 1 m.s. sur chacune des demi-br. du tour précédent. Dans les angles faire 1 m.s., 2 m. air, 1 m.s.

4e tour et suivants : comme le 3e, les augmentations se font à chaque tour dans les angles.

Le rectangle travaillé en rangs et en tours

Tout simple, ce rectangle se travaille en mailles serrées par rang sur le nombre de mailles correspondant à la longueur souhaitée. Ici, une bordure en m. serrée travaillée en rond finit l'ensemble. Pour cela, il convient de faire 1 m. s. dans chacune des m.s, et de faire 3 m.s. dans chacun des angles. Selon ce même principe, on peut faire plusieurs tours.

Le rond

Pour faire un joli rond bien plat, il faut moduler les augmentations en fonction du fil. Il n'y a donc pas de règle générale à décliner pour l'obtenir. Il faut être attentif à son ouvrage et ne pas hésiter à faire un échantillon avant de commencer. En effet, trop de mailles augmentées entraînera une ondulation des bords ; trop peu de mailles augmentées donnera à la pièce une forme concave. Ces augmentations seront décalées d'un tour sur l'autre pour ne pas créer de motifs.

Selon que vous piquerez le crochet dans les deux brins de la maille ou dans le brin arrière, vous obtiendrez un effet différent.

Dans le modèle présenté, dans un anneau de 6 m. air, 8 demi-br. ont été piquées. À partir du 2e tr, les m.s. ont été piquées dans le brin arrière de la m. du t. précédent.

Les formes

Le demi-cercle

Cette pièce se travaille par rangs, mais le départ peut se faire dans un anneau. Comme pour le rond, la modulation des augmentations dépend du fil utilisé et un excès ou un manque sera à l'origine d'une pièce non plane. Les augmentations sont aussi à décaler d'un rang sur l'autre pour ne pas créer de motif.

Le principe du demi-cercle est de faire le nombre de mailles nécessaire dans l'anneau en les plaçant d'un seul côté. Faire le nombre de m. air pour tourner et travailler sur ce demi-cercle en augmentant régulièrement. Au bout du rg, tourner l'ouvrage et continuer selon le même principe.

L'hexagone

La technique utilisée pour l'hexagone (mais aussi pour l'octogone ou le pentagone) est celle employée pour le carré crocheté en rond. Les augmentations se font à espaces réguliers, ce qui permet de créer le nombre d'angles correspondant à la figure souhaitée.
Ainsi pour l'hexagone, on procédera à 6 augmentations au deuxième tour, ce qui correspond aux 6 sommets de l'hexagone. Les espaces entre chacune des augmentations sont égaux. Il faut donc veiller à avoir au premier tour un nombre de mailles multiple de 6. Les augmentations des tours suivants se feront toujours dans ces angles.
Pour le pentagone (5 côtés) il faudra un nombre de mailles multiple de 5 au premier tour. Pour l'octogone (8 côtés), ce sera un multiple de 8.

Le losange

Celui-ci se travaille par rangs et se commence par la pointe.Selon le rythme des augmentations, on obtient un losange plus ou moins allongé. Ce modèle correspond à la somme de deux triangles équilatéraux.
1er rang : dans 1 m. air, faire 3 m.s.
2e rang : 1 m. air pour tourner, et augmenter de 1 m.s. de chaque côté. Pour obtenir une pente plus douce, faire les augmentations dans la 2e et l'avant-dernière mailles.
3e rang : tout en m.s.
4e rang : 1 m. air pour tourner, continuer en m.s. et augmenter de 1 m.s. de chaque côté.
Répéter les rgs 3 et 4 jusqu'à obtenir la largeur souhaitée.
Pour la 2e partie du losange, diminuer de 1 m. de chaque côté tous les 2 rgs.
Lorsqu'il ne reste plus que 3 m., fermer ces m. en même temps.
Si l'on souhaite réaliser un triangle, il suffit de s'arrêter avant les diminutions.

Les points en relief

Ils sont au crochet ce que les points irlandais sont au tricot, des points très décoratifs, joliment bombés, à utiliser en petites ou grandes touches.

C'est en multipliant les points dans une même maille que l'on obtient un motif formant saillie sur l'ensemble ou encore en faisant un point plus grand dans un environnement de points plus petits. Les combinaisons sont nombreuses et le résultat dépend de la manière dont le crochet est piqué. Selon le fil employé, le relief sera aussi plus ou moins accentué. On peut, bien sûr, associer différents points dans un même ouvrage tandis que la façon dont on agence les points permet de créer différentes figures : points en quinconce, en diagonale, etc.

Le mouchet

Le mouchet s'obtient en faisant un nombre de brides fermées ensemble. Ici, on alterne rang en mailles serrées et rang avec mouchets, les mouchets eux-mêmes étant séparés par 3 mailles serrées, disposées en quinconce d'un rang de mouchets au suivant. Les mouchets présentent plus de relief s'ils sont travaillés sur l'envers de l'ouvrage.

Sur l'envers du travail, dans la même maille, faire 4 brides non terminées, soit 4 fois *1 jeté, piquer le crochet et tirer 1 boucle*. On a 9 boucles sur le crochet. Prendre ensuite 1 jeté et passer ces 9 boucles ensemble. Terminer par 1 maille coulée. L'ouvrage a été ici retourné pour monter le point sur l'endroit du travail.

Le point de barrette

Ce point peut se faire sur demi-bride, bride, voire double bride. Dans le modèle présenté, il est crocheté sur bride, en alternant un rang au point de barrette et un rang de mailles serrées. Le premier a été ici travaillé en brides.

Sur l'endroit du travail, commencer le rang par 3 mailles en l'air (pour remplacer la première bride), 1 bride, sauter 1 maille, et faire le point de barrette comme suit : *faire 1 jeté, piquer le crochet dans la maille sautée en passant devant la bride, tirer une boucle assez lâche*, répéter 3 fois de * à*. Piquer le crochet dans la même maille que la dernière bride, prendre 1 jeté, faire encore 1 jeté et le passer à travers les 10 boucles, terminer par 1 maille coulée.

Le point popcorn

Ce point se fait à partir d'un groupe de brides que l'on ferme en réunissant la première et la dernière par 1 maille coulée.

Le point se fait ici sur l'endroit du travail et compte 5 brides terminées faites dans la même maille. La cinquième bride terminée, tirer le crochet, le piquer d'avant en arrière dans la première bride du groupe puis dans la boucle de la cinquième bride laissée en attente ; passer cette boucle à travers la première sur le crochet.

Pour que le relief du point soit sur l'envers de l'ouvrage, il faut piquer d'arrière en avant pour resserrer le groupe des cinq brides.

Les points en relief

Le point karakul

Ce point se fait sur 2 rangs en alternant 1 rang de mailles serrées et 1 autre au point karakul.

Sur l'envers du travail, commencer par 1 maille serrée, *piquer le crochet dans la maille suivante, prendre 1 jeté et le passer à travers la maille ; sur cette boucle faire 3 mailles en l'air.

Terminer par 1 maille coulée sans trop la serrer pour ne pas tasser le point. Travailler souplement et régulièrement afin de bien répartir les boucles.

Le relief du point apparaît sur l'endroit du travail.

Le point de poste

C'est le grand nombre de jetés qui donne à ce point l'allure singulière d'un collier d'anneaux. Selon l'environnement du point, il sera plus ou moins courbé. Ici, les points sont séparés par des brides.

Commencer par faire 7 jetés, piquer ensuite le crochet sous la maille qui suit, prendre 1 jeté et le passer à travers les 8 boucles.

Terminer par 1 maille coulée sans trop la serrer pour ne pas tasser le point. Travailler souplement et régulièrement afin de bien répartir les boucles.

Le point soufflé

Ce point à base de brides est sans doute le plus connu et le plus utilisé des points en relief et, là encore, ses « rondeurs » dépendent du nombre de brides écoulées ensemble. Selon leur dimension et l'effet souhaité, on sautera 1 ou 2 mailles entre chaque point. Celui présenté ici compte 5 brides. Faire 5 brides incomplètes, soit 5 fois *1 jeté, piquer le crochet dans la maille, tirer 1 boucle, 1 jeté, écouler 2 boucles*, faire 1 jeté et écouler les 5 brides incomplètes en même temps.

Mise en forme et durcissement des ouvrages

Le Sucre

La fleur de maïs

La gélatine alimentaire

Le sucre

❶ Matériel et produits nécessaires : une casserole et un récipient pour mesurer l'eau et le sucre. Il faut 6 volumes d'eau pour 1 volume de sucre. Mettre l'eau dans la casserole, y verser le sucre et cuire à petit feu en remuant constamment jusqu'à ce que le volume diminue de 1/3.

❷ Attendre que le sirop soit tiède pour y tremper l'ouvrage non garni et le laisser s'imprégner abondamment. Le retirer et le faire sécher sur la forme adéquate.

❸ Arranger la forme ainsi que les mailles du rebord assez rapidement, car une fois sec l'ouvrage ne bouge plus. Enlever le support juste avant le séchage complet pour que l'ouvrage ne reste pas collé sur celui-ci.

Mise en forme et durcissement des ouvrages

La fleur de maïs

❶ Matériel et produits nécessaires : une casserole et une cuillerée à soupe de fleur de maïs (Maïzena) et 5 cl d'eau pour 2 chapeaux miniatures. Mettre la fleur de maïs dans la casserole, y verser l'eau et bien les mélanger. Cuire à petit feu jusqu'à l'obtention d'une colle transparente. Retirer la casserole du feu. Laisser refroidir la colle. Humecter légèrement l'ouvrage à durcir pour qu'il absorbe la colle uniformément.

❷ Sur un carton, faire un cercle de la circonférence correspondant au rebord du chapeau à durcir. Faire sécher le chapeau sur le support adéquat, centrer le support dans le cercle.

❸ Épingler à des intervalles réguliers le pourtour du rebord sur le cercle tracé.

❹ Laisser sécher. Si nécessaire, accélérer le séchage à l'aide d'un sèche-cheveux.

La gélatine alimentaire

❶ Matériel et produits nécessaires : une casserole, une feuille de gélatine alimentaire neutre et 5 cl d'eau (pour un napperon de 33 cm de diamètre) un compas, un crayon, une règle, un séchoir à cheveux, 40 x 40 cm de carton. Tremper une feuille de gélatine dans de l'eau froide pendant 5 mn puis l'égoutter. Porter à ébullition 5 cl d'eau. Ajouter la feuille de gélatine imbibée d'eau. Remuer jusqu'à complète dissolution. Attendre que le mélange soit tiède pour y tremper l'ouvrage.

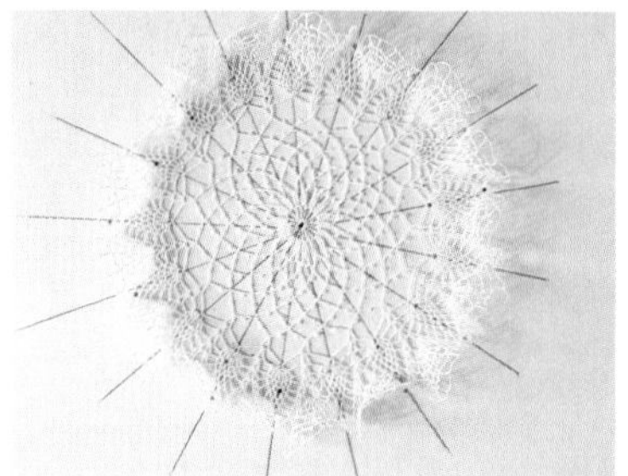

❷ Épingler le centre du napperon au centre du cercle tracé sur le carton dont la circonférence correspond à celle de la partie plate du napperon. Ensuite, épingler la pointe des motifs sur le croisement des lignes de division en suivant le nombre de motifs et la circonférence du cercle.

❸ Imbiber la partie volantée en tamponnant avec un petit morceau de tissu ou de coton trempé dans le mélange tiédi. Répéter l'opération plusieurs fois s'il y a lieu.
Redresser les volants : tenir chaque extrémité du motif entre le pouce et l'index de chaque main, l'étirer et l'arrondir en soulevant les doigts tout en respectant la forme du motif. Sécher (à l'aide d'un sèche-cheveux) pour déterminer un par un la forme des volants. Enlever les épingles après séchage complet.

Mailles hautes et mailles groupées

La triple bride (triple br.)

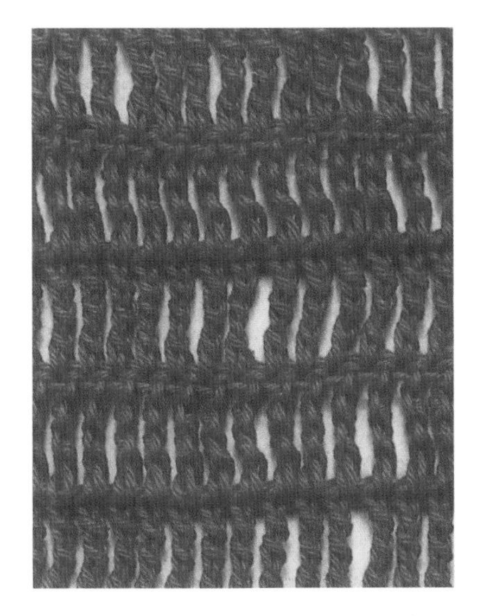

Proche de la double bride, elle se présente également sous l'aspect de colonnette mais de plus grande hauteur.

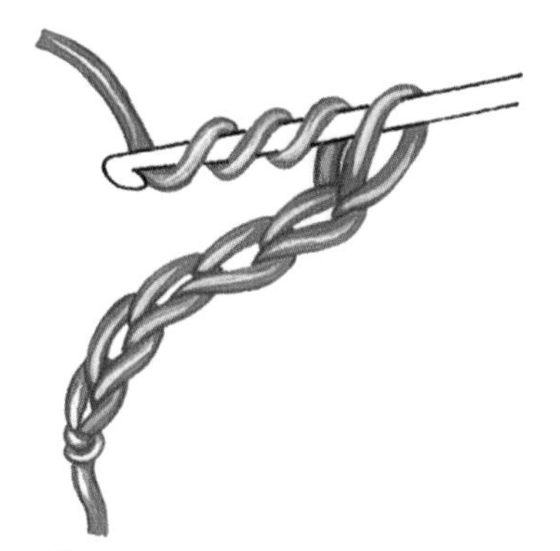

❶ Faire 3 jetés.

❷ Piquer le crochet dans la 6e m. Faire 1 jeté et tirer le fil à travers la m. de la chaîn. Faire 1 jeté, il y a alors 5 boucles et 1 jeté sur le crochet.

❸ Tirer le fil à travers 2 boucles. Faire 1 jeté et écouler 2 boucles.

❹ Écouler encore 2 boucles et la triple br. est terminée. Continuer ainsi jusqu'à la fin du rg.

La quadruple bride (quadruple br.)

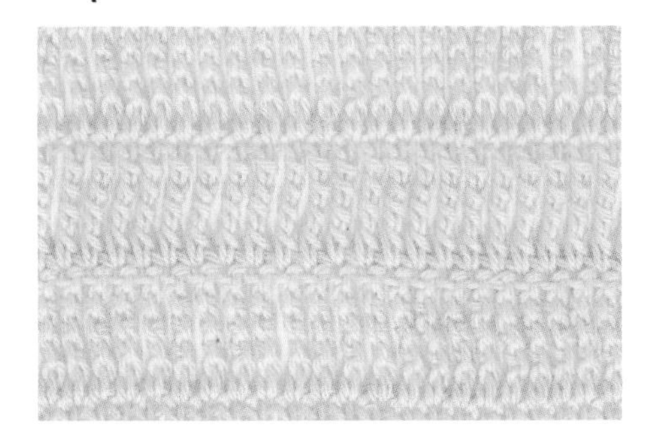

Elle se crochète sur le même principe que la double br. ou triple br., mais en 4 fs au lieu de 2 ou 3 fs. Faire une chaîn., sauter 6 m., faire 4 jetés sur le crochet et piquer le crochet dans la 7e m. Tirer 1 fil et écouler les boucles 2 par 2, en tout 5 fs.

Mailles hautes et mailles groupées

La quintuple bride (quintuple br.)

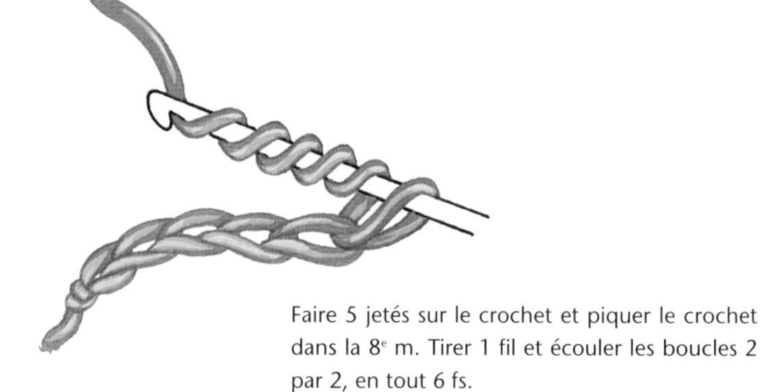

Faire 5 jetés sur le crochet et piquer le crochet dans la 8e m. Tirer 1 fil et écouler les boucles 2 par 2, en tout 6 fs.

La sextuple bride (sextuple br.)

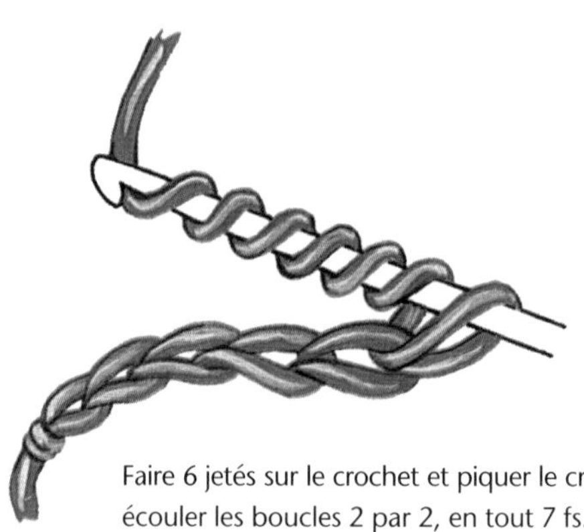

Faire 6 jetés sur le crochet et piquer le crochet dans la 9e m. Tirer 1 fil et écouler les boucles 2 par 2, en tout 7 fs.
Selon ce principe, on peut réaliser de très hautes mailles en multipliant le nombre de jeté, les limites étant posées par l'exigence de l'ouvrage.

Les brides groupées

❶ Sauter 1 m. entre chaque groupe. Faire 1 jeté, piquer le crochet dans la m. suivante. Tirer 1 fil à travers la m., faire 1 jeté et passer le fil à travers 2 boucles.

❷ Faire 1 jeté, piquer le crocher dans la m. suivante, tirer le fil, faire 1 jeté et passer le fil à travers. Il y a alors 3 boucles sur le crochet. Faire 1 jeté et passer le fil à travers les 3 boucles.

Les doubles brides groupées

❶ Sauter 1 m. entre chaque groupe. Faire 2 jetés, piquer le crochet dans la m. suivante. Tirer 1 fil à travers la m., *faire 1 jeté et passer le fil à travers 2 boucles. Faire 1 jeté et passer encore 2 boucles*. Il y alors 2 boucles sur le crochet.

❷ Faire 2 jetés, piquer le crochet dans la m. suivante et reprendre de *à* du paragraphe 1. Il y a alors 3 boucles sur le crochet. Faire 1 dernier jeté et passer le fil à travers les 3 boucles.

Créer un napperon rond

Si la création a ses secrets, voilà une méthode pour créer un napperon rond, méthode que vous enrichirez au fil du temps de vos propres découvertes.

Le point et le tracé du motif sont aussi intimement liés que le sont pour le peintre la touche et le motif. De la nature des points, de leur nombre, de leur association, dépend le jeu de l'ombre et de la lumière ou encore de la transparence et de l'opacité. Il est de tradition de travailler avec un fil blanc ou écru pour les napperons, mais le choix de la couleur est finalement affaire de goût. Toutefois, sachez qu'un fil sombre absorbera plus la lumière et que, dans ce cas, le relief des points sera atténué.

Les fournitures

Pour créer votre napperon, vous allez d'abord réaliser le motif principal en papier. Pour mener à bien cette tâche, munissez-vous de feuilles de papier blanc, de papier calque, d'un rapporteur, d'un compas, d'une paire de ciseaux, d'une règle et d'un crayon. Quand vous passerez à l'étape du prototype, il vous faudra bien sûr fil et crochet.

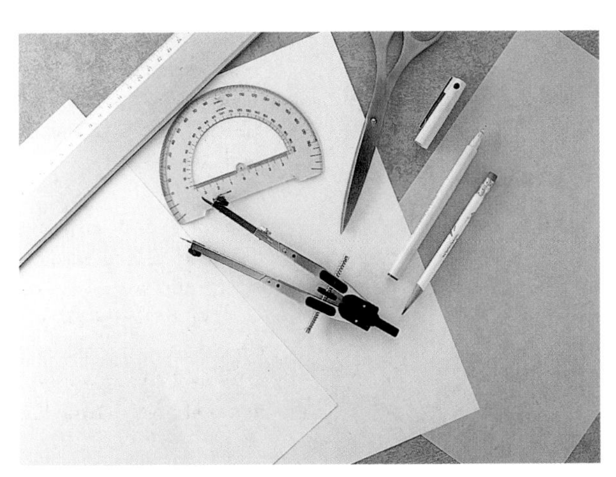

Le pliage du papier

La plupart des napperons ronds sont basés sur la répétition régulière des motifs et la définition de lignes de symétrie. Cela revient à diviser le cercle en portions égales, leur nombre (4, 6, 8, 10 ou 12) variant selon le modèle. Dans le modèle proposé, le cercle est divisé en 6 parties égales.
Pour obtenir de manière simple cette régularité, le pliage d'une feuille en papier est parfait. Il convient donc de plier une première fois la feuille en deux, puis, dans notre exemple, de la plier une seconde fois en 3 parties égales.

- **Le tracé du motif**

Sur une des parties repliées du papier, dessinez la moitié d'un motif stylisé ou abstrait. Puis, en partant du centre vers le bord extérieur, découpez le papier en suivant la ligne du dessin. Découpez les autres motifs nécessaires identiques au premier, 5 dans notre exemple. Quand vous réunirez les 6 parties, vous aurez un aperçu des lignes générales de votre modèle comme le montre la première photo.

Créer un napperon rond

Le dessin du modèle

Sur une grande feuille de papier, tracez un cercle et, à l'aide du rapporteur, divisez-le en nombre de parties égales correspondant au modèle créé, 6 dans notre cas. Tracez les cercles concentriques, chacun d'eux délimitant un tour, ils sont donc tracés en fonction des points choisis. En général, c'est la bride qui sert de référence.

Posez le modèle en papier bien au milieu d'un des axes de symétrie et dessinez son contour. Affinez ces contours, puis décalquez le motif et reportez-le sur l'axe de symétrie contigu. En général, il suffit de dessiner avec précision 2 motifs. Tracez les lignes secondaires nécessaires à la finalisation du motif, comme les lignes partageant l'espace entre deux motifs.

Le prototype

Tout d'abord, avec le fil et le crochet choisis, faites des échantillons correspondant à différents points de base (chaînette, maille serrée, demi-bride, bride, double bride), cela vous permettra de mesurer la hauteur et la largeur des points pour les comparer entre eux et connaître leur nombre au centimètre.

En fonction des dimensions précises de votre dessin et de vos échantillons, vous allez calculer le nombre de mailles nécessaire pour les motifs principaux et secondaires, tour par tour en vous appuyant sur le dessin.

Une réalisation d'une partie de l'ouvrage vous permettra d'affiner vos évaluations.

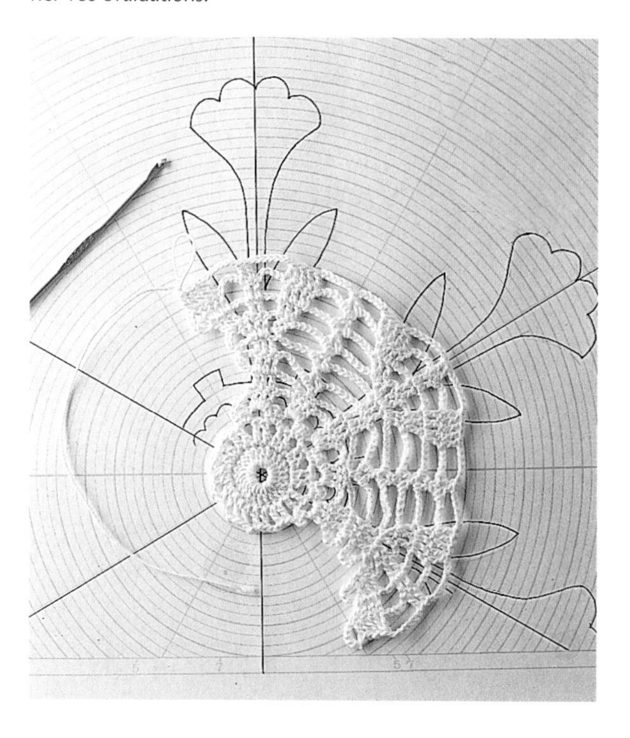

Déterminer le nombre de mailles du premier tour

Vous disposez des dimensions de votre cercle de départ et du premier tour. À partir de là, calculez le nombre de mailles en l'air nécessaires pour couvrir le diamètre de ce nouveau grand cercle (voir schéma ci-dessous). Dans notre exemple, 8 mailles en l'air. Pour calculer le nombre de brides au premier tour, on va utiliser la formule de calcul de la circonférence du cercle soit : la longueur du diamètre x 3,14, en prenant la maille en l'air comme unité.

Si le diamètre mesure 8 mailles en l'air, en appliquant la règle : 8 x 3,14, on obtient 25,12.

Pour avoir un nombre pair, on prend le premier nombre pair en dessous, soit 24. Le premier tour comptera 24 brides.

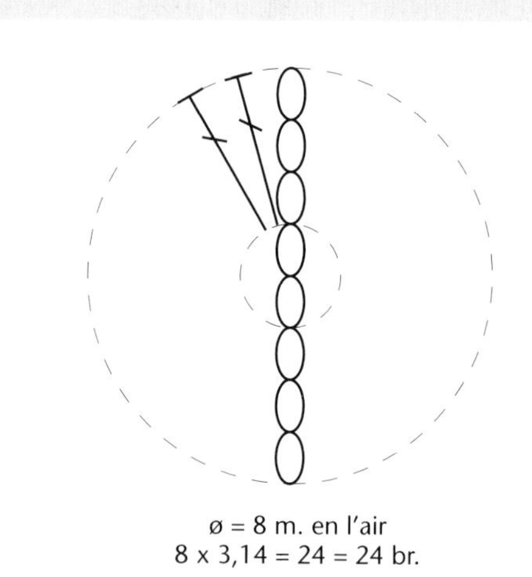

ø = 8 m. en l'air
8 x 3,14 = 24 = 24 br.

L'étirage des napperons

Cette opération est essentielle pour l'aspect final de votre travail. De sa qualité dépend celle de votre ouvrage.

C'est une fois étiré que le napperon révèle tout son éclat. L'équilibre et les qualités esthétiques d'un ouvrage tiennent en premier lieu à la régularité des points. S'il convient, bien sûr, de crocheter le plus harmonieusement possible, l'étirage du napperon réalisé avec soin permettra aussi de pallier quelques irrégularités.

La préparation

Quelle que soit la forme de l'ouvrage, les étapes de sa mise en forme sont sensiblement les mêmes. Avant de commencer, il convient de préparer tout le matériel dont on aura besoin pour mener à bien cette tâche en toute sérénité. Utilisez un détergent neutre pour laver l'ouvrage si vous estimez l'opération nécessaire. Papier kraft, crayon, règle, compas, équerre et épingles vous serviront à fixer la forme de votre ouvrage.

Munissez-vous d'une couverture pliée recouverte d'un linge blanc pour ne pas écraser les points. Cette couverture remplacera avantageusement la table à repasser, il suffit de la poser sur une table. Il vous faudra bien sûr un fer à repasser, un autre morceau de tissu blanc pour protéger la pièce crochetée lors du repassage et une bombe d'amidon.

Le patron

Reportez sur une feuille de papier Kraft les contours de votre modèle et ses axes majeurs de symétrie. Pour les modèles carrés (comme ci-dessus) et rectangulaires, l'équerre vous sera précieuse, pour les modèles circulaires (ci-dessous), mais aussi les formes étoilées, les hexagones, octogones, etc., c'est le compas que vous utiliserez. Dans l'exemple présenté, le cercle est divisé en huit parties.

L'ENTRETIEN

Pour préserver la tenue de vos ouvrages, il est recommandé de procéder de la même façon après chaque lavage. Aussi, mettez votre patron de côté, cela vous évitera de le refaire à chaque fois !

L'étirage des napperons

La mise en forme

❶ Placez l'envers de l'ouvrage sur la couverture ou la planche à repasser.

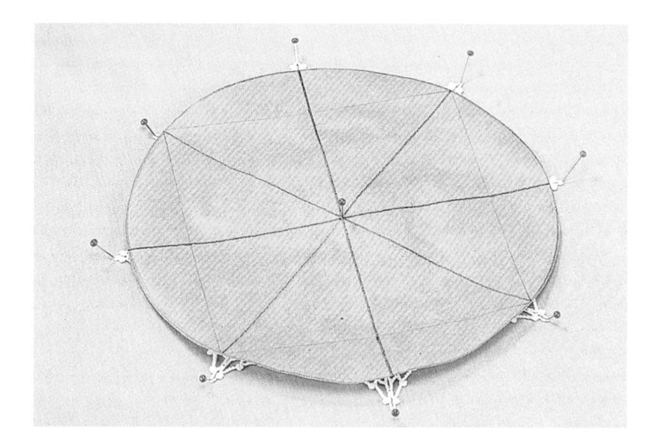

❷ Mettez le patron découpé sur l'ouvrage, de telle façon qu'il le recouvre parfaitement. Le centre de l'ouvrage et celui du patron doivent coïncider et les extrémités des diamètres dessinés doivent être placés sur la pointe des branches de l'étoile. Pour fixer les épingles, commencez par le centre, puis continuez par les pointes en faisant dépasser celles-ci de 5 à 10 mm du patron. Une fois fait, retirez l'épingle centrale.

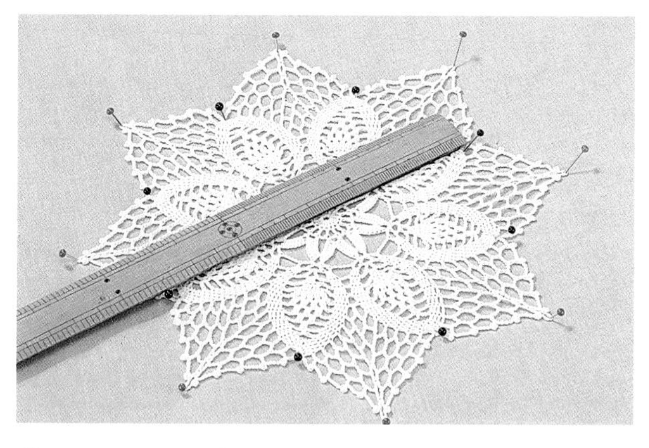

❸ Retirez le patron. Épinglez le sommet des motifs ananas, juste au creux des branches de l'étoile en veillant bien à la parfaite régularité de la taille et de la disposition des motifs (épingles noires sur la photo). Pour cela, mesurez la hauteur de chaque ananas et la distance qui les sépare, ces mesures doivent être identiques pour chacun des groupes, ajustez si nécessaire.

❹ Pour finir, fixez les épingles en suivant la forme du napperon tel qu'il doit être. Pour cela, reportez-vous si vous le souhaitez à votre modèle.

L'amidonnage ou le repassage

Si vous avez lavé votre ouvrage auparavant, laissez-le sécher, mais pas complètement, et vaporisez l'amidon alors qu'il est encore un peu humide. Si ce n'est pas le cas, humectez-le avant de vaporiser uniformément l'amidon. Attendez que l'ouvrage soit complètement sec pour enlever les épingles. Il est aussi possible de terminer par un repassage. Couvrez votre ouvrage d'un linge blanc et repassez délicatement, sans traîner le fer pour ne pas écraser les points. À présent, votre napperon est prêt.

Crocheter en rond

Pour les napperons, nappes, sous-verre ou patchwork, mais aussi chapeaux, coussins... le travail en rond offre d'infinies possibilités.

De tour en tour

Avec le crochet en rond, on ne travaille plus en rangs, mais en cercles concentriques et en augmentant régulièrement. L'anneau de démarrage de l'ouvrage est constitué soit par une simple boucle de fil, soit par un cercle de chaînettes.
Le crochet en rond permet de produire toutes sortes de formes (rond, carré, hexagone, etc.) qui s'obtiennent par le placement des augmentations autour du cercle de base.

Commencer à partir d'une boucle

- **Dans une boucle simple**

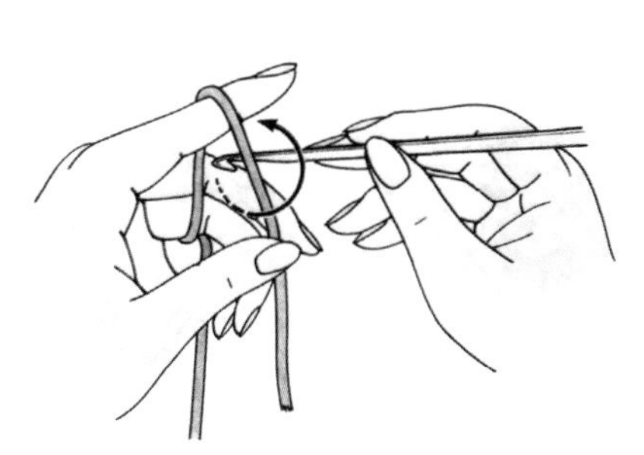

❶ Former une boucle avec le fil pour introduire le crochet.

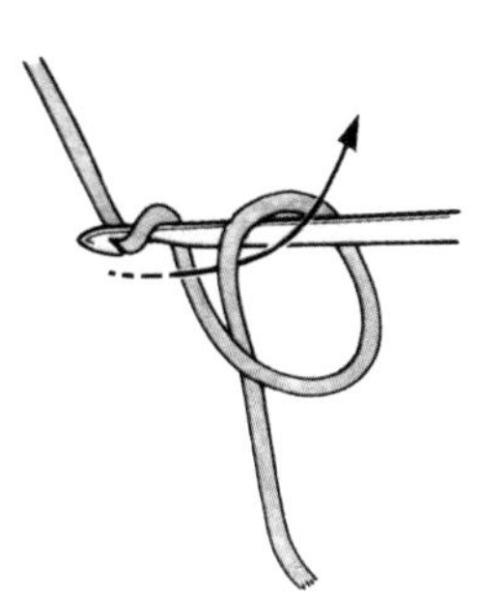

❷ Faire un jeté.

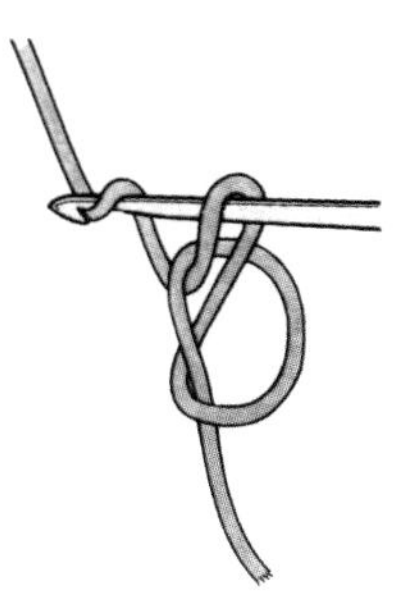

❸ Tirer le crochet en arrière et passer le jeté à travers la boucle. La première m. est faite. La deuxième est imitée.

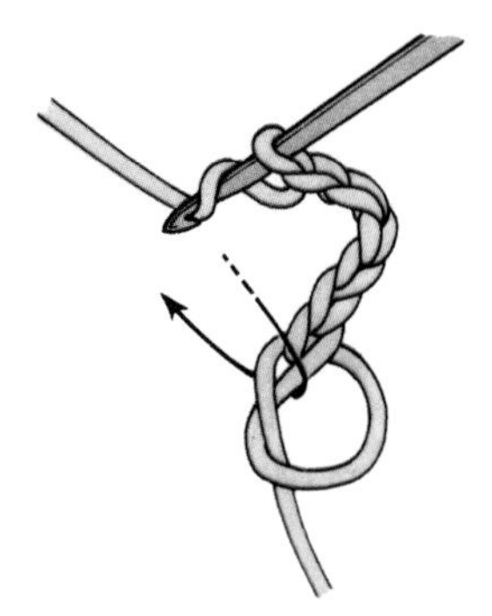

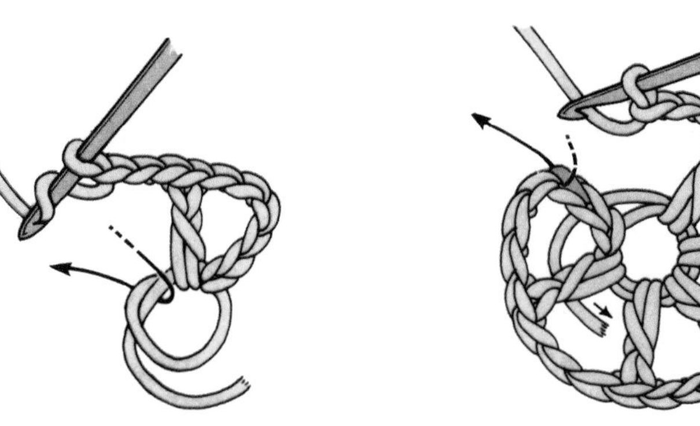

❹ ❺ Continuer en faisant le nombre de m. air nécessaire pour remplacer la première maille, pour l'exemple présenté une br. plus un arc.

❻ Terminer par 1 m.c. dans la 3e m. air initiale.

Crocheter en rond

- **Dans une double boucle**

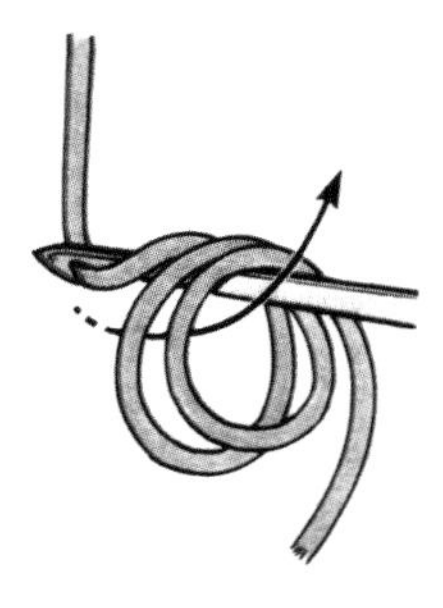

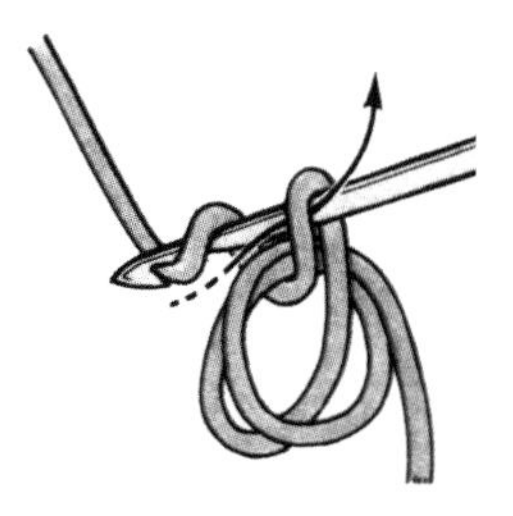

1. Faire une double boucle en enroulant le fil deux fois autour de l'index. Piquer le crochet à travers ces deux boucles.

2. Faire un jeté et le tirer à travers les deux boucles.

3. Continuer selon le même principe que pour une boucle simple.

Commencer à partir d'une chaînette

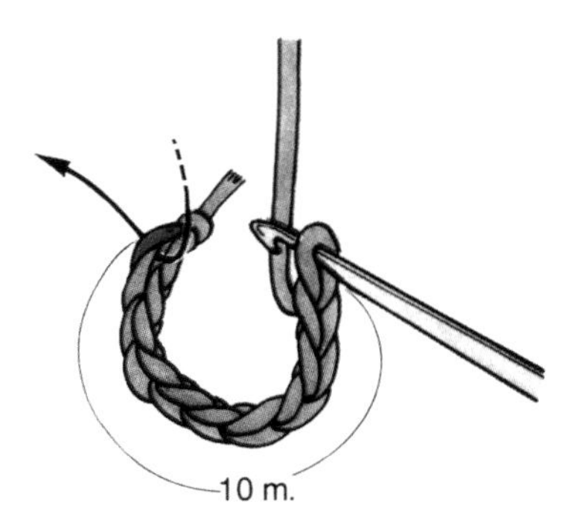

1. Faire une chaînette du nombre de mailles souhaitées (toujours précisé avec les modèles).

2. Fermer le rond par 1 m.c. Continuer comme pour le démarrage avec boucle selon le modèle.

Les augmentations

Crocheter en rond suppose de faire régulièrement des augmentations au cours de l'ouvrage. Leur nombre varie selon la grosseur du fil et les modèles. Si elles sont trop nombreuses, l'ouvrage va gondoler ; si elles ne sont pas assez nombreuses, l'ouvrage va prendre la forme d'un dôme. Par ailleurs, de leur placement dépend la forme de l'ouvrage. Les indications les concernant sont donc à respecter scrupuleusement, sinon vous n'obtiendrez pas la forme souhaitée. En les répartissant selon six intervalles réguliers et égaux, on obtient comme ci-contre un hexagone.

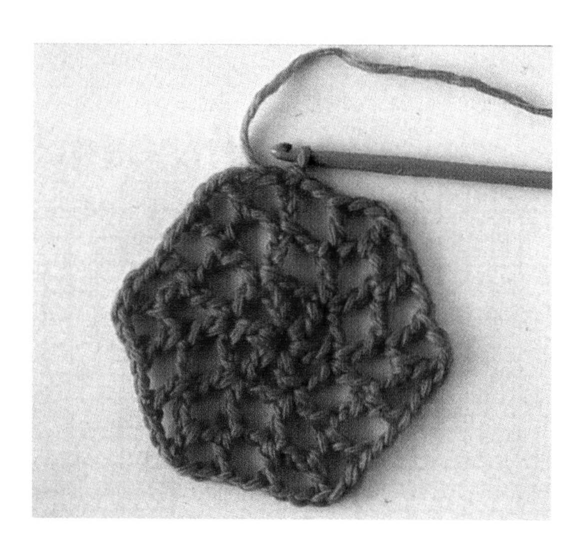

Les modules

Nés de la récupération de bouts de laine, ces modules, petites pièces autonomes crochetées en rond, se travaillent avec un vif plaisir.

Carrés, ronds, étoilés… les modules présentent des formes très variées, même si les carrés restent les plus faciles à assembler. Ils marient les points les plus simples et les plus savants mis en valeur notamment par le choix d'une seule couleur. Bien utiles, aujourd'hui encore, pour « recycler » les restes de pelotes, ils ouvrent au plaisir du travail de coloriste du peintre. Dans ce premier volet sont présentés le modèle du pionnier et quelques-unes de ses déclinaisons.

Le carré des pionniers

C'est le plus traditionnel de tous, sans doute un des modèles de base des femmes des pionniers lors de la conquête de l'Ouest. Le temps n'a en rien émoussé sa force d'inspiration. Facile à faire, il est beau monochrome ou multicolore. Il convient parfaitement pour les couvertures, les plaids et les châles. Tricoté avec un fil assez fin, il peut composer des écharpes et des vêtements. C'est la palette de couleurs retenue qui signera son style. Souvent associé à l'éclat de motifs folkloriques, il sait aussi se faire d'une grande sobriété. Il se réalise en général sur cinq tours, mais peut se faire sur plus, ou sur moins, selon votre projet.

Commencer par 1 chaîn. de 6 m. air et fermer le cercle par 1 m.c.

1er tour : 1 m.c. dans le cercle, 3 m. air (pour la 1re br.) 2 br., puis 3 fois : 3 m. air, 3 br. Terminer par 3 m. air, 1 m. c. dans la 3e m. air du début (24 m. en tout).

2e tour : 5 m. air (pour la 1re br. et le 1er arc.), *3 br., 3 m. air, 3 br. dans l'arc. suivant (angle formé), 2 m. air*. Répéter 2 fois de *à*. Terminer dans le dernier arc. par 3 br., 3 m. air, 2 br., 1 m.c. dans la 3e m. air du début du tour (44 m. en tout).

3e tour : 1 m.c. dans l'arc., 3 m. air (pour la 1re br.) 2 br. dans le même arc., 2 m. air, 3 br., *3 m. air, 3 br. dans l'arc. suivant (angle formé), 2 m. air, 3 br., 2 m. air*. Répéter 2 fois de *à*. Terminer 3 br., 3 m., 3 br. dans l'arc. suivant, 2 m. air et 1 m.c. dans la 3e m. air du début du tour (64 m. en tout).

4e tour : comme le 3e tour, mais en commençant par 5 m. air (pour la 1re br. et le 1er arc.), et en augmentant d'un groupe de br. par côté (84 m.).

5e tour : comme le 3e tour en augmentant d'un groupe de br. par côté (104 m.).

+ Pour changer de couleur d'un tour à l'autre : à la fin du tour couper le fil. Prendre le nouveau fil, piquer le crochet dans l'arc. d'un angle et faire 1 m.c. puis, 3 m. air pour la 1re br. Terminer l'angle (2 br. 3 m. air, 3 br.) et travailler comme indiqué ci-dessus. Terminer par 1 m. c. dans la 3e m. air du début. Pour un motif jacquard, introduire le nouveau fil juste avant d'avoir terminé le dernier point de l'ancienne couleur.

Le puzzle

Ce modèle est aussi très proche du carré des pionniers. Il joue sur le décentrage du motif. Les 2 premiers tours sont identiques.

À partir du 3e, on travaille par rang.

3e rang : 3 m. air, 2 br dans l'un des angles, on continue comme pour le carré des pionniers jusqu'au 3e angle où l'on termine par 3 br. dans l'arc.

4e rang : commencer par 5 m. air (pour la 1re br. et le 1er arc.), puis continuer le long de 2 côtés comme pour le carré des pionniers, mais en terminant par 2 m. air, 1 br. sur la dernière m. du rang précédent (la 3e des 3 m. air qui remplacent la 1re br.).

Reprendre toujours les rgs 3 et 4, en augmentant sur les deux côtés selon le principe du carré des pionniers.

Les modules

Les Diagonales

Ce modèle est une variante du carré des pionniers qui met en relief les diagonales du carré sur un fond d'arceaux. Les 2 premiers tours sont identiques. À partir du 3e tour, le travail des angles reste identique, mais on remplace les groupes de 3 br. sur les côtés par 1 seule br., en reliant ces br. entre elles et aux angles par 3 m. air.

le Semis

Pour mettre en valeur le motif, il est préférable de faire ce module avec au moins 2 couleurs.
Commencer par 1 chaîn. de 6 m. air et fermer le cercle par 1 m.c.
1er tour : avec le fil de couleur A, 1 m.c. dans le cercle, 3 m. air (pour la 1re br.) 2 br., puis 3 fois : 2 m. air, 3 br. Terminer par 2 m. air, 1 m. c. dans la 3e m. air du début (24 m. en tout).
2e tour : fixer le fil de couleur B dans l'un des espaces de 2 m. air, par 1 m.c. dans ce même espace faire : 1 m. s., 3 m. air, 1 m.s. (1 angle terminé) ; * 3 m. air ; dans l'espace de 2 m. air suivant faire : 1 m. s., 3 m. air, 1 m.s. (1 angle terminé)*. Répéter de 2 fois de *à*. Terminer par 3 m. air, 1 m. c. dans la m. s. du début.
3e tour : reprendre le fil de couleur A, fixer le fil dans l'un des espaces de 3 m. air des angles avec 1 m.c. Dans ce même espace faire 3 m. air (pour la 1re br.), 2 br., 3 m. air, 3 br. (1 angle terminé) ; 1 m. air, 3 br. dans l'arc. suivant, 1 m. air, *dans l'espace suivant faire : 3 br., 3 m. air, 3 br (1 angle terminé) ; 1 m. air, 3 br. dans l'arc. suivant, 1 m. air*. Répéter 2 fois de *à*. Terminer par 1 m. c. dans la 3e m. air du début.
4e et 6e tours : comme le 2e avec le fil B, mais en faisant 2 arc. supplémentaires de chaque côté pour chacun des tours.
5e et 7e tours : comme le 3e avec le fil A mais en faisant de 2 groupes de 3 br. supplémentaires de chaque côté pour chacun des tours.

la Petite fleur

Commencer par 1 chaîn. de 6 m. air et fermer le cercle par 1 m.c.
1er tour : 3 m. air (pour la 1re br.), 3 br. dans le cercle, 3 m. air, tourner l'ouvrage, 1 br. sur les 3 br. du rg précédent et sur la 3e m. air du début (1 pétale terminé) ; *3 m. air, tourner l'ouvrage et faire 4 br. dans le cercle en passant derrière le pétale pour piquer le crochet ; 3 m. air, tourner l'ouvrage, 1 br. sur les 4 br. du rg précédent (1 pétale terminé)* ; répéter 6 fois de *à*. Terminer par 1 m.c. dans la 3e m. air du début. Couper le fil.
2e tour : fixer le nouveau fil par 1 m. c. dans l'un des espaces de 3 m. air. 3 m. air (pour la 1re br.), 2 br. dans le même espace ; *3 br., 2 m. air, 3 br. dans l'espace de 3 m. air suivant (1 angle de fait), 3 br. dans l'espace de 3 m. air. suivant*. Répéter 2 fois de *à*. Terminer par 3 br., 2 m. air, 3 br. dans l'espace de 3 m. air suivant (1 angle de fait), 1 m.c. dans la 3e m. air du début.
3e tour : 3 m. air (pour la 1re br.), 3 br. entre les 2 groupes de 3 br. suivants ; *3 br., 2 m. air, 3 br. dans l'espace de 3 m. air suivant (1 angle de fait) ; 2 fois : 3 br. entre les 2 groupes de 3 br. suivants*. Répéter 2 fois de *à*. Terminer 3 br., 2 m. air, 3 br. dans l'espace de 3 m. air suivant (1 angle de fait) ; 2 br. entre les 2 groupes de 3 br. suivants 1 m.c. dans la 3e m. air du début. Couper le fil.
4e tour : fixer le fil par 1 m. c. entre 2 groupes de 3 br. ; 1 m. air, faire 1 m. s. sur chaque des m. du tr précédent en faisant dans les angles 3 m. s. dans l'espace de 3 m. air. Terminer par 1 m.c. dans la m. air du début.

Le filet I

Le filet au crochet, ou « filet guipure » comme on l'appelait autrefois, permet de créer toutes sortes de motifs à partir de la bride et de la maille en l'air.

L'art des résilles

Ces motifs géométriques réguliers sont obtenus par le jeu des résilles vides et pleines.

Les résilles vides constituent un fond de filet, en quelque sorte le fond du tableau, sur lequel se détache le motif élaboré à l'aide des résilles pleines. La bride et la maille en l'air sont à la base de ce point mais, dans certains modèles, la double bride peut remplacer la bride. Pour obtenir certains effets particuliers, les créateurs associent au filet des points fantaisie.

Ce duo de résilles jouant sur le contraste de l'ombre et de la lumière permet de réaliser des formes simples, mais d'autres aussi plus élaborées et figuratives comme des oiseaux, des arbres, des maisons, des personnages et même des visages. Plus le fil choisi pour un ouvrage est fin, plus grandes seront la précision et la finesse du dessin. Si traditionnellement, les ouvrages sont monochromes, blancs ou écrus le plus souvent, aucune restriction ne vise l'utilisation de la couleur, voire de plusieurs couleurs. Un peu à la manière du point de croix pour la broderie, le filet offre d'immenses possibilités de réalisation et satisfait toutes les nuances du savoir-faire et de la créativité.

les grilles

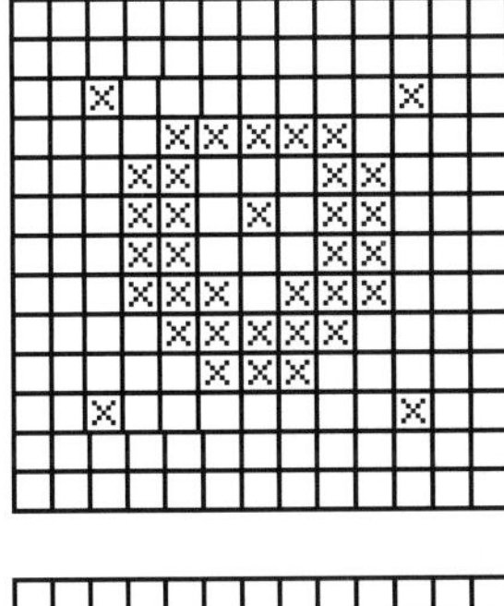

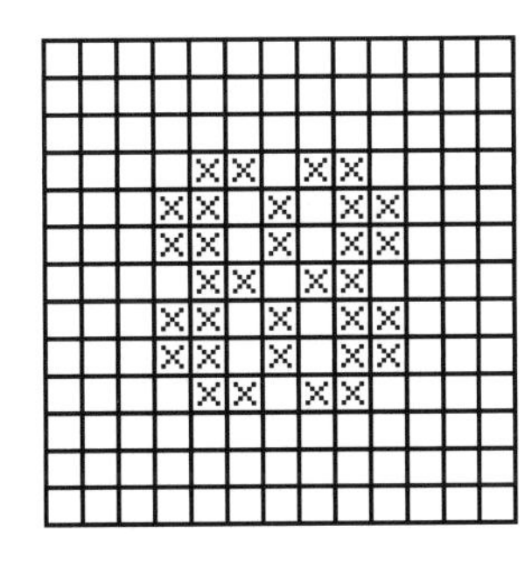

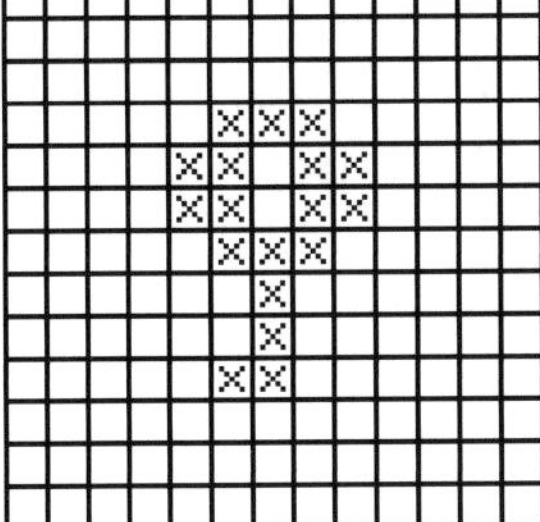

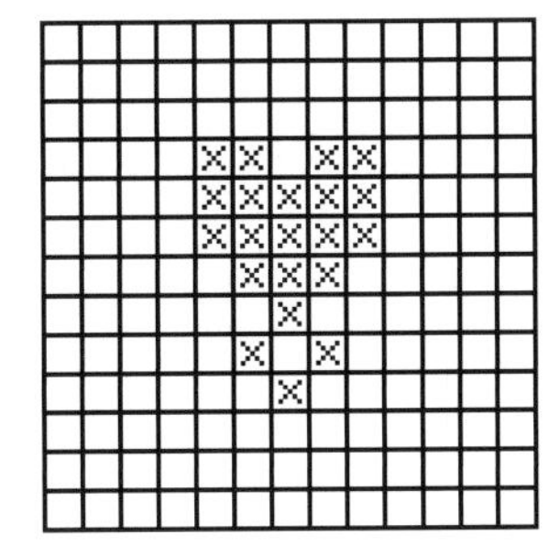

Les grilles sont données sur papier quadrillé. Les carrés laissés blancs représentent les jours ou encore les résilles vides et chaque carré marqué d'un croix, ou noirci parfois, représente une résille pleine.

D'autres points peuvent apparaître dans le diagramme et font donc l'objet d'un schéma détaillé.

La hauteur d'un carré correspond à celle d'une bride et sa largeur à celle de 2 mailles en l'air. Chaque carré correspond en général à 3 mailles : 1 bride et 2 mailles en l'air pour les résilles vides, 3 brides pour les pleines.

Pour réaliser son propre motif, il suffit donc de le dessiner sur ce type de papier. Ensuite, pour déterminer le nombre de mailles de votre chaînette de base, vous compterez le nombre de carrés vides et pleins dont est formée votre grille. Ce nombre sera à multiplier par 3 (chaque case vide ou pleine compte 3 mailles) et vous ajouterez 1 maille au résultat, pour celle qui ferme la dernière résille du rang.

Le filet I

☐ les résilles vides

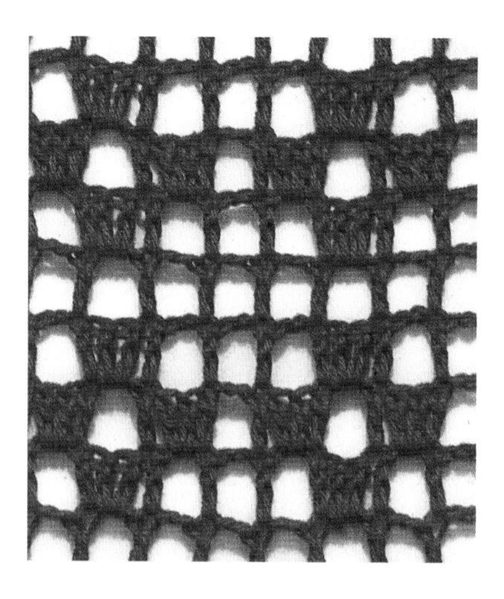

DEUX FAÇONS DE COMMENCER

Si votre rang commence par 1 rés. vide, ajoutez 5 m. air à votre chaîn. de base et faites la 1re br. dans la 9e m. S'il commence par un rés. pleine, faire 3 m. air et piquer la 1re br. dans la 5e m.

❶ Pour la chaîn. de base, compter un nombre de m. multiple de 3 auquel on ajoute 5 pour la 1re rés. constituée de m. air. Piquer le crochet dans la 8e m. pour faire la 1re br.

❷ Continuer avec *2 m. air, sauter 2 m. et faire une br. dans la m. suivante*. Reprendre de * à * jusqu'à la fin du rg.

❸ Tourner l'ouvrage et faire 5 m. air. (3 pour la br., 2 pour le jour).

❹ Faire une br. sur la 2e br. du rg précédent et continuer par *2 m. air, 1 br. sur celle du rg précédent*. Reprendre de * à* jusqu'à la fin du rg.

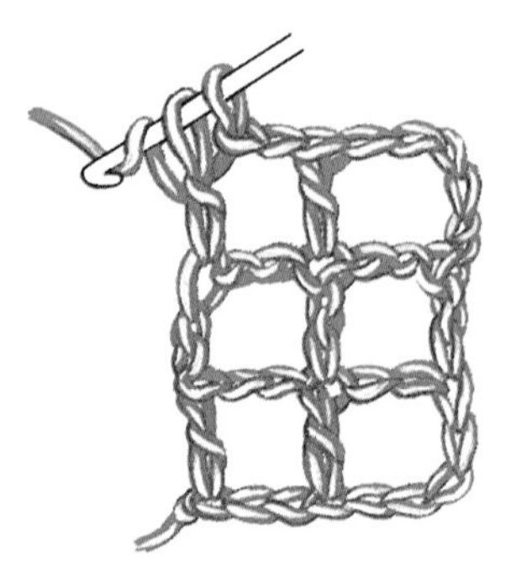

❺ Terminer le rg en faisant la dernière br. dans la 3e m. air du rg précédent. Poursuivre l'ouvrage en suivant les indications données pour le 2e rg.

☒ les résilles pleines

RÉSILLES PLEINES SUR UN JOUR

Pour réaliser une rés. pleine au-dessus d'une rés. vide, piquer la 1re br. sur la br. du rg précédent, puis former les 2 suivantes en piquant le crochet dans l'arceau et non dans les m. Commencer la rés. suivante par *1 br. sur celle du rg précédent et 2 m. air si la rés. est vide ou 2 br. dans l'arceau si elle est pleine*. Répéter de *à* jusqu'à la fin du rg. Terminer par 1 br. dans 3e du rg précédent.

RÉSILLES PLEINES SUR RÉSILLES PLEINES

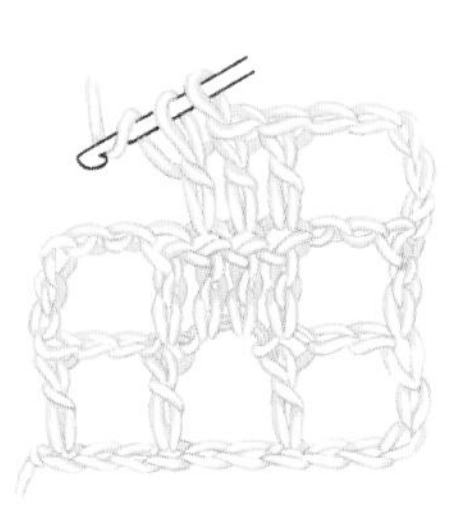

Pour réaliser un groupe de br. sur un autre, il suffit de faire 1 br. dans chacune des br. du rg précédent.

Le filet II

Le point de filet convient à la réalisation d'ouvrages de formes diverses. Les augmentations des résilles pleines ou vides permettent d'y parvenir.

Les augmentations

LES RÉSILLES VIDES

Au début du rang

❶ Faire 8 m. air et tourner. Piquer ensuite 1 br. sur la dernière br. du rg précédent.

❷ Augmenter de 2 résilles : faire 11 m. air et tourner. Piquer la 1re br. dans la 9e m. en partant du crochet. 2 m. air et piquer 1 br. sur la br. du rg précédent.
2 nouvelles rés. ont été créées.

❸ Augmenter de plusieurs résilles : dans ce cas, faire un nombre de m. air égal à 3 fs le nombre de rés. plus 5. Pour 3 rés., cela donne donc 9 m. air + 5, soit 14 m. air.

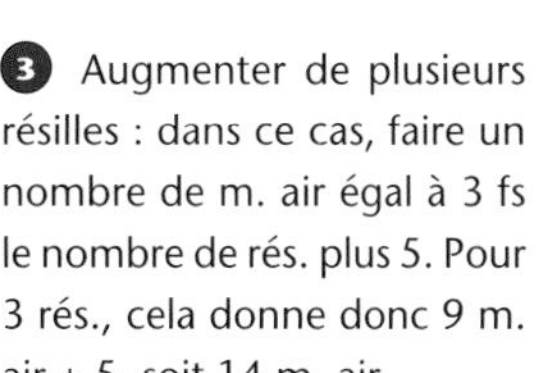

❹ Piquer la 1re br. dans la 9e m. en partant du crochet.

❺ Sauter 2 m. air et piquer la 2e br. dans la 3e m. air suivantes.

❻ Sauter 2 m. air et piquer la 3e br. sur la 1re br. du rg précédent.

A la fin du rang

❶ Faire 2 m. air. Faire 3 jetés (1 triple br.) et piquer le crochet dans même m. que celle où a été travaillée la dernière br.

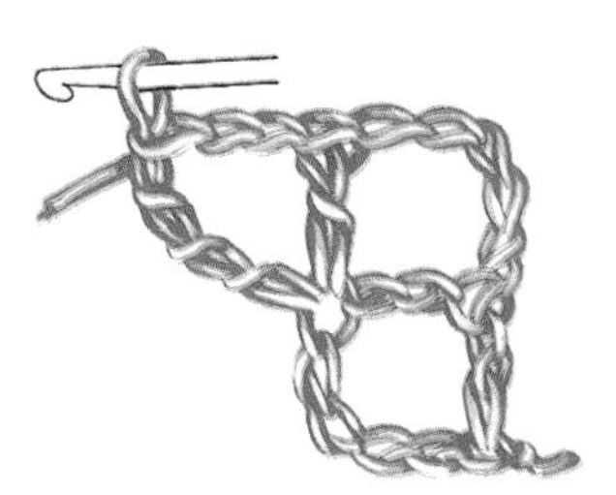

❷ Écouler les brides 2 par 2 ; Il suffit de plier la triple br. pour qu'elle prenne la forme d'une rés.

❸ Augmentation de 2 rés. : procéder comme pour 1 rés. puis faire *2 m. air, piquer la 2e triple br. dans la boucle médiane de la triple br. précédente*.

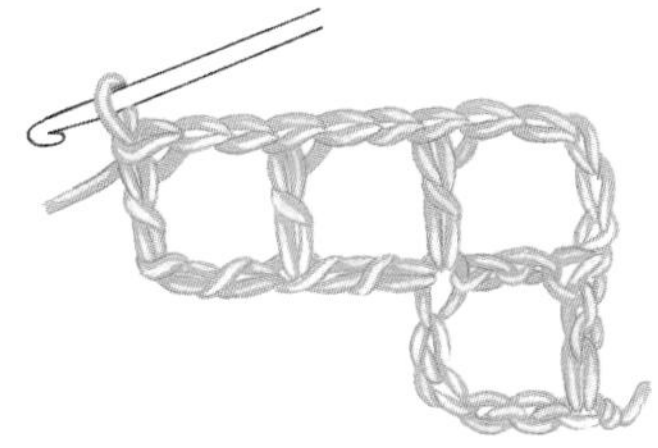

❹ 2 rés. ont été augmentées.

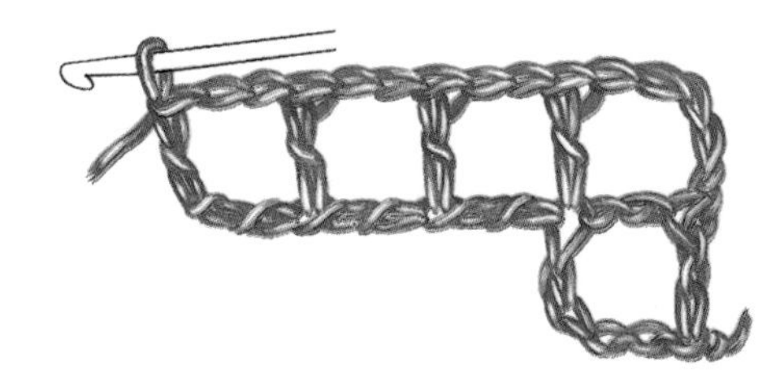

❺ Pour augmenter de plusieurs rés., procéder comme pour 2 rés. puis reprendre de *a* du paragraphe 3 autant de fois que nécessaire.

Le filet II

LES RÉSILLES PLEINES

Au début du rang

❶ Augmenter d'une rés. : faire 5 m. air et tourner.

❷ Piquer la 1re br. dans la 4e m. en partant du crochet et la 2e dans la 5e.

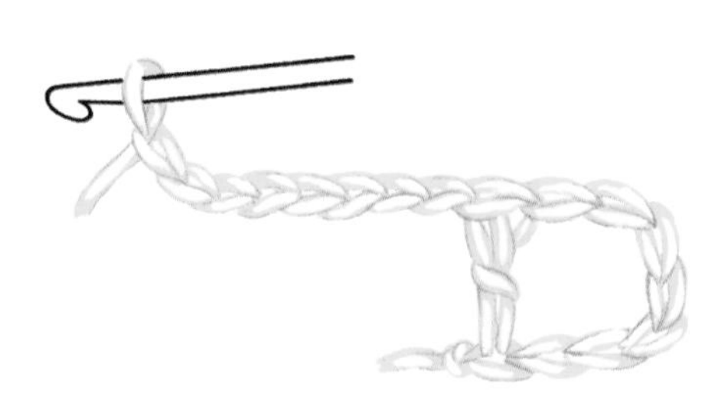

❸ Augmentation de plusieurs rés. : dans ce cas, faire un nombre de m. air égal à 3 fs le nombre de rés. plus 2. Pour 2 rés., cela donne donc 6 m. air + 2, soit 8 m. air.

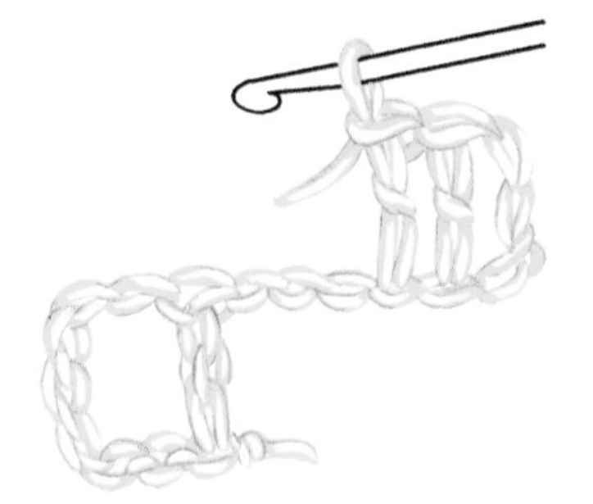

❹ ❺ Piquer la 1re br. dans la 4e m. en partant du crochet, la 2e dans la 5e. Continuer en faisant 1 br. dans chacune des 3 m. air suivantes. 2 rés. pleines ont été ainsi créées.

A la fin du rang

❶ ❷ Terminer le rg par 1 br.

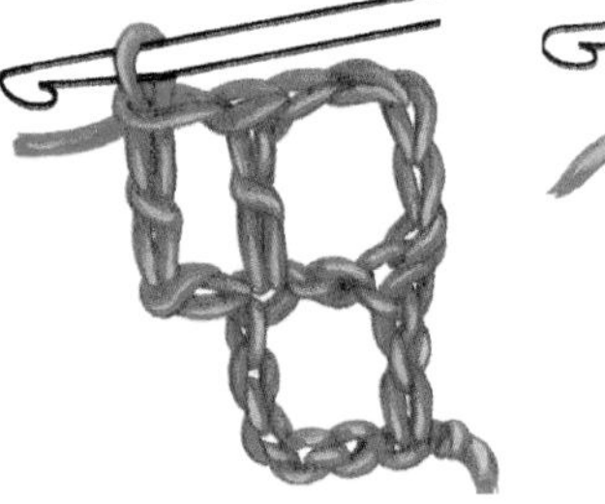

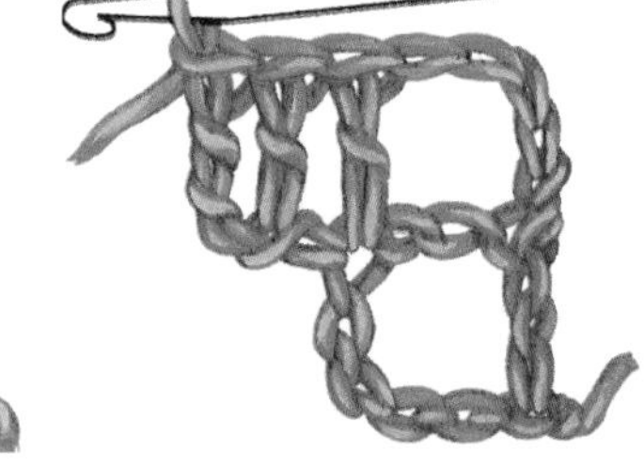

❸ ❹ Faire 3 jetés (1 triple br.) et piquer le crochet dans même m. que celle où a été travaillée la dernière br., puis écouler les boucles 2 par 2. Faire la 2e triple br. dans la boucle médiane de la triple br. précédente. 1 rés. pleine a été créée.

Le filet III

Les diminutions, comme les augmentations, permettent de donner forme à un ouvrage. Elles peuvent se faire de plusieurs manières.

Les diminutions

LES RÉSILLES VIDES

Au début du rang

Pour diminuer d'une ou plusieurs rés., prendre le brin arrière et inférieur de chaque m. du tour précédent et faire dans chacune d'elle 1 m.c. Pour 1 rés., la 4e m.c. se fait sur la dernière br. du rg précédent. Cela donne 4 m.c. pour 1 rés., 7 pour 2 rés., 10 pour 3 et ainsi de suite (schéma de gauche). Vous pouvez aussi sauter la ou les dernières rés., tourner l'ouvrage et commencer le rg suivant comme d'habitude (schéma de droite).

À la fin du rang

Diminuer d'une résille

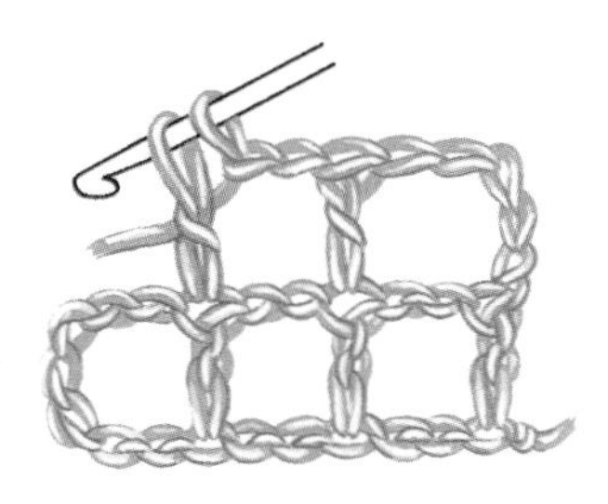

❶ A la fin du rg précédent celui où va se faire la diminution, faire l'avant-dernière br. sans la fermer. Il reste 2 boucles sur le crochet.

❷ ❸ Faire 4 jetés et piquer le crochet dans la dernière m. du rg précédent. Tirer 1 fil.

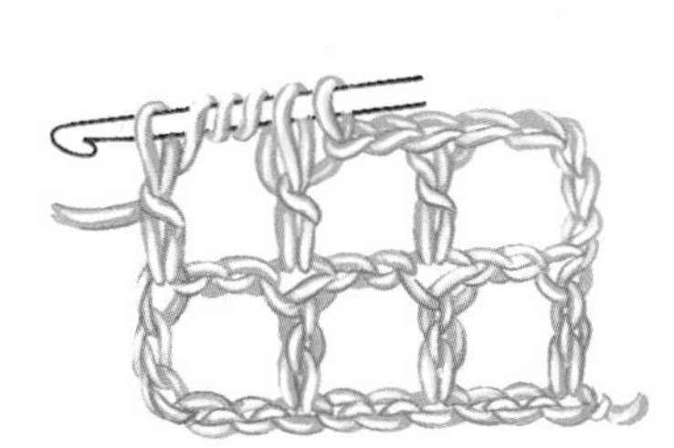

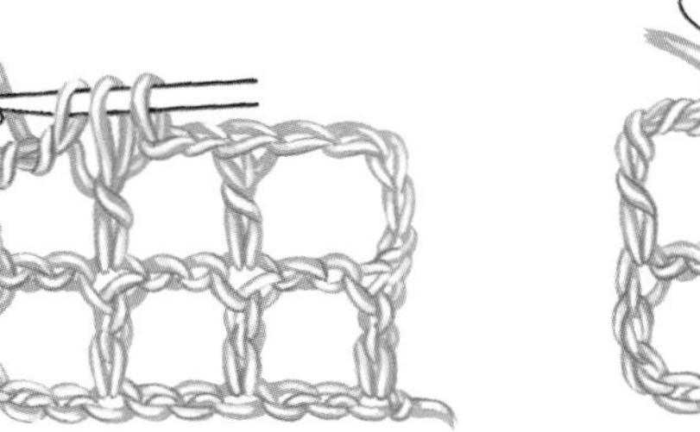

❹ ❺ *Faire 1 jeté, écouler 2 boucles*. Répéter 5 fs de *à*.

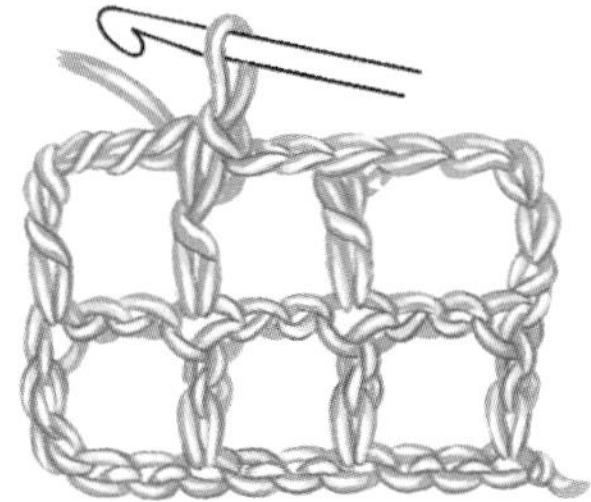

❻ La quadruple br. terminée, tourner l'ouvrage et commencer le nouveau rg. comme d'habitude.

Le filet III

Diminuer de deux résilles vides

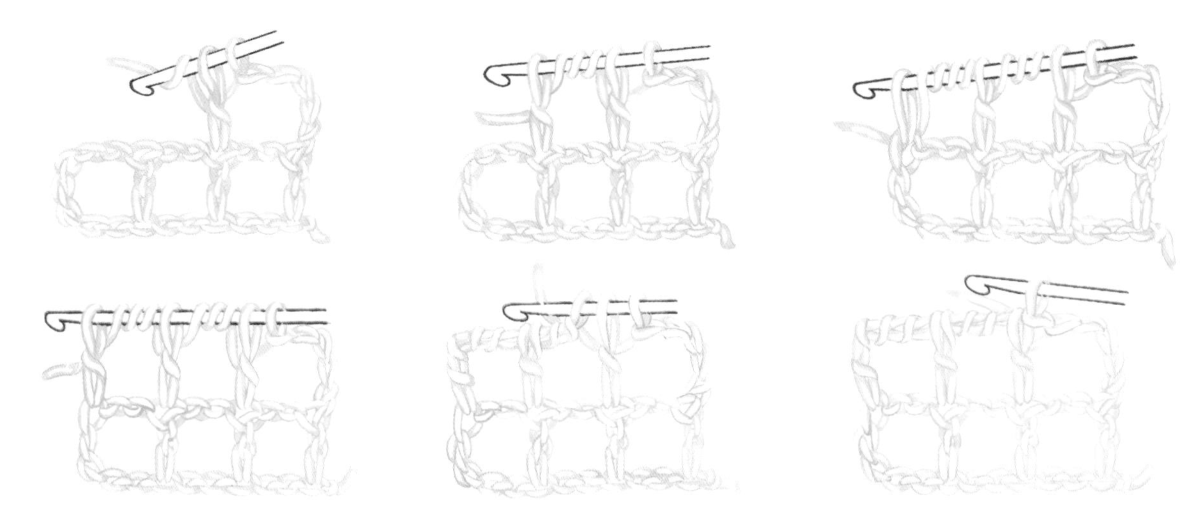

Dans ce cas, il faut faire la br. non fermée sur l'avant avant-dernière br. du rg précédent (ou 3e avant la fin du rg), puis suivre les explications des paragraphes 2 et 3, mais après avoir fait 1 jeté et tiré la première boucle, faire de nouveau 4 jetés et fermer la br. multiple en écoulant les m. 2 par 2.

LES RÉSILLES PLEINES

Au début du rang

Procéder comme pour les résilles vides.

À la fin du rang

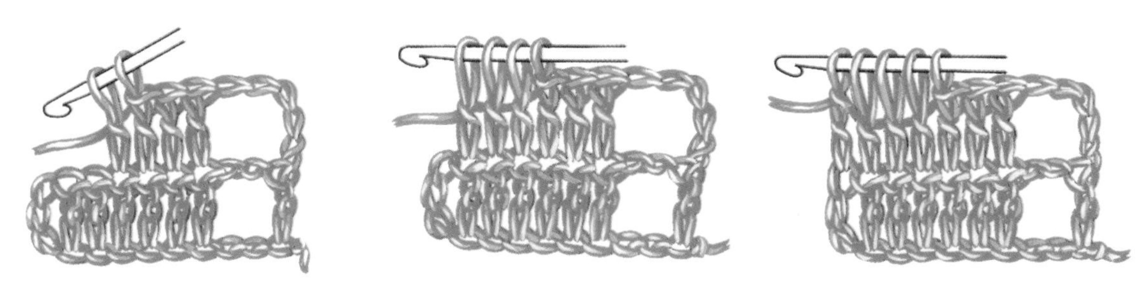

❶ ❷ ❸ Pour diminuer d'une rés., faire une br. incomplète sur chacune des 4 dernières br. du rg.

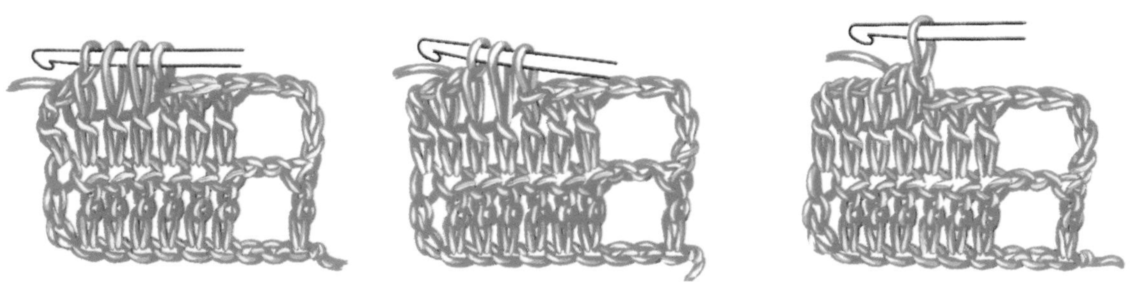

❹ *Faire 1 jeté, écouler 2 boucles*. ❺ ❻ Répéter de *a* du paragraphe 4 jusqu'à n'avoir plus qu'une boucle sur le crochet.

Pour diminuer de 2 rés. pleines, faire 7 br. incomplètes sur chacune des 7 dernières m. et écouler les boucles 2 par 2.

Bordures pour filet

Avec picots ou éventails, voilà des motifs de bordure, à réaliser sur un ou plusieurs rangs, qui apportent un joli fini aux ouvrages au point de filet.

les ondes à picots

Cette bordure se travaille sur 1 rang.

❶ Commencer le rg par 1 m.s. sur la br. du rg précédent. Faire 5 m. air, piquer le crochet dans la 3e m. à partir du crochet.

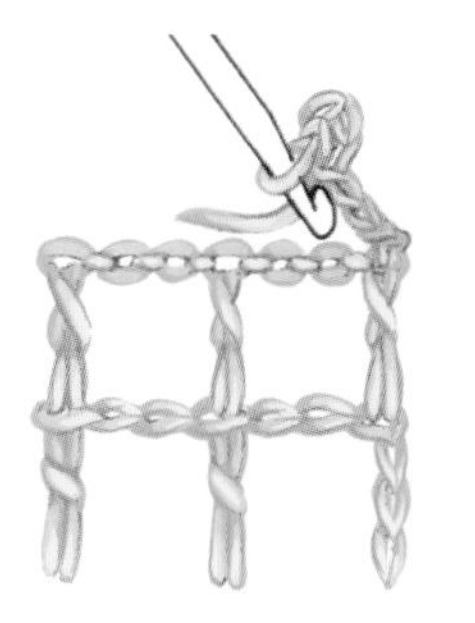

❷ Tirer 1 boucle et la passer à travers les 2 m.

❸ Faire 2 m. air, 1 m. s. sur la br. suivante. Continuer ainsi sur tout le rg.

le passe-ruban à picots

Doubles brides et picots s'associent pour un motif stylé.

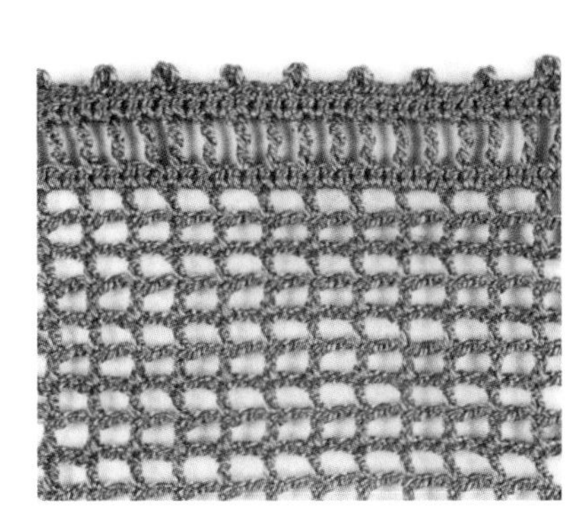

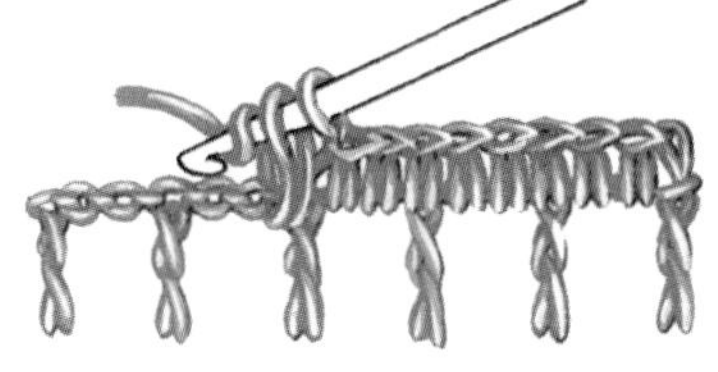

❶ Faire 1 rg de m.s.

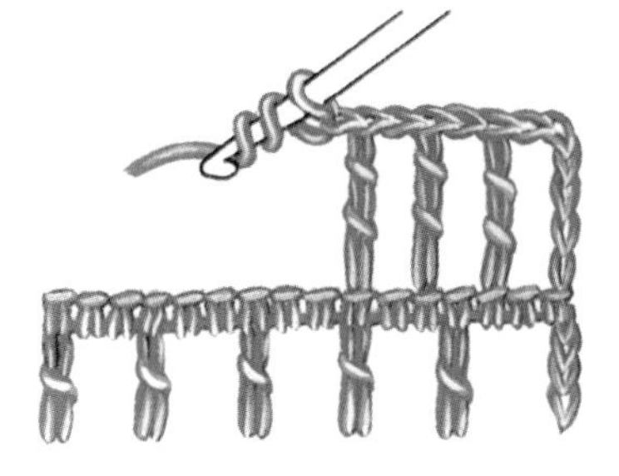

❷ Commencer le 2e rg par 6 m. air (pour remplacer la 1re double br. et le 1er arc.), sauter 1 m., *1 double br., 1 m. air, sauter 1 m.* Continuer en répétant de *à* jusqu'à la fin du rg. Terminer par 1 double br.

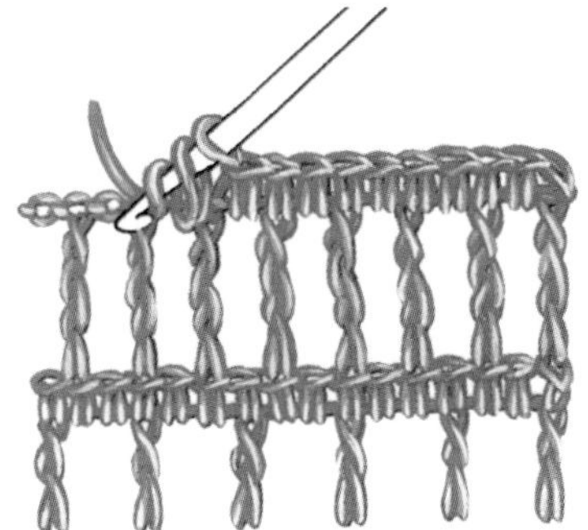

❸ Tourner l'ouvrage et faire 1 m.s. sur toutes les m. du rg précédent.

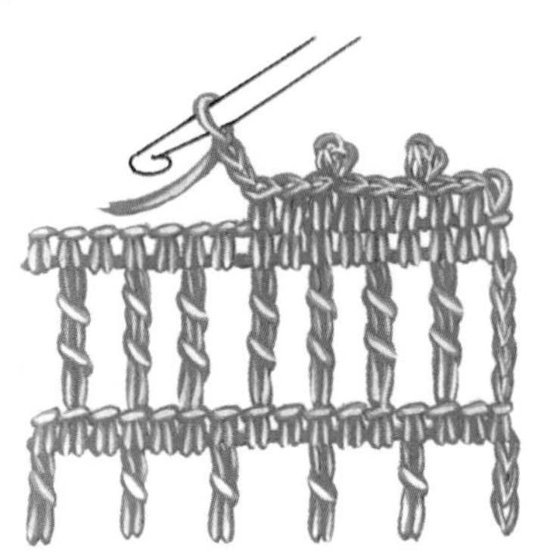

❹ 1 m. air pour tourner, 2 m.s., *1 picot de 3 m. air fermé par 1 m. c., 3 m.s. sur les 3 m. suivantes*. Répéter de *à * jusqu'à la fin du rg.

Bordures pour filet

les Trèfles en ligne

C'est un trio de mailles serrées qui donne à cette bordure l'aspect des trèfles.

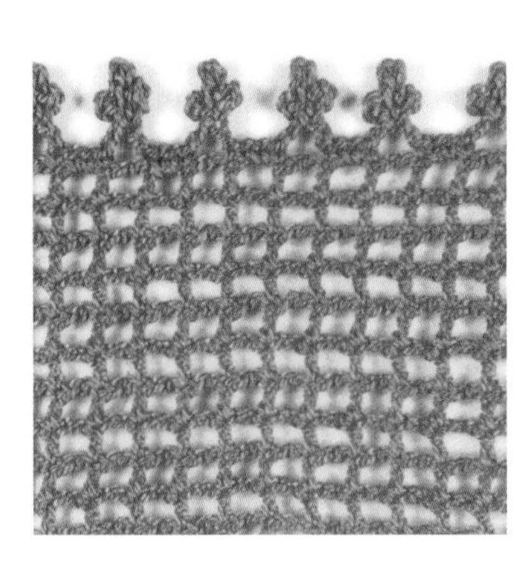

1 Commencer par 1 m. air, 2 m. s. dans le 1er arc. de 2 m. air (ou sur les br. dans le cas de rés. pleine), 1 m.s. sur la br. suivante, 5 m. air. *Piquer le crochet dans la 3e m. à partir du crochet, tirer 1 boucle et la passer à travers la m.

2 Faire 1 nouveau jeté et le passer à travers les 2 boucles comme pour une m.s.* Pour les 2 picots suivants faire 3 m. air et répéter de *à*.

les Éventails

Le charme de cette bordure toute simple tient à la belle envergure des éventails faits avec de doubles brides.

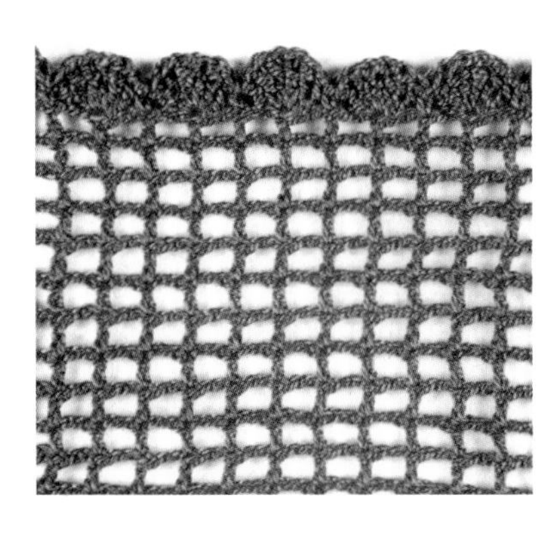

1 Commencer par 1 m. air, faire 2 jetés et piquer le crochet dans 1re br. (ou la 4e pour des rés. pleines) du rg précédent. Terminer la 1re double br. et en faire 5 autres dans la même br.

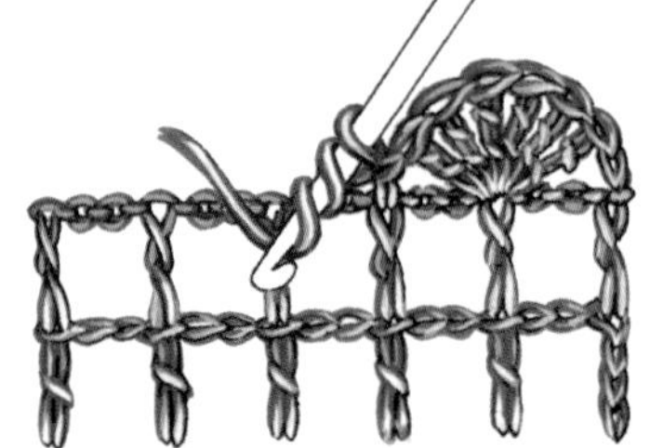

2 Sauter 1 arc. et faire 1 m.s. sur la br. suivante. Sauter 1 arc. et faire 1 éventail de 6 doubles br. dans la br. suivante. Continuer ainsi jusqu'à la fin du rg en alternant éventail et m.s., et en sautant 1 arc. à chaque fois.

les Arceaux

Des arceaux rehaussés de mailles serrées constituent cette bordure.

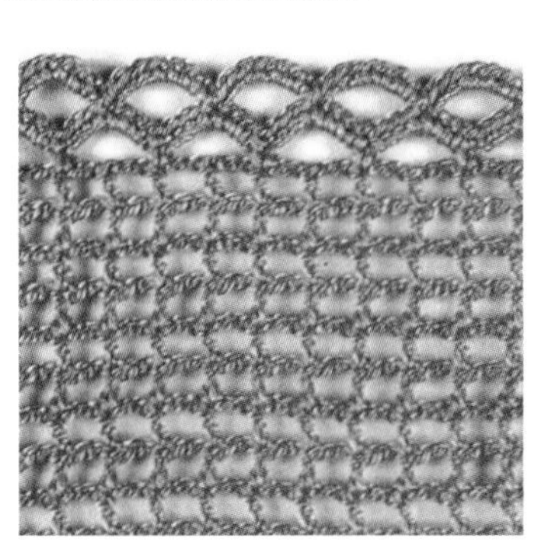

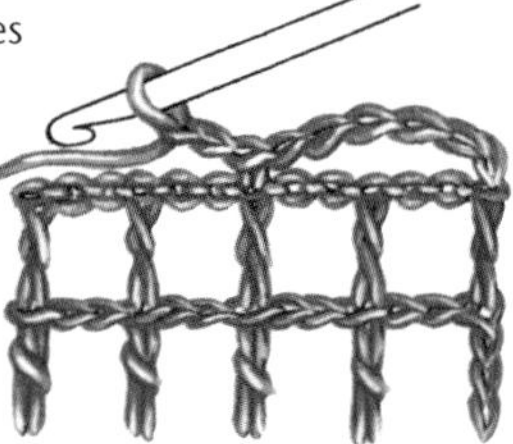

1 Commencer par 6 m. air, sauter 2 rés., 1 m.s. sur la 2e br. Faire ainsi 1 rg d'arc. de 5 m. air séparés par 1 m.s. en sautant 2 rés. à chaque fois.

2 Tourner l'ouvrage. 1 m. air, 6 m.s. dans le 1er arc., 1 m.s. sur la 1re m.s. du rg précédent. *Faire 3 m.s. sur l'arc. suivant ; tourner l'ouvrage, faire 6 m. air et 1 m.s. entre la 3e et 4e m.s. du rg précédent (schéma).

3 Tourner de nouveau l'ouvrage, 1 m. air et 6 m.s. sur l'arc. du rg précédent. Continuer en travaillant sur le rg précédent en faisant 3 m.s. dans l'arc. et 1 sur la br. qui suit*. Répéter de * à * jusqu'à la fin du rg.

Points et fils classiques I

Fils de coton ou de lin pour la fraîcheur, ils se plient en beauté à toutes les exigences de la dentelle et des vêtements.

Ces fils, qu'il faut choisir bien sûr de bonne qualité, sont très agréables à travailler tant au niveau de l'effet obtenu qu'à celui de la tenue en main. Les plus fins permettent de réaliser des motifs ajourés très sophistiqués ou de composer des œuvres au point de filet d'une grande délicatesse. Dans ce même registre, ces fils se prêtent aux tenues précieuses ou tout simplement légères des beaux jours.

Avec ces matériaux qui s'inscrivent dans la grande tradition du textile, vous créerez toujours des ouvrages ayant bel aspect.

Les fils de moyenne épaisseur se prêtent bien aux ouvrages pour la maison (dessus-de-lit, coussins, sets de tables, etc.) et aux pulls et vestes à la fois confortables et élégants.

Pour travailler les fils plus épais, vous veillerez à crocheter souplement, sauf pour certains ouvrages, des tapis par exemple, qui demandent une certaine rigidité.

Paon

Ce motif se fait sur un nombre de mailles multiple de 8 (plus 1) et sur 4 rangs.

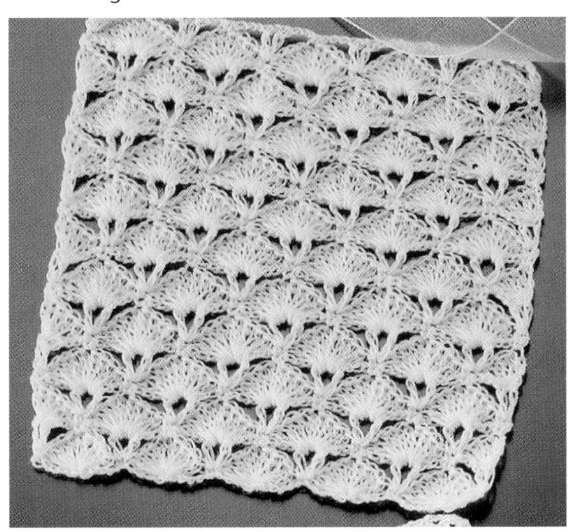

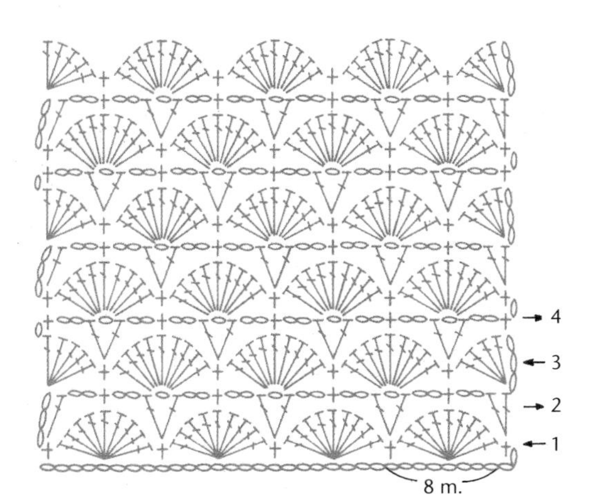

Cornet

Ce motif se fait sur un nombre de mailles multiple de 8 (plus 1) et sur 12 rangs.

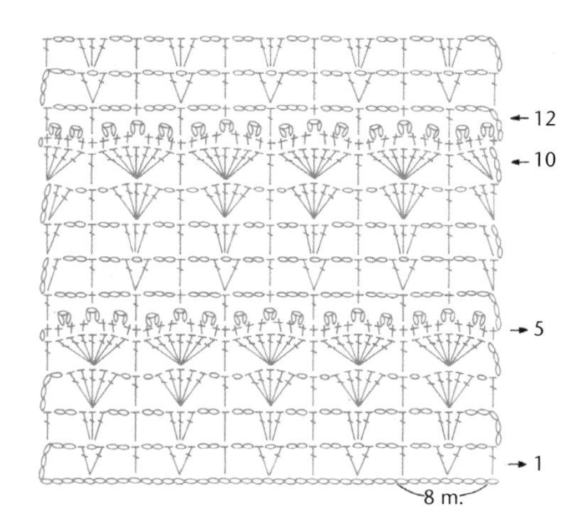

Points et fils classiques I

Étoile

Ce motif se fait sur un nombre de mailles multiple de 3 (plus 1) et sur 2 rangs.

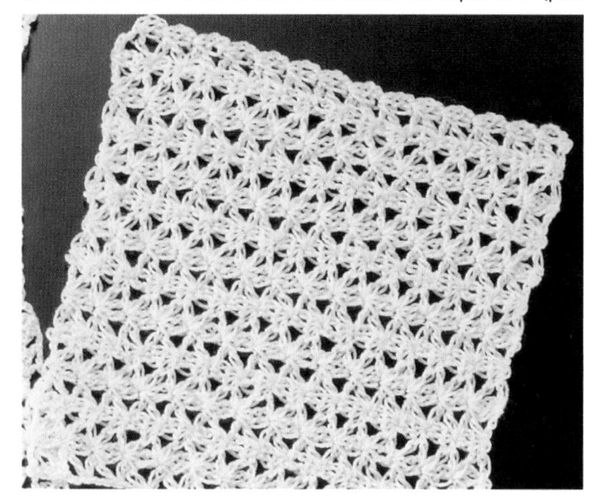

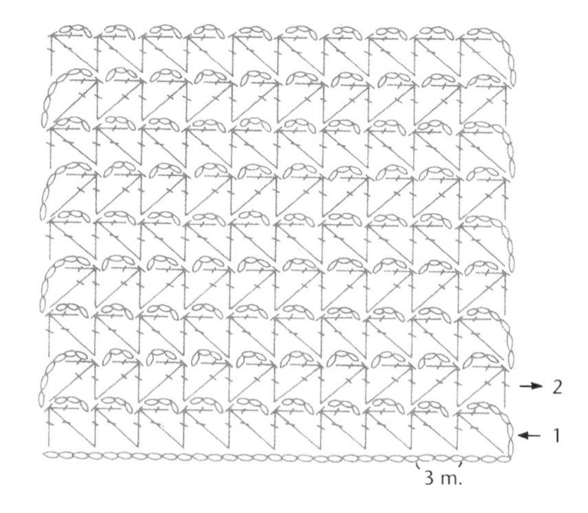

Côtes

Ce motif se fait sur un nombre de mailles multiple de 8 (plus 1) et sur 2 rangs. Outre les brides simples, ce point utilise des brides travaillées en relief sur l'endroit.

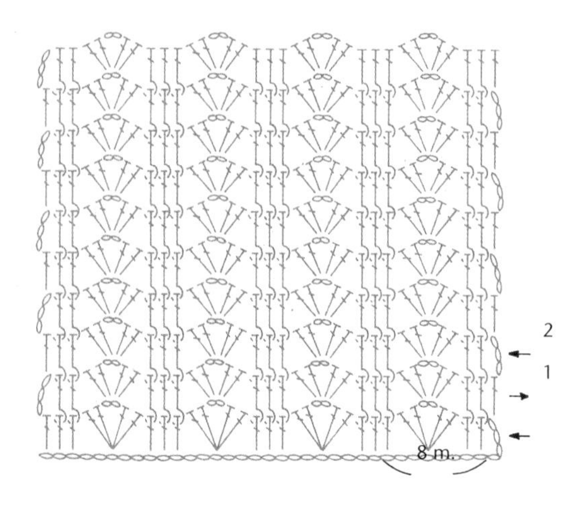

Fer forgé

Ce motif se fait sur un nombre de mailles multiple de 5 (plus 1) et sur 4 rangs.

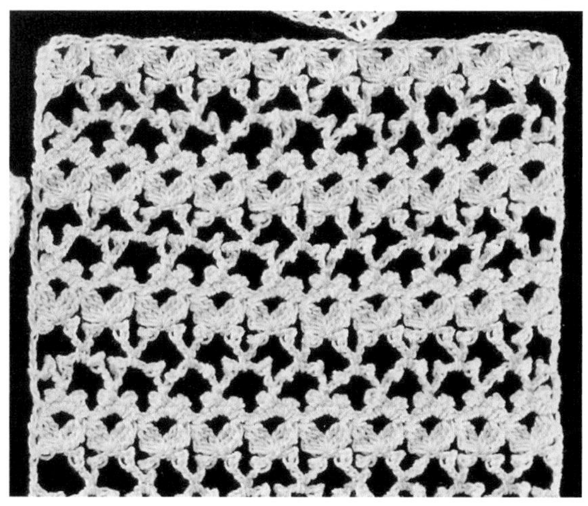

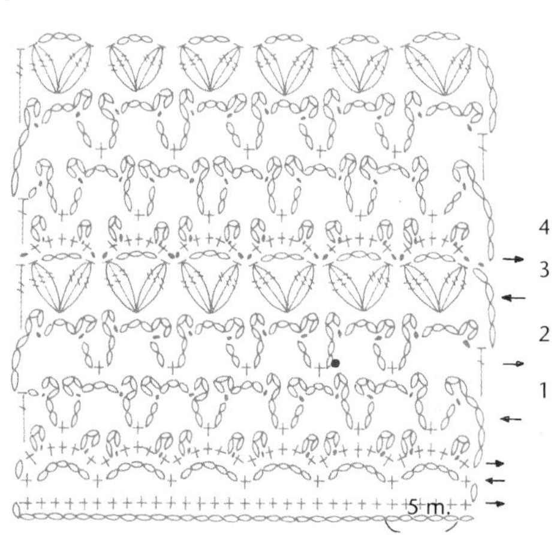

Points et fils classiques II

Ces fils s'adaptent aussi bien aux points ajourés qu'aux points en relief et permettent toutes les fantaisies de la création.

Qu'ils soient blancs ou de couleur, ces fils agréables à travailler mettent le point en valeur et, tout particulièrement, dans les teintes claires comme le veut la règle ou, plus exactement, selon les lois de l'optique ! Pour les points plus denses, si vous souhaitez garder une souplesse à la matière, travaillez sans serrer ou avec un crochet d'un diamètre légèrement supérieur à celui préconisé pour le fil.

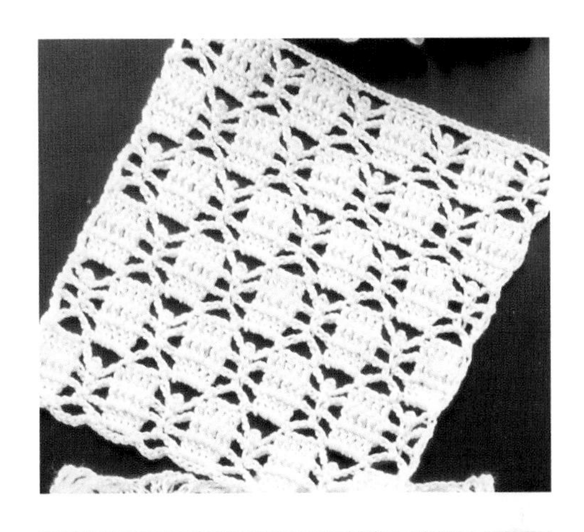

Clair-obscur

Ce motif se fait sur un nombre de mailles multiple de 12 (plus 1) et sur 8 rangs.

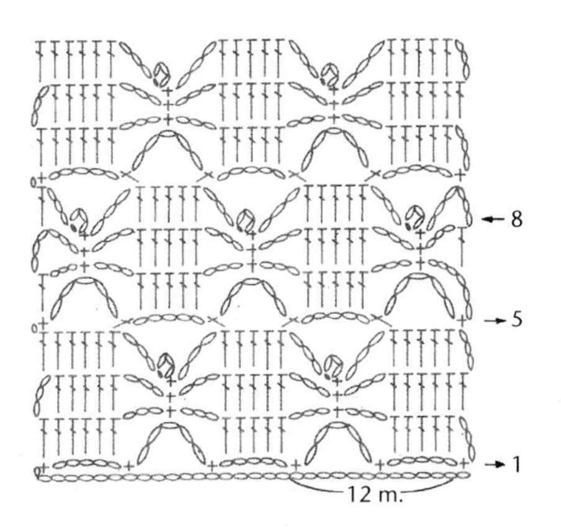

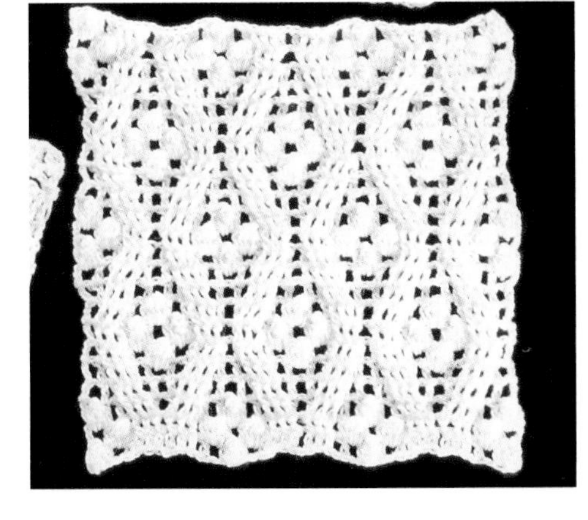

Torsade

Ce motif se fait sur un nombre de mailles multiple de 16 (plus 1) et sur 10 rangs. Outre les brides simples, ce point utilise des brides en relief sur l'endroit.

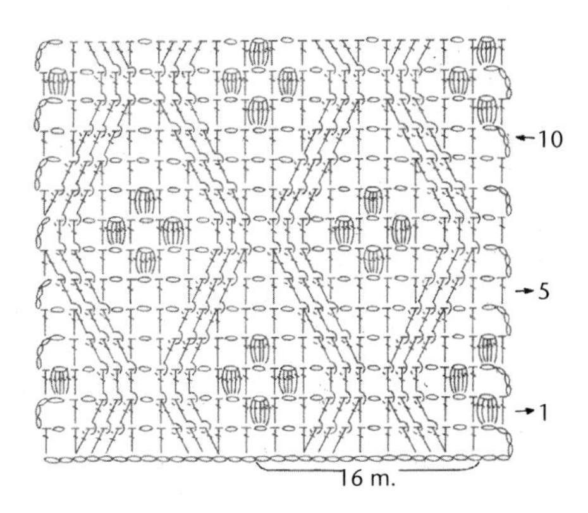

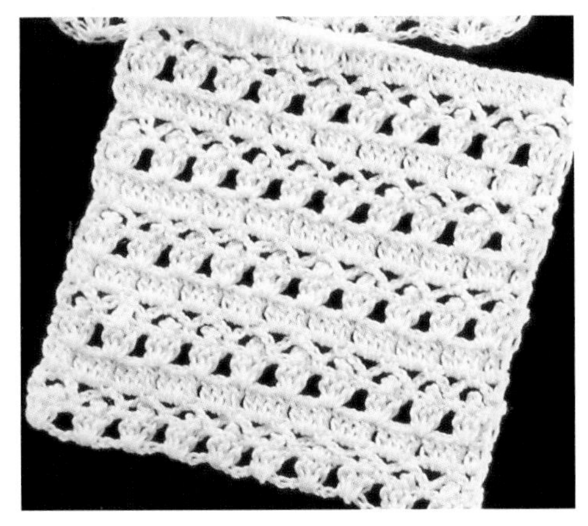

Flammèche

Ce motif se fait sur un nombre de mailles multiple de 4 (plus 1) et sur 4 rangs.

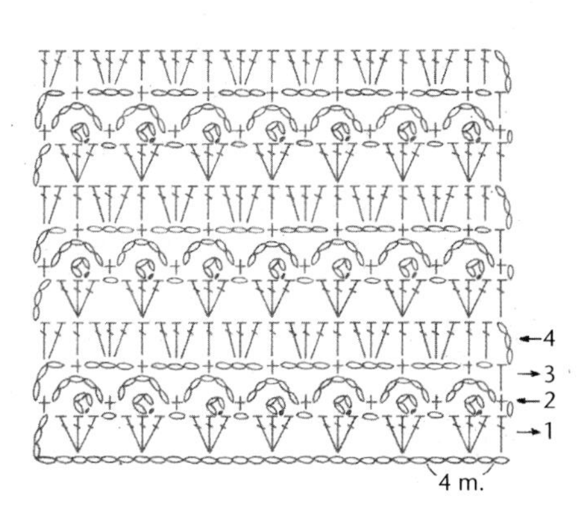

Points et fils classiques II

Marguerite

Ce motif se fait sur un nombre de mailles multiple de 16 (plus 1) et sur 6 rangs.

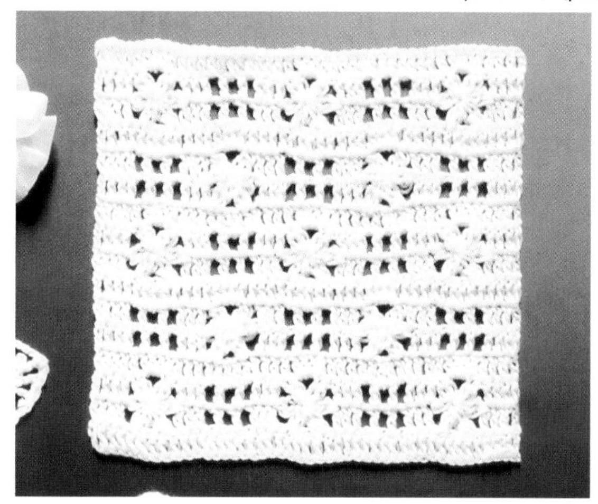

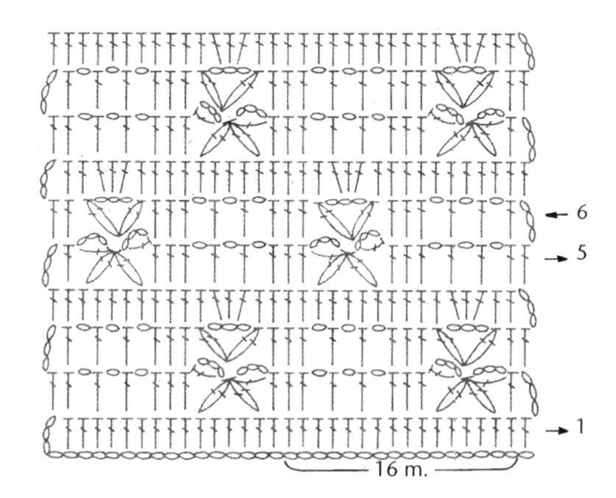

Plume

Ce motif se fait sur un nombre de mailles multiple de 12 (plus 1) et sur 4 rangs.

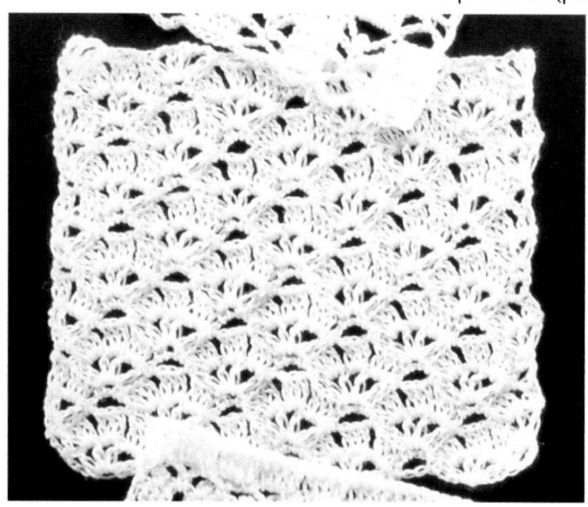

Treillis

Ce motif se fait sur un nombre de mailles multiple de 6 (plus 1) et sur 2 rangs.

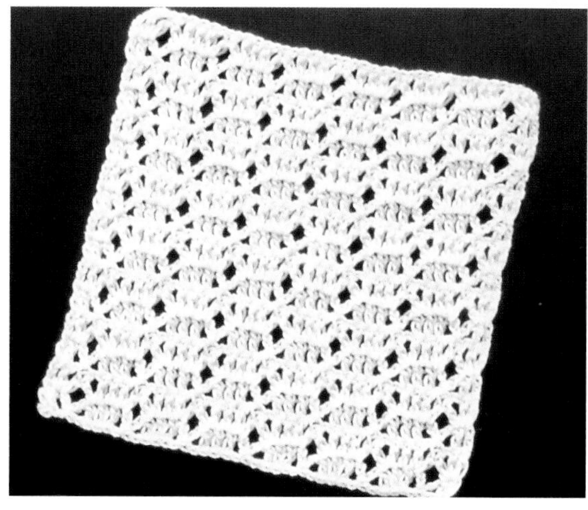

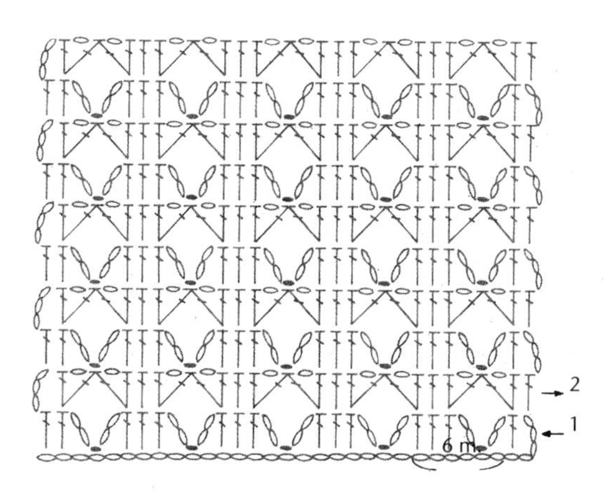

Points et fils classiques III

En général, ces fils classiques sont très « retors », c'est-à-dire très « tordus », ce qui les rend plus compacts et donc plus faciles à travailler.

Fils câblés ou perlés, ce sont eux que l'on conseille pour débuter le crochet, car leur tenue rend le travail plus facile. De plus, ces fils offrent généralement un ouvrage à l'aspect satisfaisant, ce qui est toujours encourageant ! Quoi qu'il en soit, quand on est séduit par un fil, il est toujours préférable d'acheter une pelote et de tester le fil avec le point du modèle que l'on a retenu. Cela évite les déceptions et les dépenses inutiles. Cela permet d'imaginer également d'éventuelles adaptations pour associer l'un et l'autre si nécessaire.

Lys

Ce motif se fait sur un nombre de mailles multiple de 8 (plus 1) et sur 6 rangs.

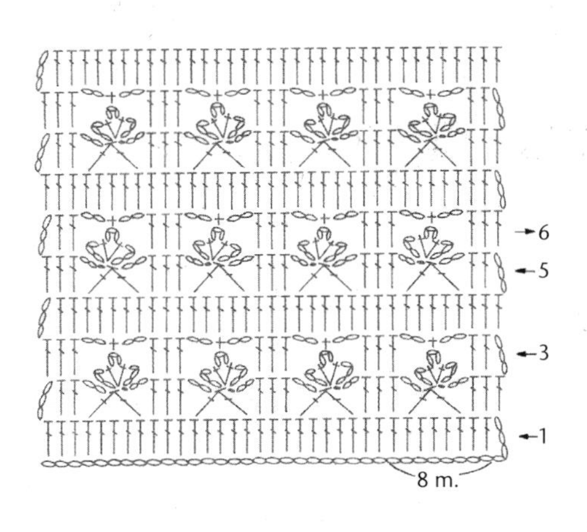

Claustra

Ce motif se fait sur un nombre de mailles multiple de 6 (plus 2) et sur 2 rangs.

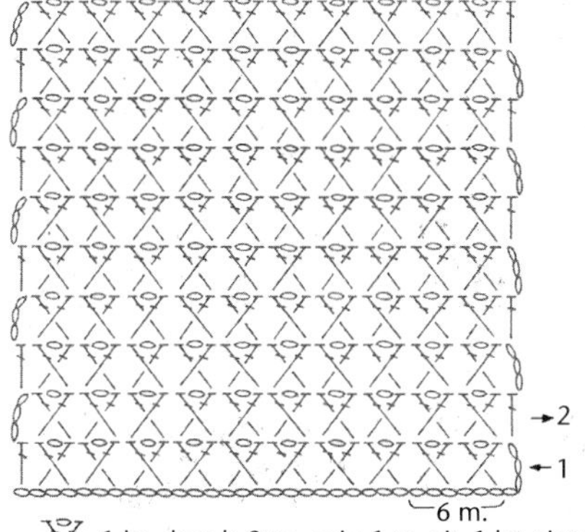

1 br. dans la 3e m. suiv. 1 m. air, 1 br. piquée par derrière dans la 1re m. sautée

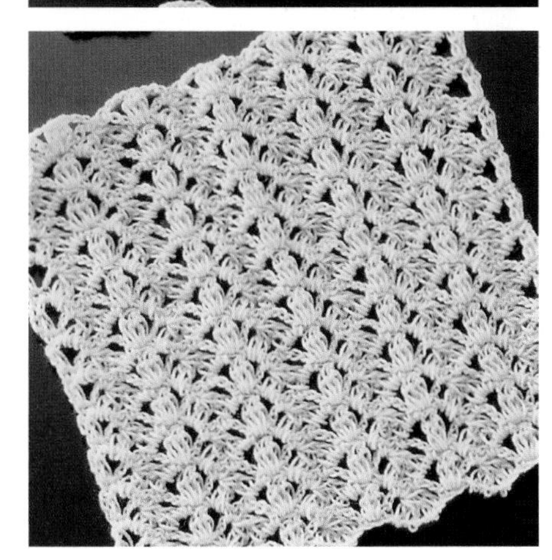

Fontaine

Ce motif se fait sur un nombre de mailles multiple de 8 (plus 1) et sur 2 rangs.

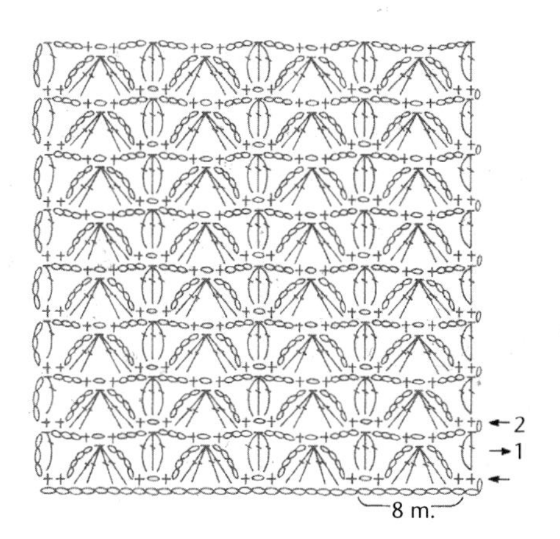

Points et fils classiques III

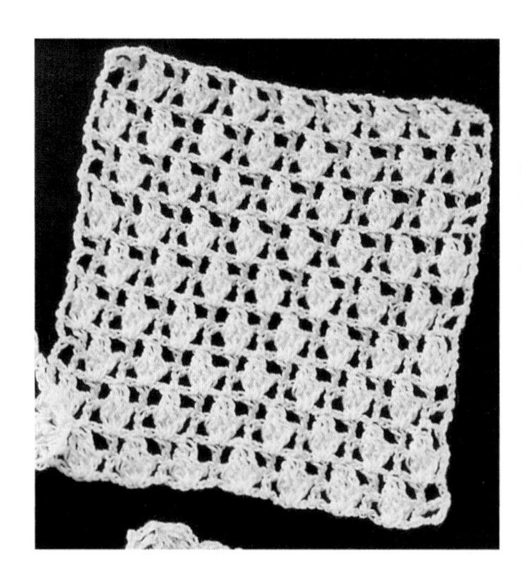

Lumignon

Ce motif se fait sur un nombre de mailles multiple de 6 (plus 1) et sur 4 rangs. Outre les brides simples, ce point utilise des brides travaillées en relief sur l'endroit.

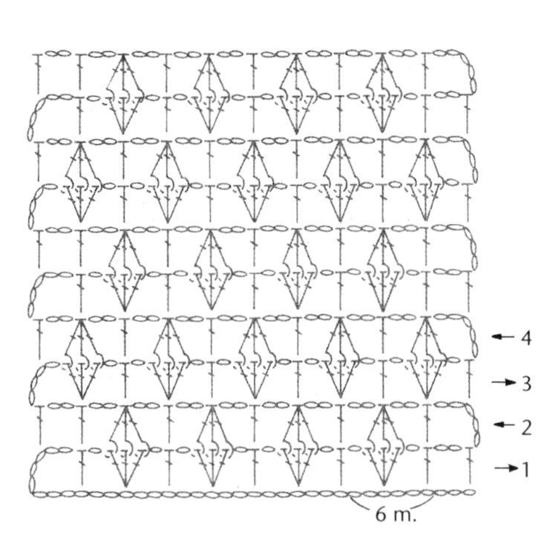

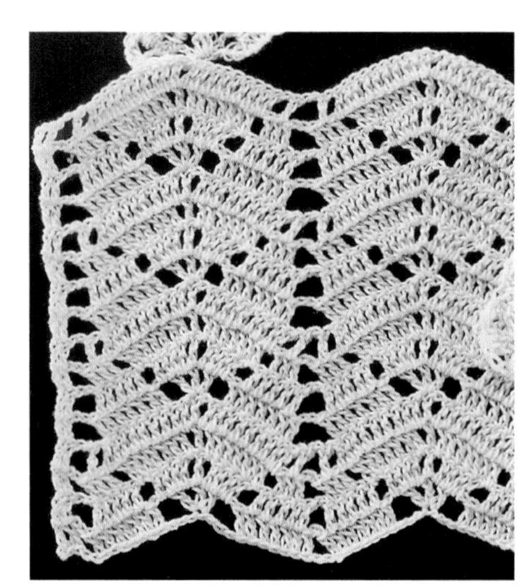

Feuille à feuille

Ce motif se fait sur un nombre de mailles multiple de 25 (plus 6) et sur 4 rangs.

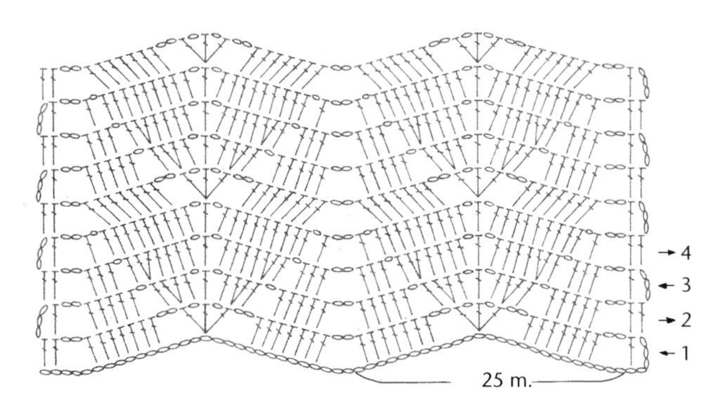

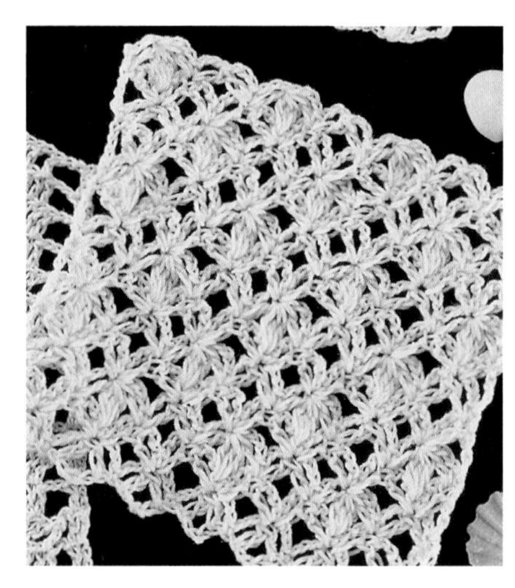

Edelweiss

Ce motif se fait sur un nombre de mailles multiple de 12 (plus 1) et sur 4 rangs.

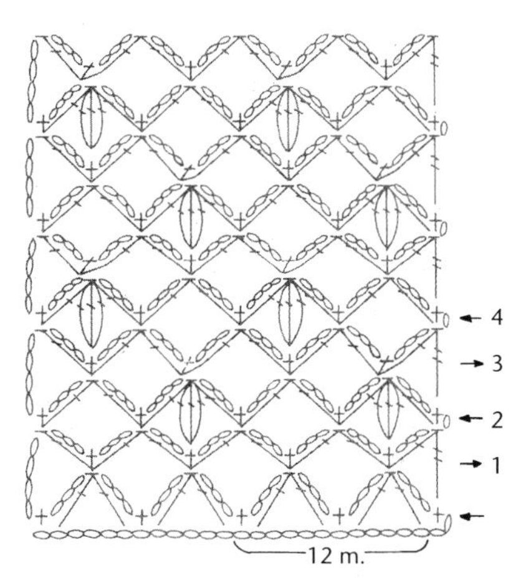

Points et fils classiques IV

Tous les fils classiques conviennent au crochet. Le nombre de brins qui composent le fil et leur épaisseur sont indiqués sur l'étiquette par le fabricant.

Plus la torsion d'un fil est grande, plus il est rigide et inversement, une qualité ce qui se retrouvera dans l'ouvrage. Certains fils sont vendus en écheveau. Pour éviter qu'ils ne s'emmêlent, il est recommandé d'en faire des pelotes.

Rayons

Ce motif se fait sur un nombre de mailles multiple de 15 (plus 1) et sur 4 rangs.

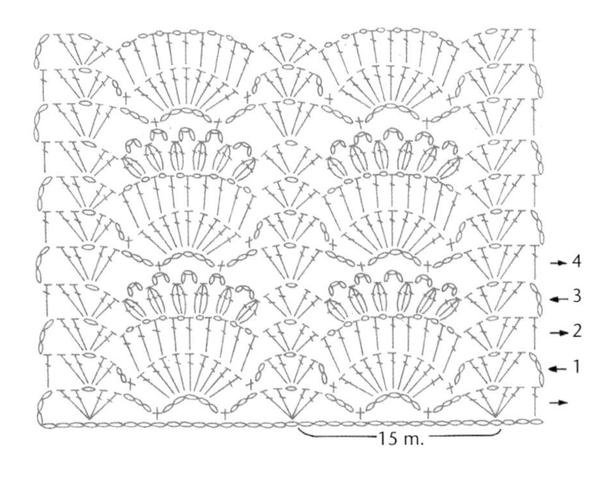

Œillet

Ce motif se fait sur un nombre de mailles multiple de 14 (plus 2) et sur 4 rangs.

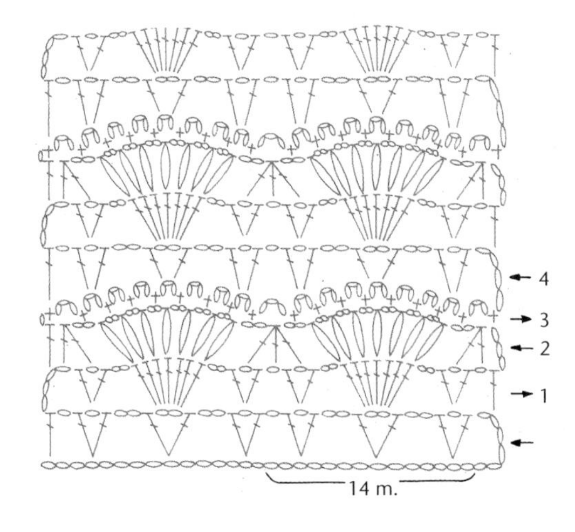

Points et fils classiques IV

Arlequin

Ce motif se fait sur un nombre de mailles multiple de 16 (plus 1) et sur 8 rangs. Outre les brides simples, ce point utilise des brides travaillées en relief sur l'endroit.

8
5
1
16 m.

Ondine

Ce motif se fait sur un nombre de mailles multiple de 16 (plus 1) et sur 2 rangs.

Méli-mélo

Ce motif se fait sur un nombre de mailles multiple de 12 (plus 1) et sur 4 rangs.

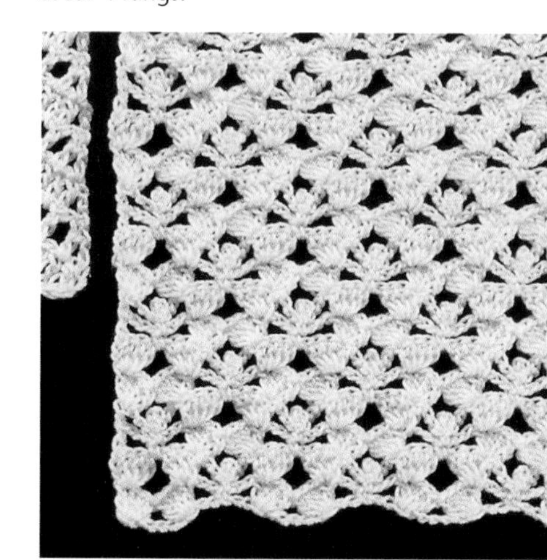

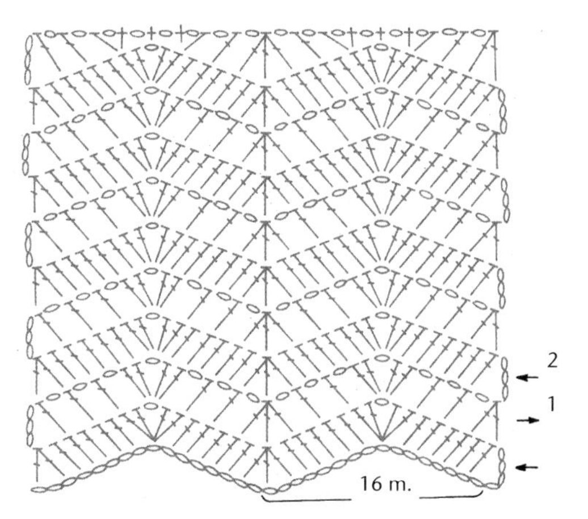

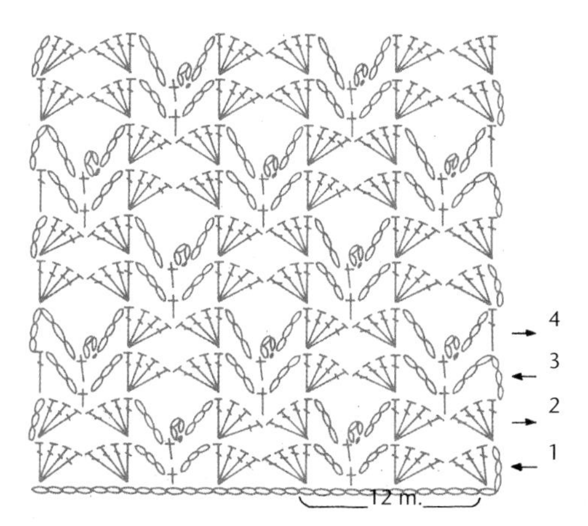

Fils classiques et couleurs I

Fils de coton ou fils de lin, fins ou plus épais, ils prêtent leur bonne tenue à la couleur qui permet de créer une multitude d'effets.

C'est un des charmes du crochet de pouvoir dessiner des motifs en jouant sur les points et la couleur des fils. Ce jeu convient aussi bien à des ouvrages raffinés qu'à d'autres plus rustiques. Quant à la finalité des ouvrages, il n'y a aucune restriction une fois, comme pour tous les fils, que la bonne adéquation entre la texture de l'ouvrage et son usage est respectée. Voici quelques exemples de points qui vous donneront des idées pour créer les vôtres.

Tous ces points sont crochetés en alternant les couleurs des fils A et B.

Tissage

Ce motif se fait sur un nombre de mailles multiple de 4 (plus 1) et sur 20 rangs. Ce point est réversible.

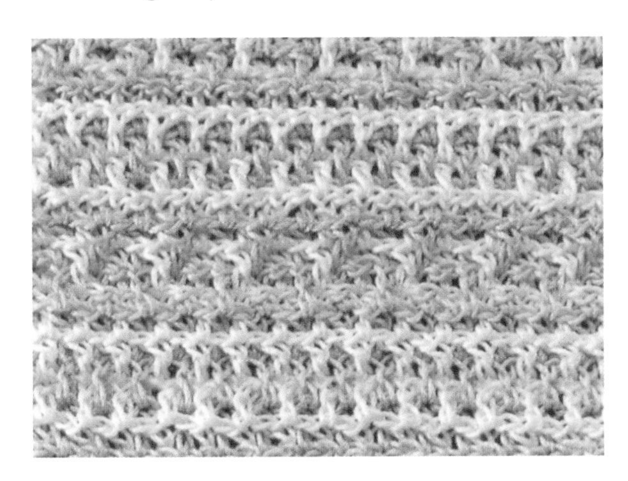

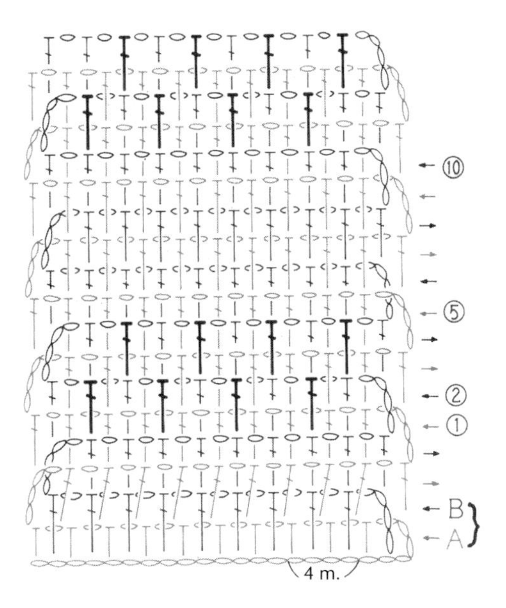

Noir et blanc

Ce motif se fait sur un nombre de mailles multiple de 8 (plus 1) et sur 20 rangs. Ce point est réversible.

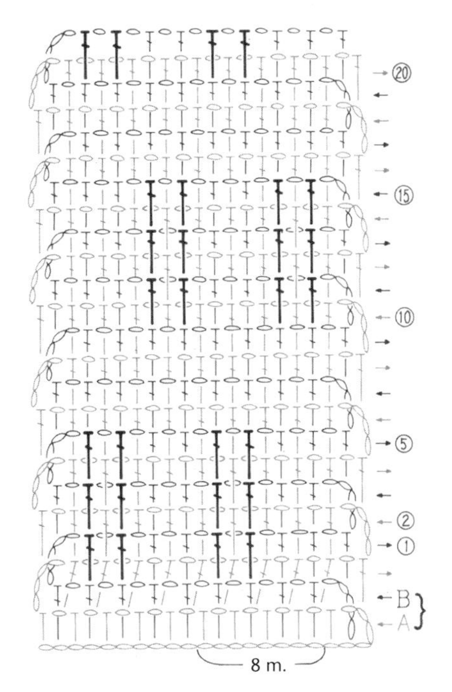

Fils classiques et couleurs I

Zigzag

Ce motif se fait sur un nombre de mailles multiple de 21 (plus 7) et sur 8 rangs.

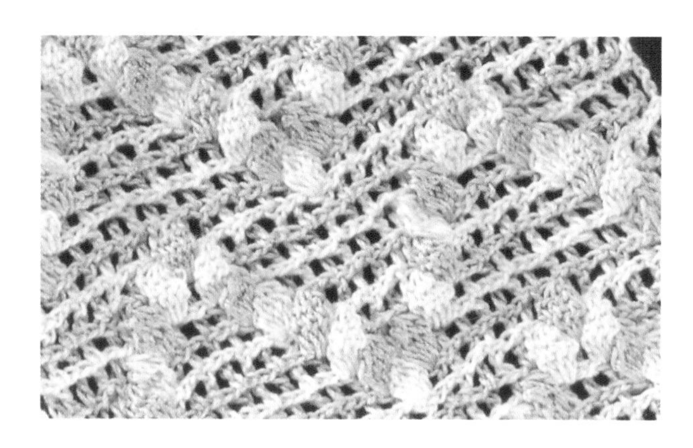

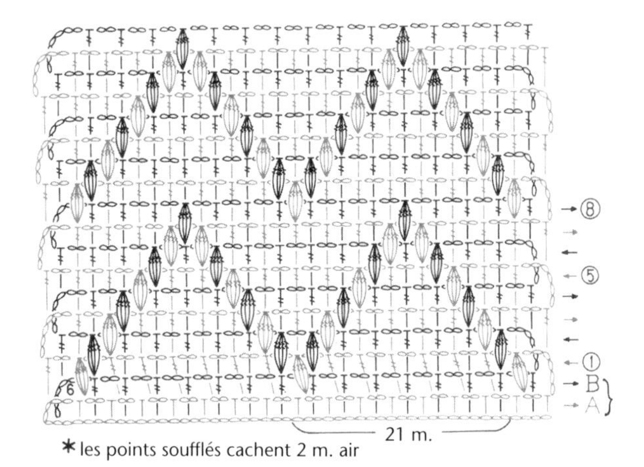

* les points soufflés cachent 2 m. air

Point soufflé : ** 2 jetés, piquer dans la m. correspondante de l'avant-dernier rg, tirer 1 boucle, répéter 2 fois *1 jeté, écouler 2 boucles*, reprendre à ** encore 3 fois, puis faire 1 jeté et écouler les 5 m. en 1 fois.

Tresse

Ce motif se fait sur un nombre de mailles multiple de 4 (plus 1) et sur 8 rangs. Ce point est réversible.

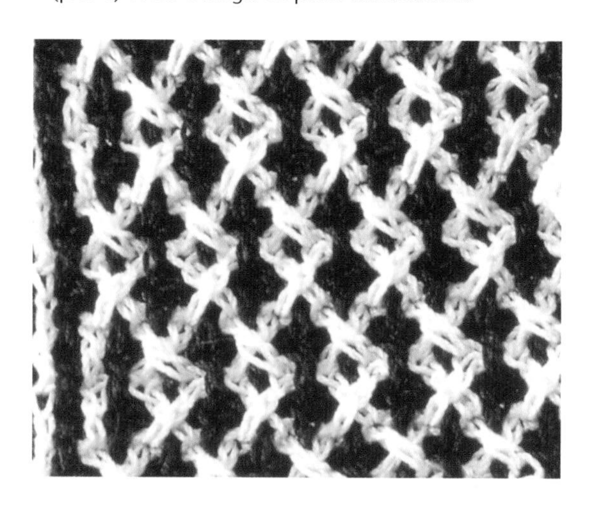

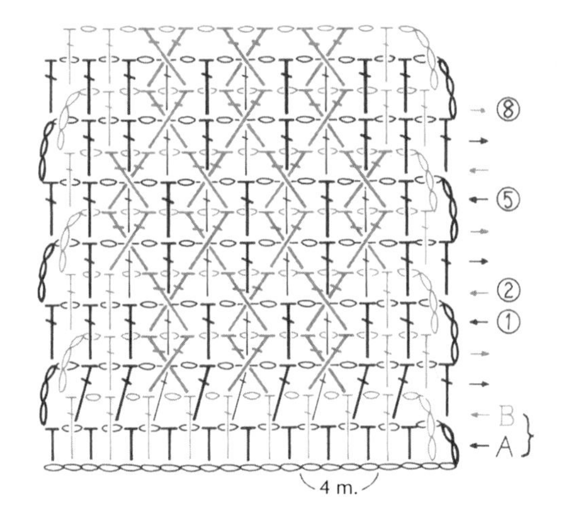

Blason

Ce motif se fait sur un nombre de mailles multiple de 24 (plus 1) et sur 14 rangs.

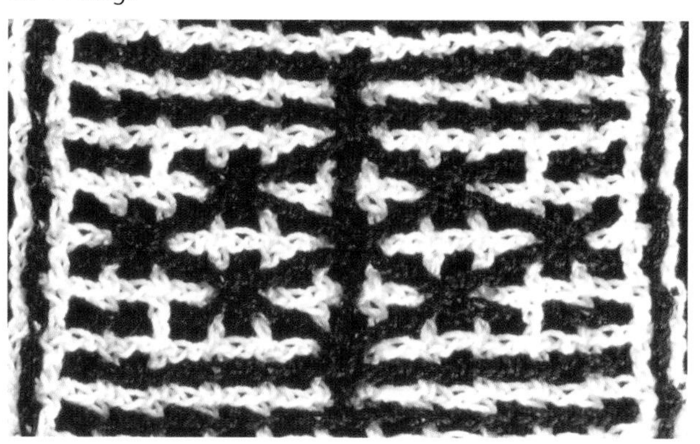

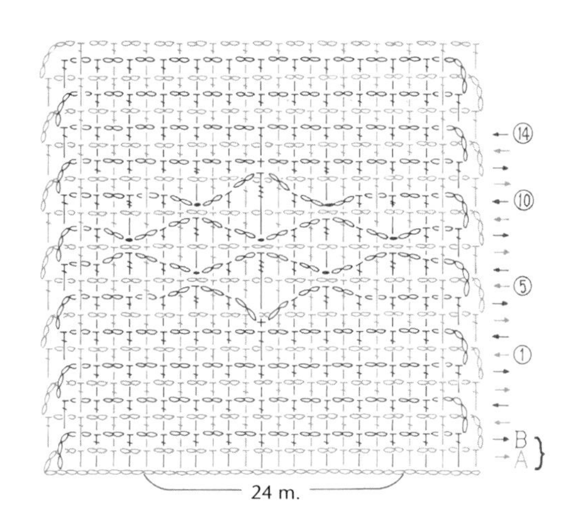

Fils classiques et couleurs II

En jouant avec des nuances très proches, on obtient des effets subtils qui mettent délicatement les points en relief et qui se marient bien avec les unis.

À côté du blanc, la gamme retenue ici mêle des fils jaune pâle, sable, coquille d'œuf, écru, et crée ainsi des compositions d'une grande douceur. Cela convient parfaitement pour les tenues estivales raffinées.

Tous les points bicolores sont crochetés en alternant les couleurs des fils A et B.

Rayures

Ce motif se fait sur un nombre de mailles multiple de 5 (plus 1) et sur 6 rangs. Il se fait avec deux fils de couleurs différentes (A et B). Le fil B est plus fin que le fil A.

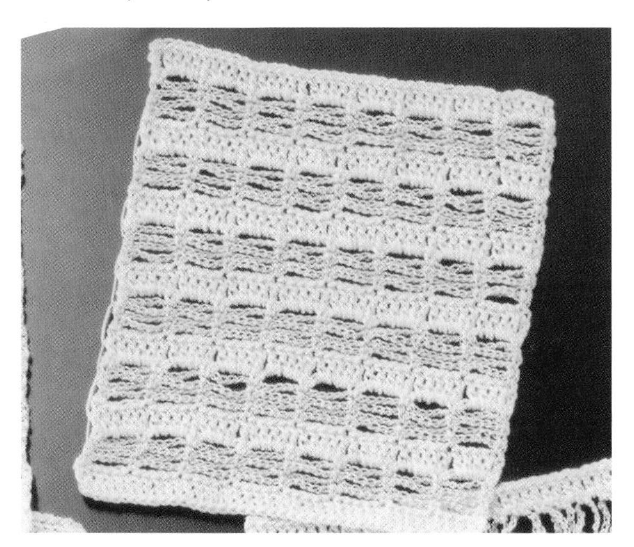

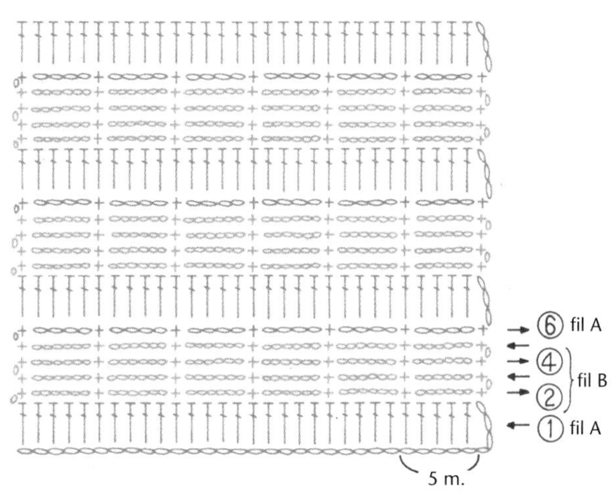

Houle

Ce motif se fait sur un nombre de mailles multiple de 12 (plus 1) et sur 6 rangs. Il est monochrome.

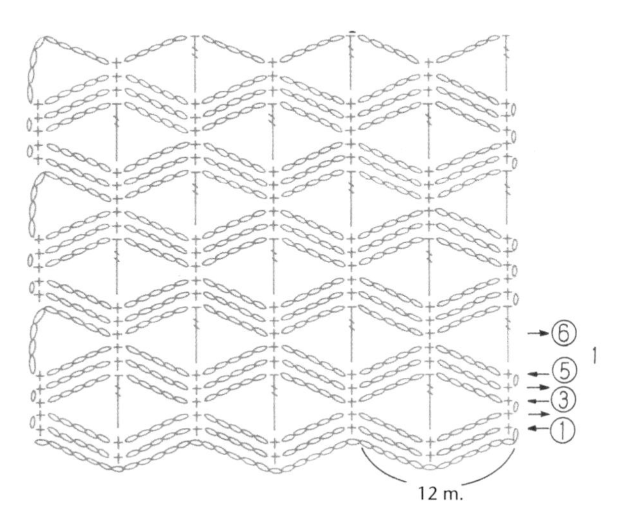

Fils classiques et couleurs II

Savane

Ce motif se fait sur un nombre de mailles multiple de 4 (plus 1) et sur 4 rangs. Il se fait avec deux fils de couleurs différentes (A et B). Le fil B est plus fin que le fil A.

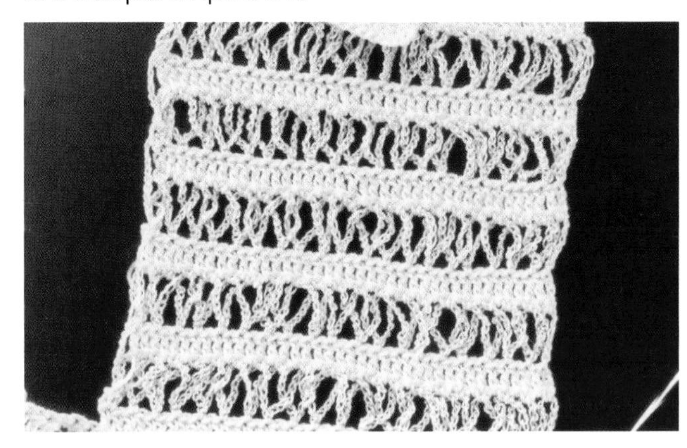

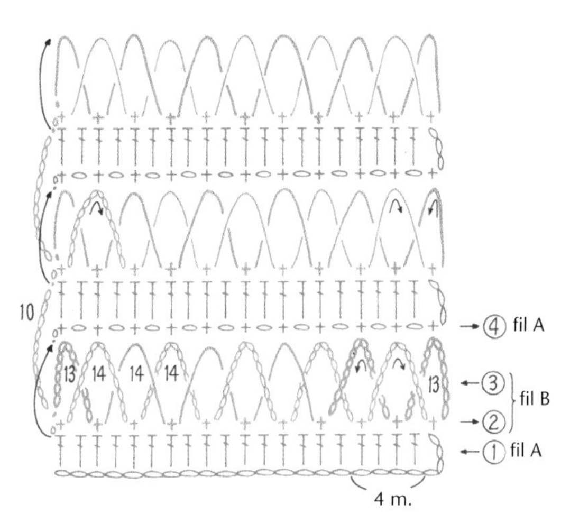

Oscillations

Ce motif se fait sur un nombre de mailles multiple de 14 (plus 1) et sur 4 rangs. Il se fait avec deux fils de couleurs différentes (A et B). Le fil B est plus fin que le fil A.

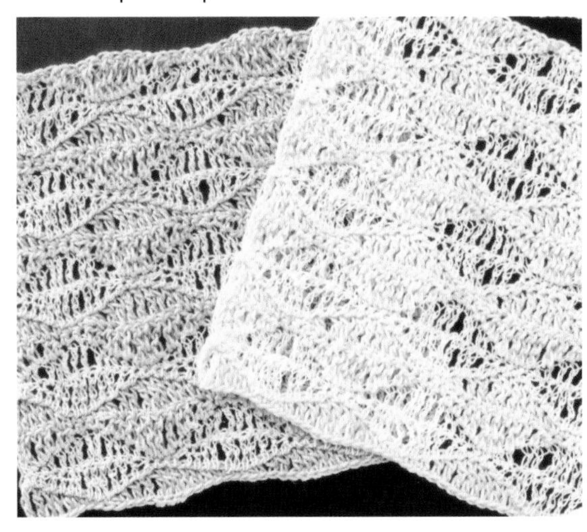

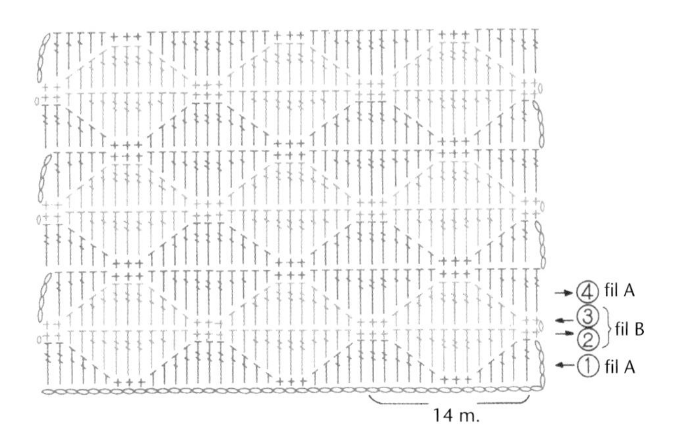

Pic

Ce motif se fait sur un nombre de mailles multiple de 3 et sur 2 rangs. Il est monochrome.

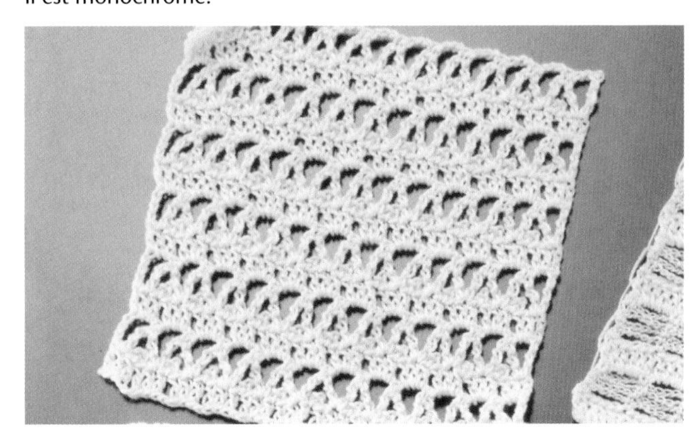

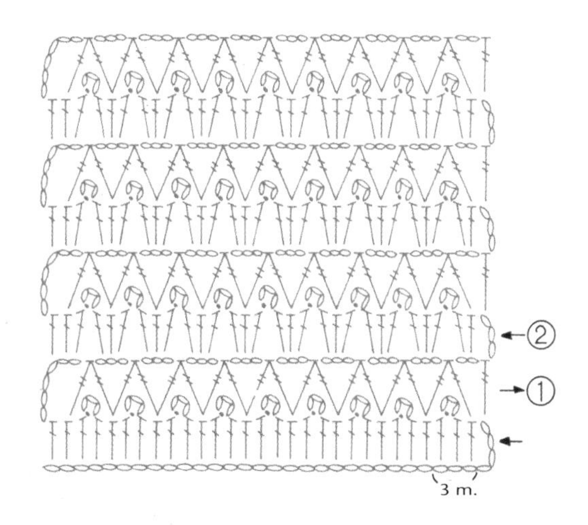

Points et fils fantaisie I

La large palette des points s'enrichit de toutes les déclinaisons qu'offrent les différentes sortes de fils.

Les effets moelleux des fils fantaisie

Les fils fantaisie sont généralement obtenus par torsion de fibres de différentes grosseurs. Ils présentent souvent des poils longs, ce qui donne du volume et du moelleux à la pièce crochetée. Pour préserver cet effet, il est donc conseillé de travailler sans trop serrer.

Pavé incliné

Ce motif se fait sur un nombre de mailles multiple de 8 (plus 1) et sur 2 rangs.

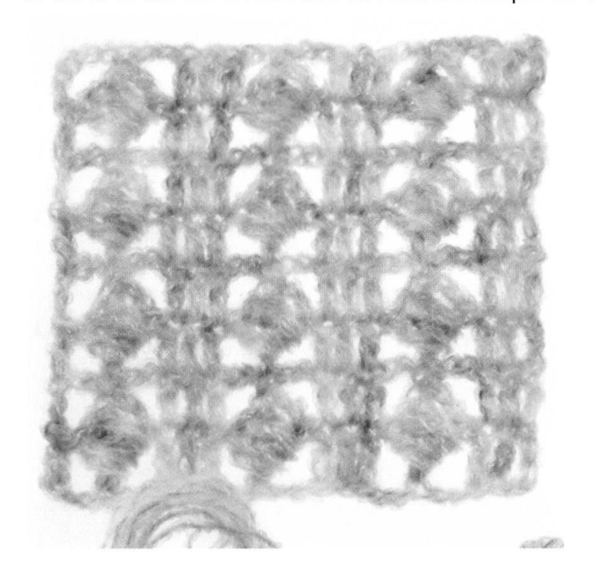

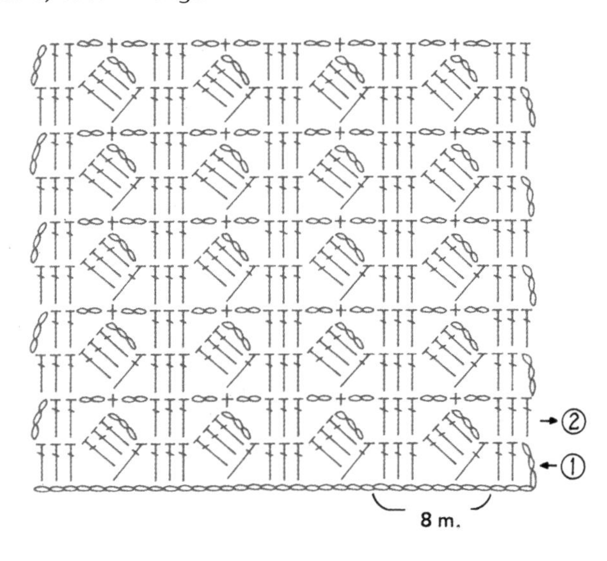

Torche

Ce motif se fait sur un nombre de mailles multiple de 8 (plus 1) et sur 8 rangs.

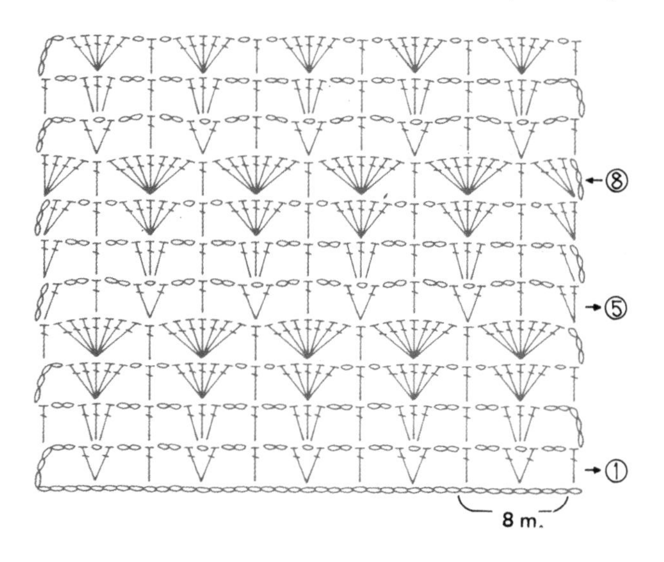

Points et fils fantaisie I

Orient

Ce motif se fait sur un nombre de mailles multiple de 4 (plus 1) et sur 4 rangs.

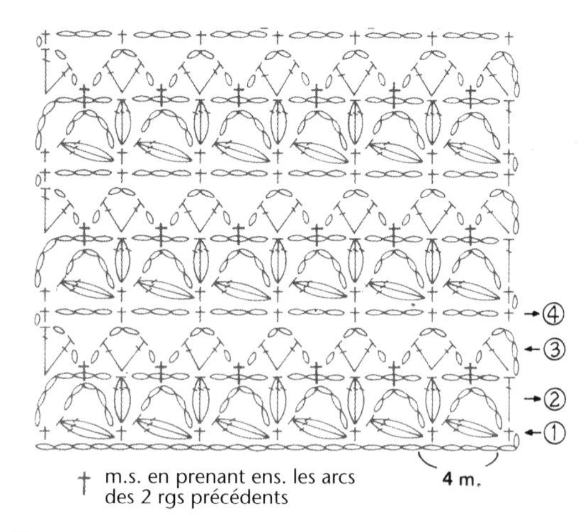

Eventail

Ce motif se fait sur un nombre de mailles multiple de 10 (plus 1) et sur 2 rangs.

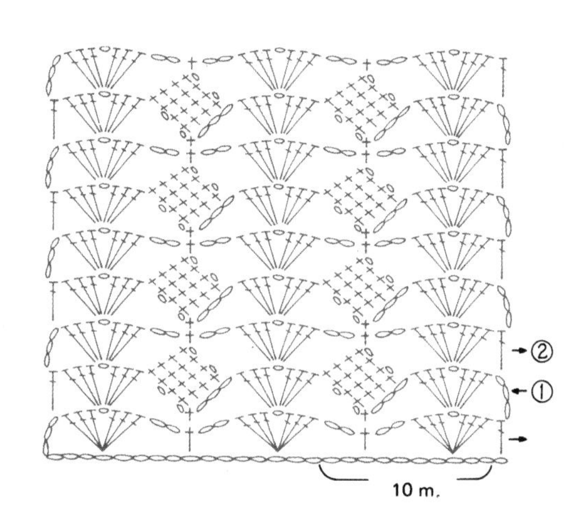

Point soufflé en biais

Ce motif se fait sur un nombre de mailles multiple de 5 (moins 1) et sur 2 rangs.

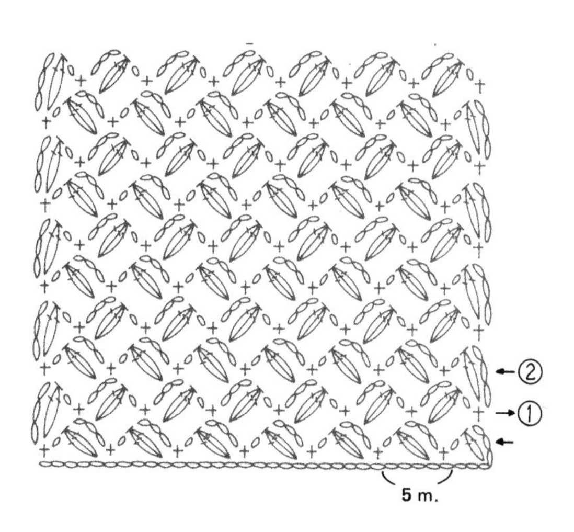

Points et fils fantaisie II

Ces fils aux aspects les plus divers apportent une touche singulière à vos ouvrages, qu'ils soient utilisés seuls ou associés à d'autres fils.

Réalisés souvent à partir de fibres d'origines différentes, ces fils sont aussi filés de maintes façons. Ils sont bouclés, chenillés, flammés, jaspés, mouchetés, «noppés», ondés, vrillés, etc. On peut ainsi obtenir des fils d'une grande sophistication qui seront mis en valeur avec un point sobre ou aéré. Dans tous les cas, il convient de travailler avec souplesse pour préserver toutes les caractéristiques des fils qu'ils soient mousseux, noués ou torsadés.

Serpentin

Ce motif se fait sur un nombre de mailles multiple de 16 (plus 1) et sur 8 rangs.

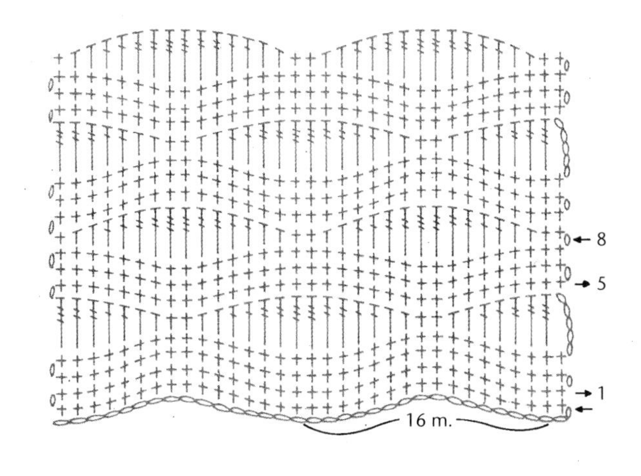

Fleur ajourée

Ce motif se fait sur un nombre de mailles multiple de 12 (plus 1) et sur 6 rangs.

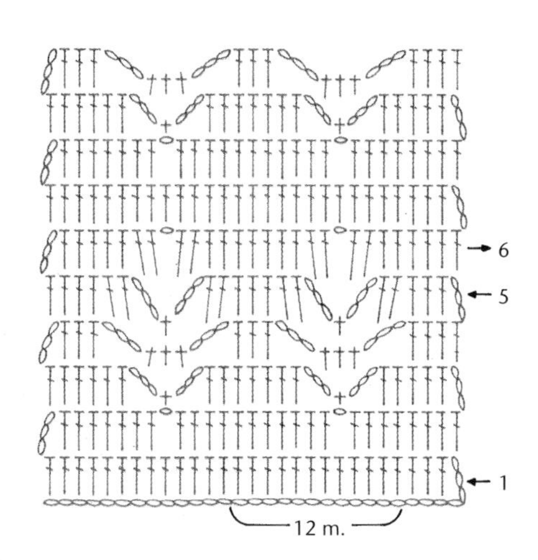

Points et fils fantaisie II

Éventail à picots

Ce motif se fait sur un nombre de mailles multiple de 6 (plus 1) et sur 8 rangs.

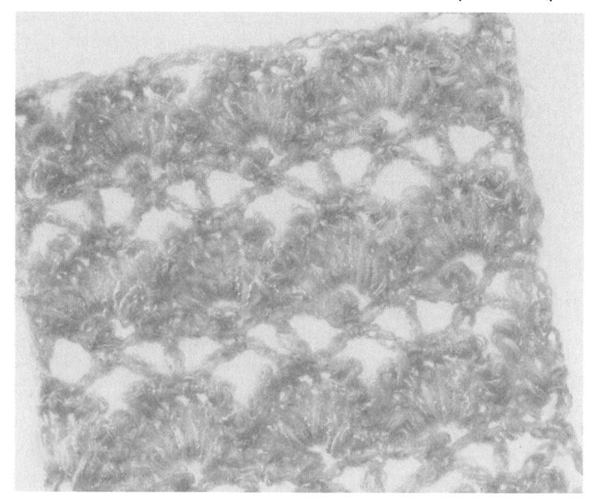

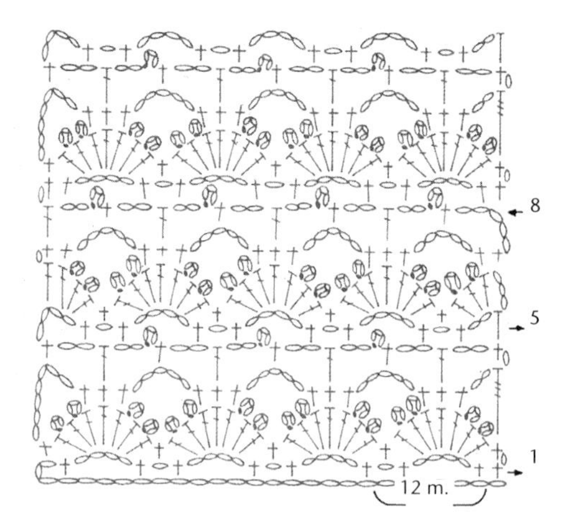

Tourelle

Ce motif se fait sur un nombre de mailles multiple de 11 (plus 1) et sur 2 rangs.

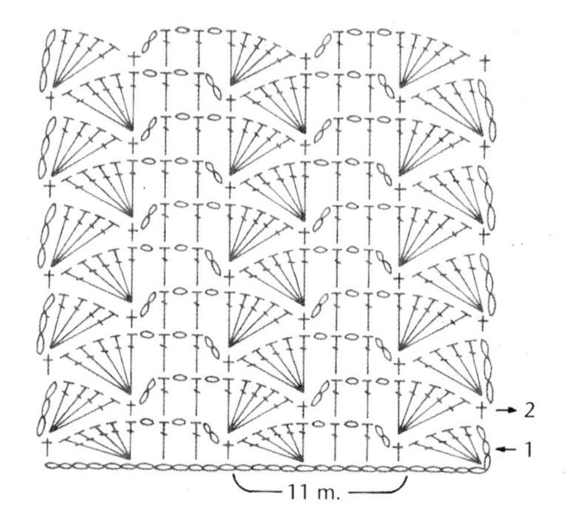

Trèfle

Ce motif se fait sur un nombre de mailles multiple de 16 (plus 1) et sur 6 rangs.

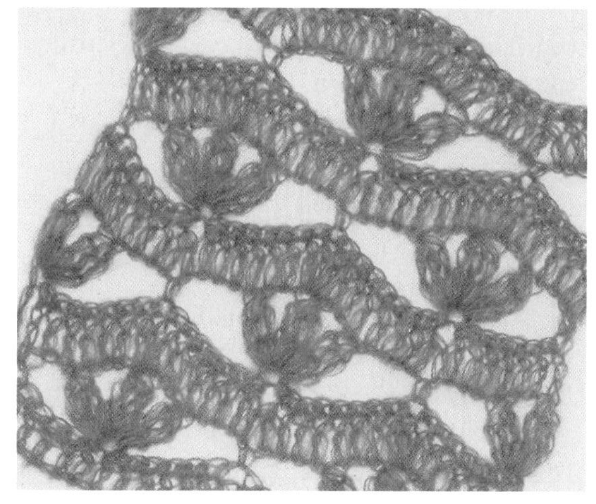

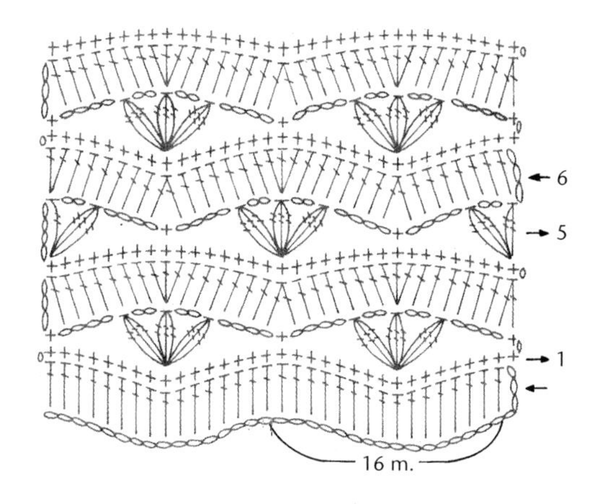

Assemblage des motifs I

Réunir des motifs peut se faire une fois les pièces terminées ou en cours d'ouvrage. Différentes possibilités s'offrent à vous des plus sobres au plus élaborées.

L'assemblage des pièces concerne tous les ouvrages constitués de plusieurs éléments, qu'il s'agisse de compositions modulaires - pour les napperons, la décoration intérieure ou le linge de maison - ou de vêtements.

Certaines techniques visent purement un assemblage solide et discret, c'est le cas pour la plupart des vêtements, d'autres constituent un des éléments décoratifs de l'ouvrage.

Assemblage à l'aiguille

- **Point arrière**

Il permet de former des coutures solides, il est idéal pour les coutures d'épaule et de manche. Il est plus particulièrement recommandé quand les bords de l'ouvrage ne sont pas parfaits, les irrégularités restent alors dans le bord interne de la couture. Il se fait avec une aiguille à tapisserie et le fil de l'ouvrage ou un fil adapté, en réunissant les deux pièces maille à maille par un point arrière compact et régulier.

- **Surjet simple à un brin**

Cet assemblage peut se faire sur l'envers ou l'endroit du travail. Dans notre exemple, il est fait sur l'endroit du travail avec un fil de couleur contrastée qui participe à l'esthétique de l'ensemble

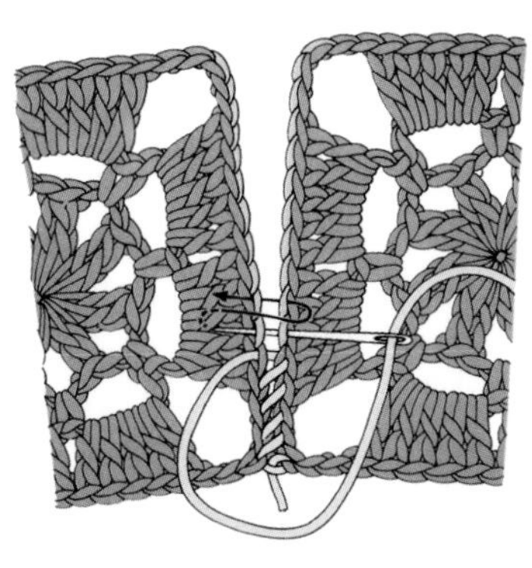

❶ Le point de surjet est réalisé en prenant seulement le brin arrière du point de chacune des pièces. Le nombre de points est égal au nombre de mailles de bordure.

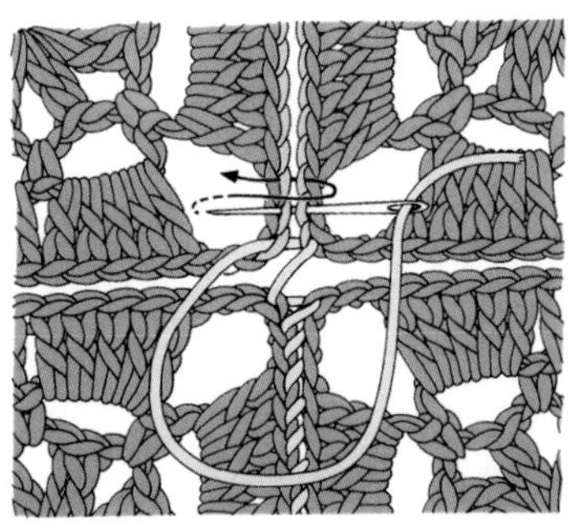

❷ Après avoir réuni les 2 premiers motifs, les assembler à 2 nouveaux motifs en faisant un grand surjet dans l'angle.

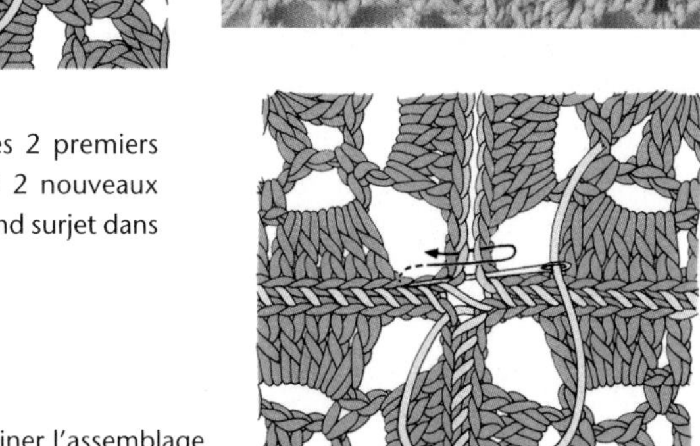

❸ Terminer l'assemblage des 4 motifs de la même manière.

Assemblage des motifs I

● **Surjet simple à deux brins**

Ce surjet donne de plus grands points, donc plus visibles.

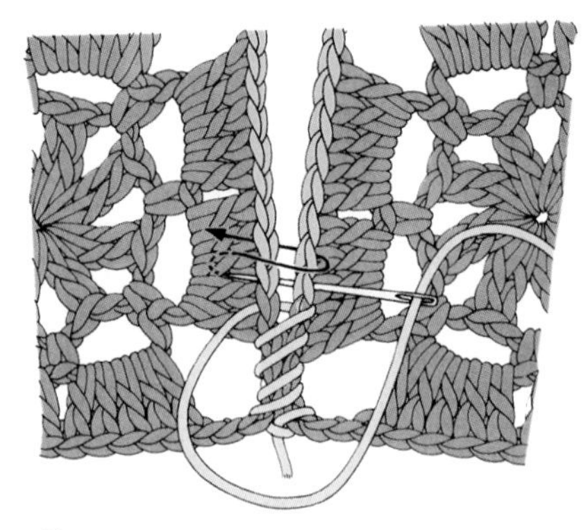

❶ Le surjet est réalisé en prenant de chaque côté les 2 brins de la maille.

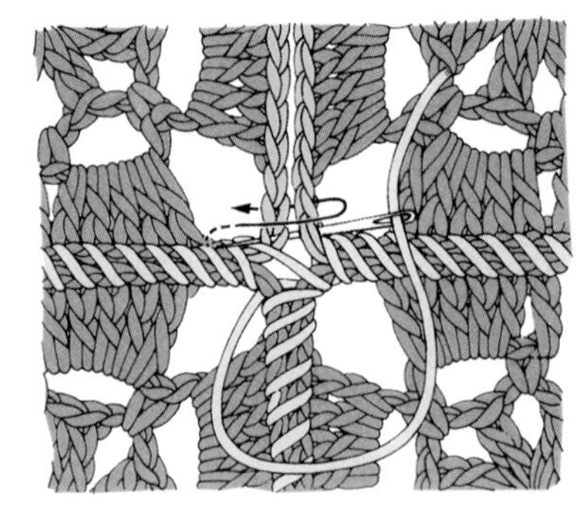

❷ Dans l'angle, on prend également les 2 brins

COUDRE PIÈCE CROCHETÉE ET TISSU

Le surjet permet de réunir une bordure crochetée à un morceau de tissu. Après avoir ourlé le tissu, fixez les deux pièces ensemble bord à bord, avec des épingles et avancez, l'endroit vers vous, avec de petits points de surjet en utilisant un fil convenant aux deux pièces et sans trop tirer pour donner à la couture l'élasticité nécessaire. En général, on fait autant de points que de mailles de lisière. Toutefois, si la pièce crochetée comporte des espaces vides (résilles, arceaux), il est préférable de les sauter en faisant un point long, l'aiguille passant dans l'ourlet du tissu jusqu'à la maille suivante du bord crocheté pour masquer le point.

Assemblage au crochet, l'ouvrage terminé

● **Par mailles coulées**

Les coutures par mailles coulées se font en mettant les deux pièces envers contre envers. Sur l'endroit du travail, cette couture se distingue à peine. Ici, nous avons utilisé un fil de couleur contrastée pour mettre le résultat en relief.

Endroit

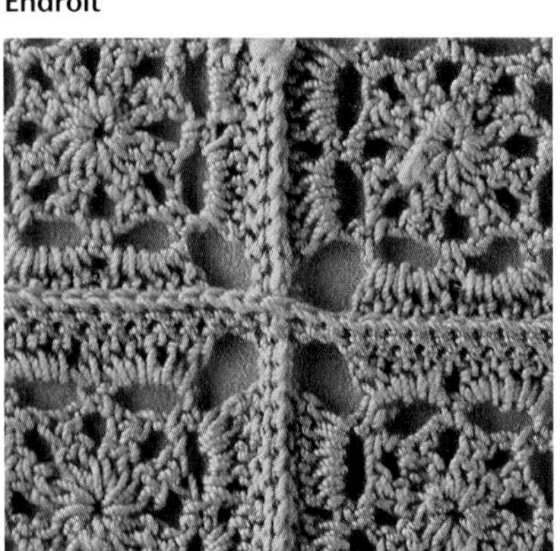

Envers

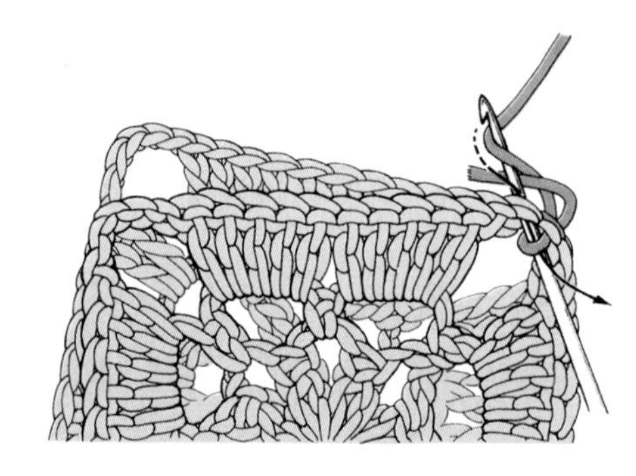

❶ Superposer les motifs endroit contre endroit, tirer le fil à travers les mailles d'angle correspondantes de chaque motif, en prenant le brin extérieur de chaque maille. Faire la première maille coulée.

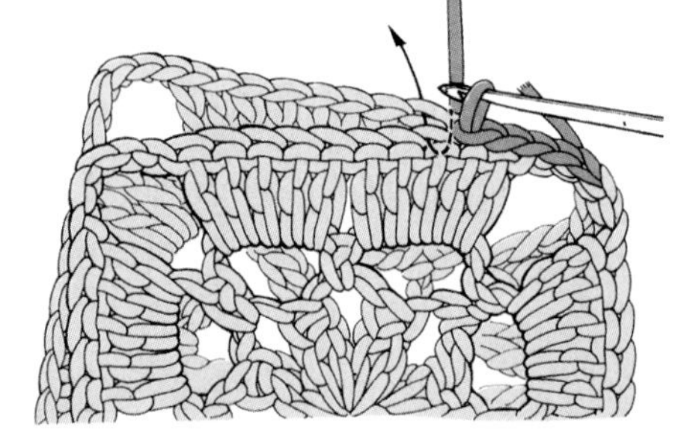

❷ Continuer ainsi, en prenant toujours les 2 brins extérieurs des mailles qui se font face.

VARIANTES SUR LA MAILLE COULÉE

La couture par mailles coulées peut aussi se faire en plaçant les lisières à plat, bord à bord, endroit vers vous. Dans ce cas, on obtient une couture nette et plate. En revanche, si on fait la couture en superposant les pièces envers contre envers et en piquant le crochet sous les mailles de lisière correspondantes des deux éléments, on obtient un léger bourrelet.

Assemblage des motifs II

Les pièces terminées, l'assemblage au crochet peut se faire avec un point qui participe au dessin de l'ensemble. Là, toutes les fantaisies sont possibles !

photo A

Au cours de vos réalisations, vous découvrirez maintes manières de réunir les pièces au crochet. Certaines peuvent être considérées comme des motifs à part entière. Nous vous présentons ici deux classiques, l'un à base de mailles serrées et de mailles en l'air (photo A), l'autre à base de brides écoulées ensemble et de mailles en l'air (photo B).

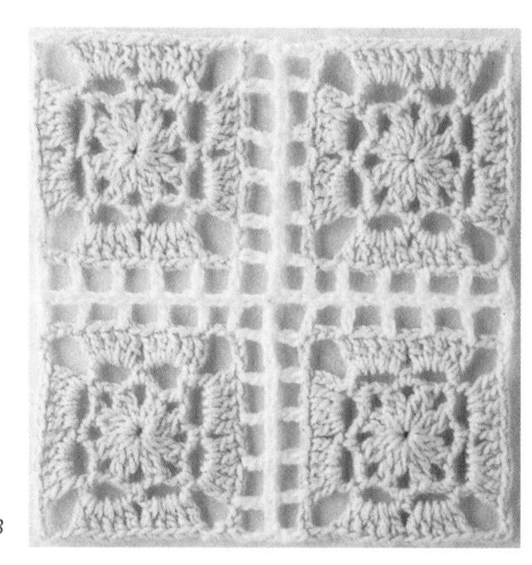

photo B

- **Par mailles serrées et mailles en l'air**

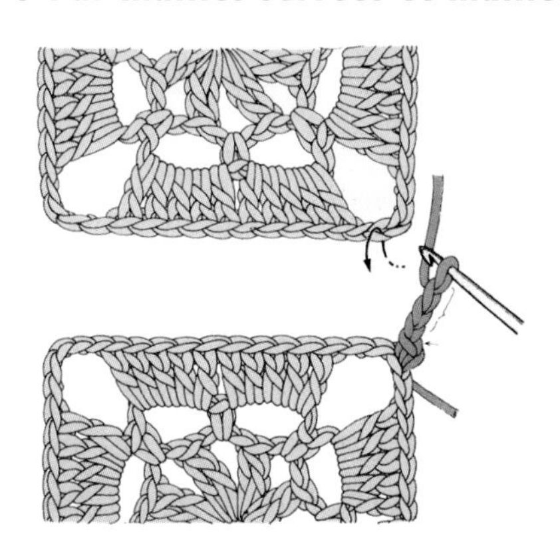

❶ L'assemblage se commence par les angles des modules. Les motifs sont placés à plat, endroit vers vous. Fixer le fil dans la maille centrale de l'angle par une maille serrée, faire 3 mailles en l'air et piquer le crochet dans la maille correspondante de la pièce en vis-à-vis et faire une maille serrée.

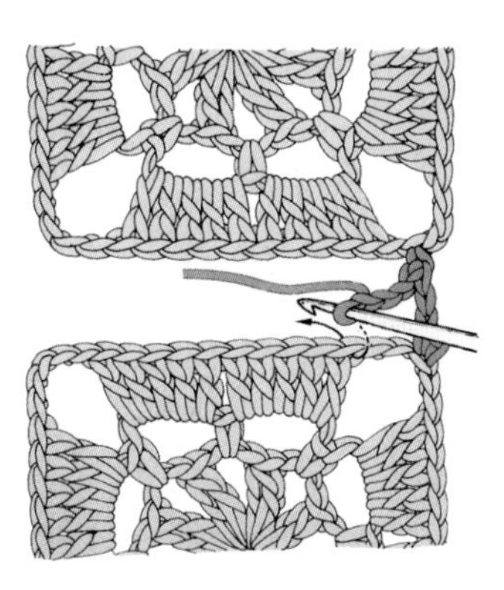

❷ Faire 3 mailles en l'air, sauter 2 mailles sur la bordure face de départ et faire une maille serrée en prenant les 2 brins sur la maille suivante. Continuer ainsi sur toute la longueur.

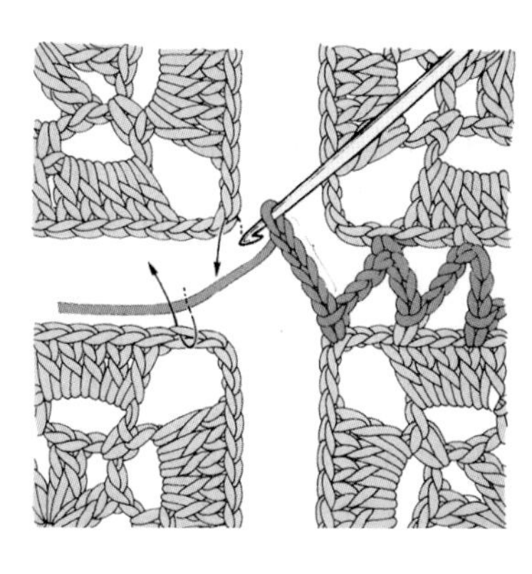

❸ Dans les angles, faire 5 mailles en l'air au lieu de 3, lors de la première couture réunissant 4 pièces.

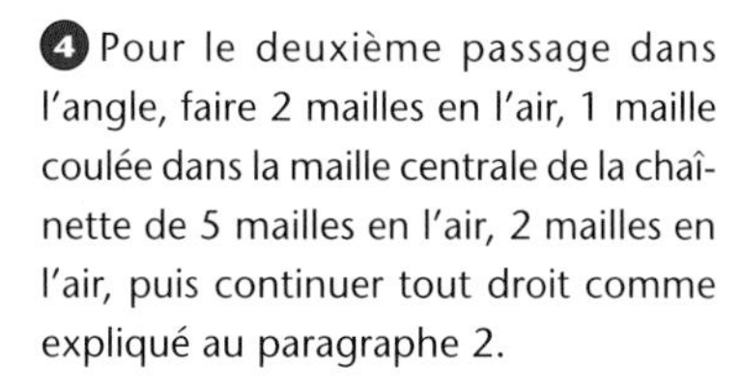

❹ Pour le deuxième passage dans l'angle, faire 2 mailles en l'air, 1 maille coulée dans la maille centrale de la chaînette de 5 mailles en l'air, 2 mailles en l'air, puis continuer tout droit comme expliqué au paragraphe 2.

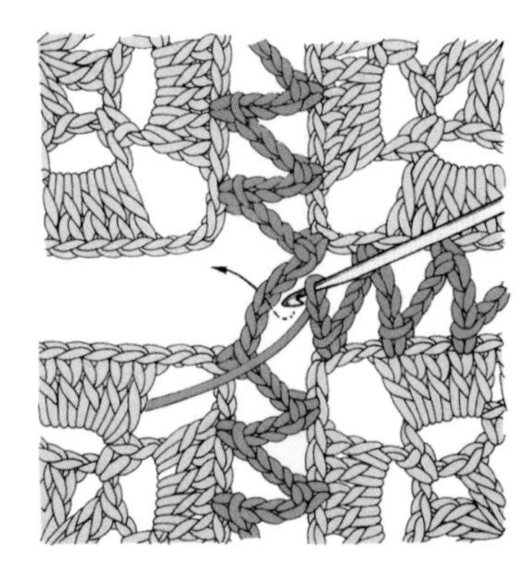

Assemblage des motifs II

• Par brides écoulées ensemble et mailles en l'air

On peut commencer cet assemblage de deux façons, soit par 3 mailles en l'air, soit par 1 maille en l'air et 1 bride. Quant aux brides, elles peuvent se faire, comme dans notre exemple, en résilles régulières ou irrégulières.

Commencer dans la maille en l'air centrale de l'angle

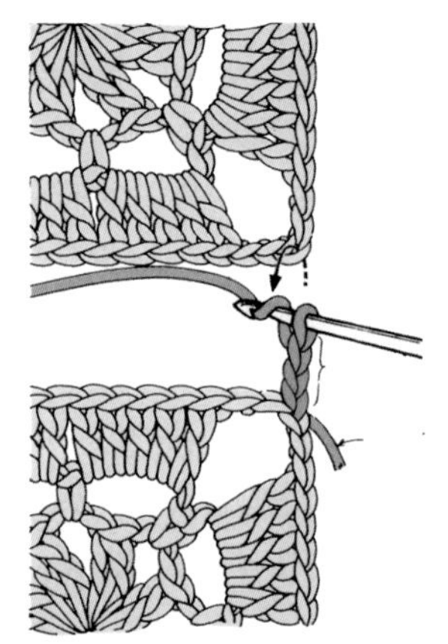

1 Attacher le fil par 1 maille coulée dans la maille d'angle centrale, faire 3 mailles en l'air et piquer le crochet dans la maille en l'air centrale de l'angle en vis-à-vis en prenant les 2 brins d la maille et faire une bride.

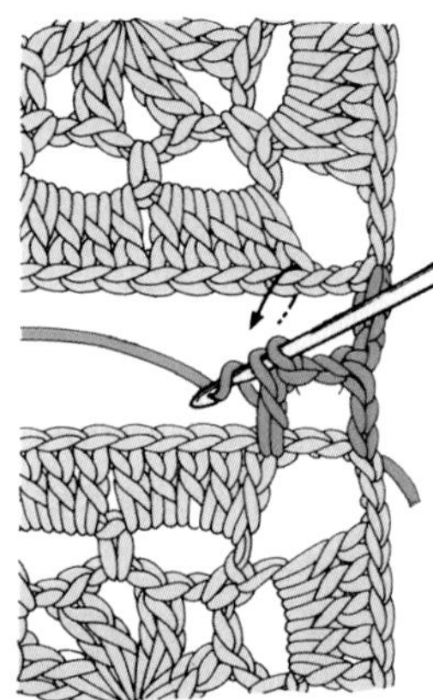

2 La bride terminée, faire 2 mailles en l'air, sauter 2 sur la bordure de départ et faire une bride incomplète sur la maille suivante.

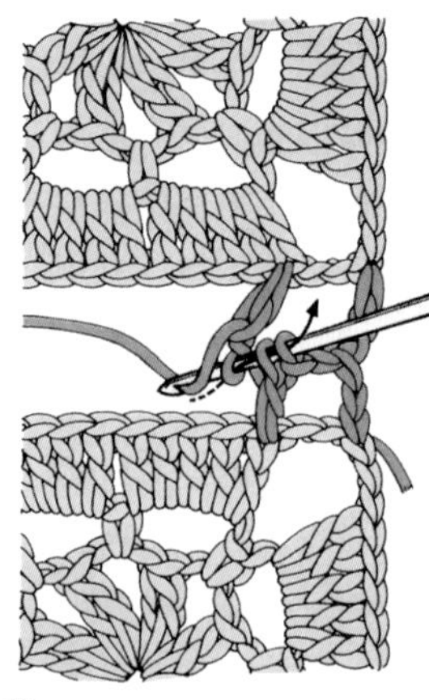

3 Piquer le crochet dans la maille en vis-à-vis, faire une bride incomplète et fermer les 2 brides ensemble.

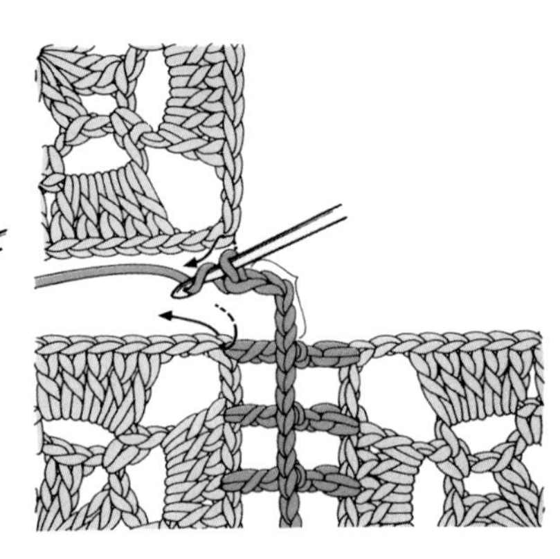

4 Dans le premier angle réunissant 3 pièces, faire 5 mailles en l'air, puis poursuivre selon le même principe.

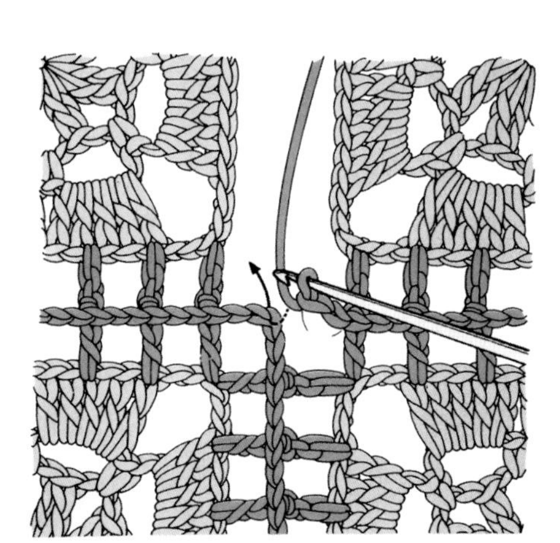

5 Dans l'angle qui réunit 4 pièces, faire 2 mailles en l'air, puis une maille coulée dans la maille centrale des 5 mailles en l'air. Faire 2 mailles en l'air, puis une bride incomplète sur l'un des 2 bords à assembler. Continuer selon le même principe.

Commencer par une maille en l'air

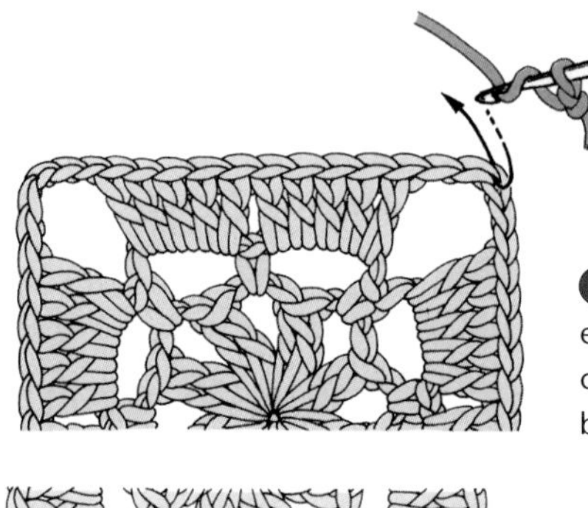

1 Après avoir fait une maille en l'air, piquer dans la maille centrale de l'angle et faire une bride incomplète.

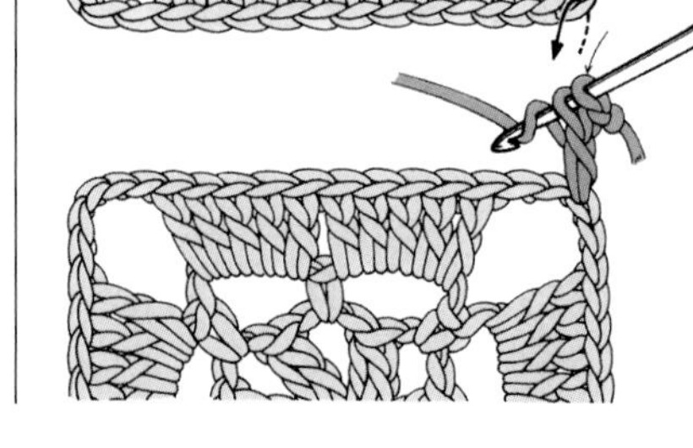

2 Faire une autre bride incomplète dans la maille correspondante du deuxième module et continuer selon le même principe que précédemment.

Décoration intérieure

Gloriette

Inspirés du jardin, ces rubans prêteront leur fraîcheur à toutes les fantaisies décoratives de la maison et, pourquoi pas, de la terrasse ou du balcon.

Gloriette

ÉCHANTILLON
Bordure A : 15 rés. x 35 rgs : 4 x 10 cm – Bordure B : 26 rés. x 29 rgs : 10 x 10 cm – Bordure C : 29 rés. x 35 rgs : 8,5 x 10 cm

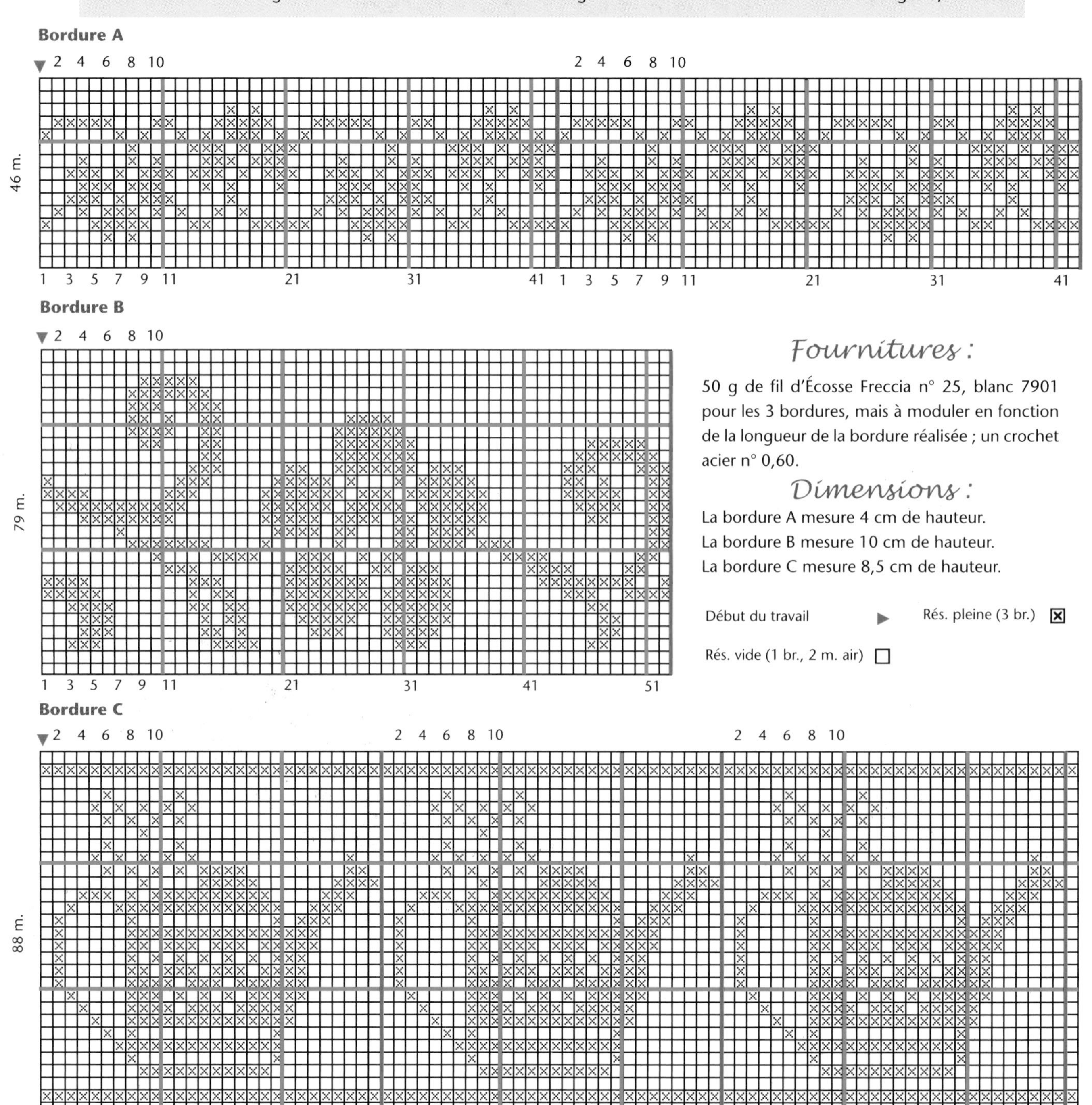

Fournitures :

50 g de fil d'Écosse Freccia n° 25, blanc 7901 pour les 3 bordures, mais à moduler en fonction de la longueur de la bordure réalisée ; un crochet acier n° 0,60.

Dimensions :

La bordure A mesure 4 cm de hauteur.
La bordure B mesure 10 cm de hauteur.
La bordure C mesure 8,5 cm de hauteur.

Exécution :

Bordure A : commencer par crocheter une chaîn. de 46 m. Faire 5 m. air (pour remplacer la 1re br. et le 1er arc.), 1 br. dans la 9e m. à partir du crochet, puis continuer le rg selon le diag. (15 rés.). Poursuivre ainsi selon le diag. en répétant toujours du 1er au 42e rg jusqu'à obtenir la longueur souhaitée, puis arrêter et couper le fil.

Bordure B : commencer par crocheter une chaîn. de 79 m. Faire 5 m. air (pour remplacer la 1re br. et le 1er arc.), 1 br. dans la 9e m. à partir du crochet, puis continuer le rg selon le diag. (26 rés.). Poursuivre ainsi selon le diag. en répétant toujours du 1er au 52e rg jusqu'à obtenir la longueur souhaitée, puis arrêter et couper le fil.

Bordure C : commencer par crocheter une chaîn. de 88 m. Faire 5 m. air (pour remplacer la 1re br. et le 1er arc.), 1 br. dans la 9e m. à partir du crochet, puis continuer le rg selon le diag. (29 rés.). Poursuivre ainsi selon le diag. en répétant toujours du 1er au 28e rg jusqu'à obtenir la longueur souhaitée. Faire encore un 1er rg, puis arrêter et couper le fil.

C'est Noël !

En rouge, blanc et vert, les étagères de la cuisine se mettent en fête avec les traditionnels paquets cadeau et les branches de houx.

C'est Noël !

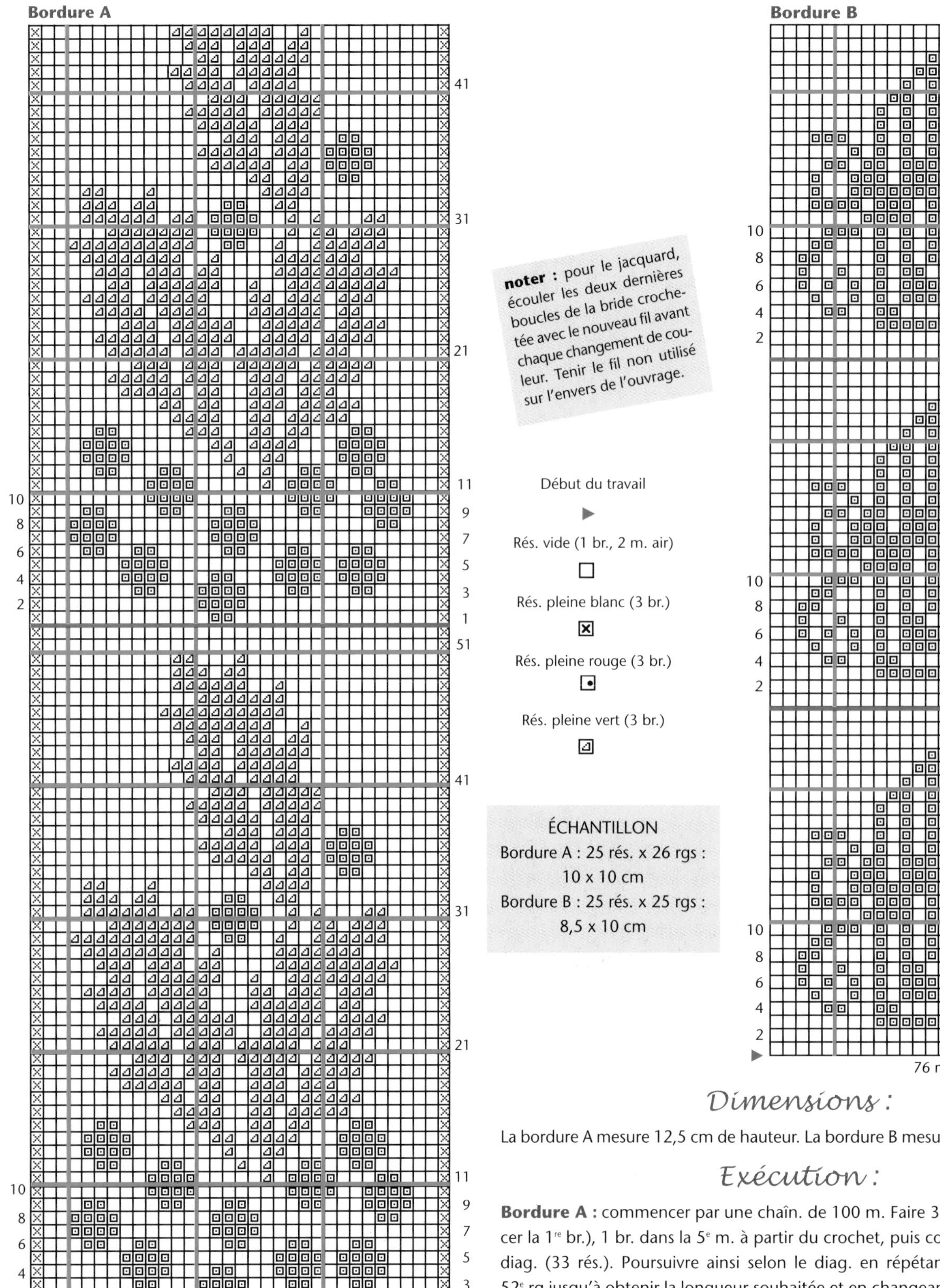

Dimensions :

La bordure A mesure 12,5 cm de hauteur. La bordure B mesure 8,5 cm de hauteur.

Exécution :

Bordure A : commencer par une chaîn. de 100 m. Faire 3 m. air (pour remplacer la 1re br.), 1 br. dans la 5e m. à partir du crochet, puis continuer le rg selon le diag. (33 rés.). Poursuivre ainsi selon le diag. en répétant toujours du 1er au 52e rg jusqu'à obtenir la longueur souhaitée et en changeant de couleur comme indiqué dans le petit encadré. À la fin du dernier 52e rg, arrêter et couper le fil.

Bordure B : commencer par une chaîn. de 76 m. Faire 5 m. air (pour remplacer la 1re br. et le 1er arc.), 1 br. dans la 9e m. à partir du crochet, puis continuer le rg selon le diag. (25 rés. vides). Poursuivre ainsi selon le diag. en répétant toujours du 1er au 26e rg jusqu'à obtenir la longueur souhaitée et en changeant de couleur comme indiqué dans le petit encadré. Terminer le dernier motif au 25e rg, puis arrêter et couper le fil.

Fournitures :

50 g de fil d'Écosse Freccia n° 25, blanc 7901, 50 g vert 769, 50 g rouge 923 pour chacune des bordures ; un crochet acier n° 0,60.

Esprit de frises

Tout ranger, tout classer, oui, mais en beauté avec ces rubans de dentelle qui jouent la fantaisie sur un petit air de nostalgie.

Esprit de frises

Modèle A

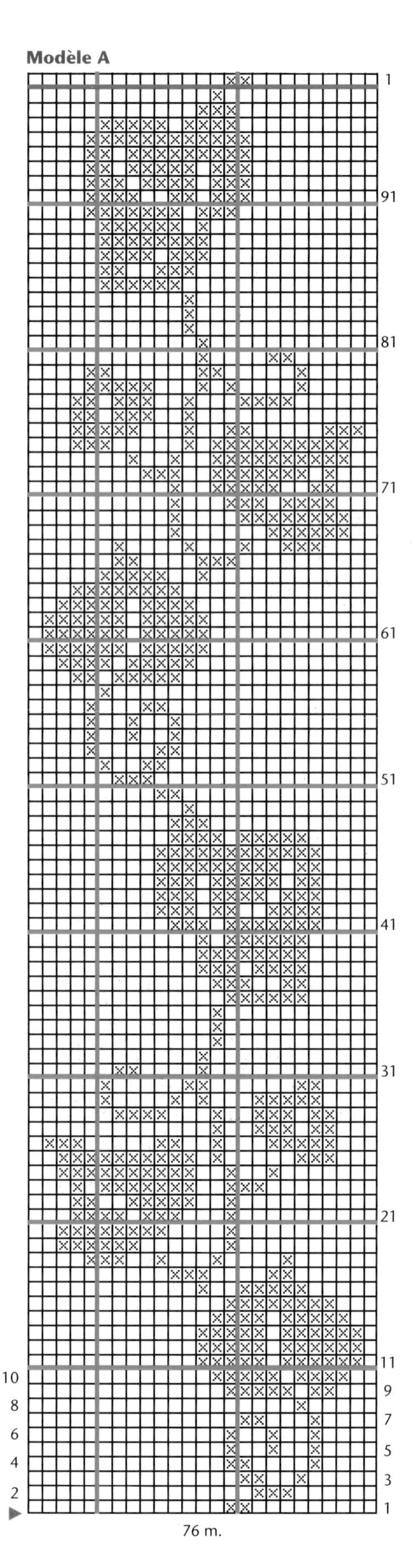

Modèle B

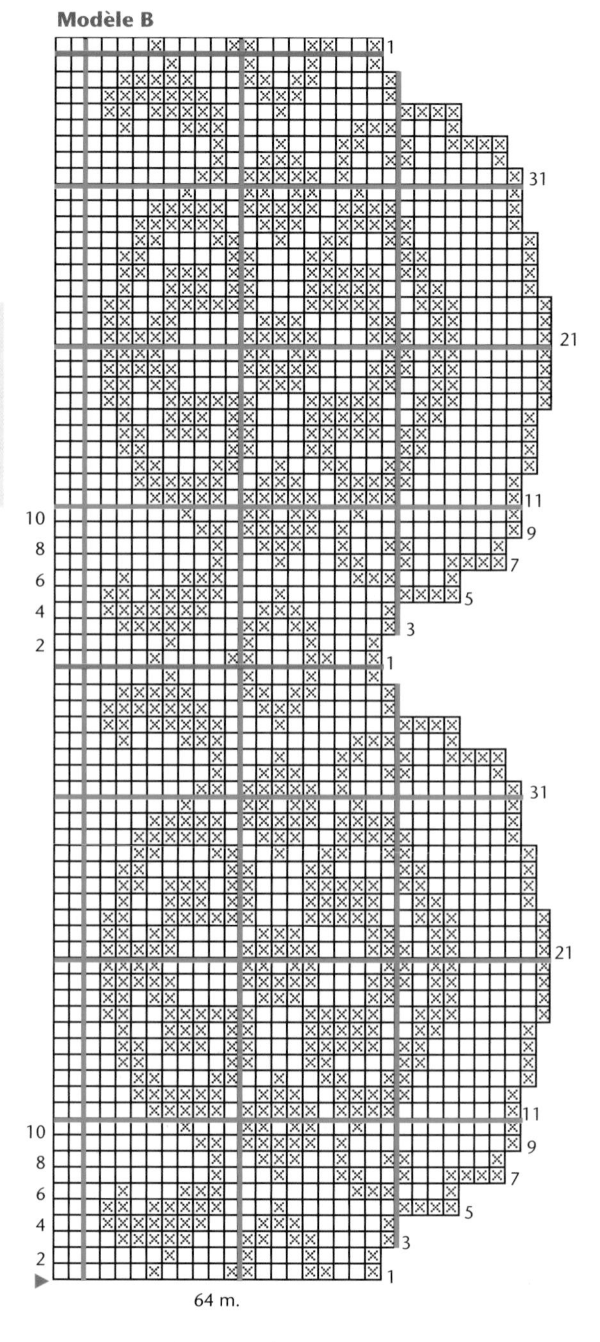

ÉCHANTILLON
Bordure A :
32 rés. x 23 rgs = 10 x 10 cm
Bordure B :
25 rés. x 26 rgs = 9 x 10 cm

Début du travail

▶

Rés. vide (1 br., 2 m. air)

☐

Rés. pleine (3 br.)

☒

Fournitures :

50 g de fil d'Écosse Freccia n° 25, blanc 7901 pour chacune des bordures ; un crochet acier n° 0,60.

Dimensions :

La bordure A mesure 9 cm de largeur.
La bordure B mesure 10 cm de largeur.

Exécution :

Modèle A : commencer avec une chaîn. de base de 76 m., 5 m. air (pour remplacer la 1re br. et le 1er arc), 1 br. dans la 9e m. à partir du crochet. Continuer selon le diag. (25 rés.). Poursuivre selon le diag., en répétant toujours du 1er au 98e rg jusqu'à obtenir la longueur souhaitée. Faire encore un premier rg, puis arrêter et couper le fil.

Modèle B : le point de filet se fait ici avec des doubles br. à la place des br. Commencer par une chaîn. de 64 m., faire 4 m. air (pour remplacer la 1re double br.), 1 double br. dans la 6e m. à partir du crochet, puis continuer le rg selon le diag. (21 rés.). Poursuivre selon le diag., en répétant toujours du 1er au 38e rg jusqu'à obtenir la longueur souhaitée. Faire encore un 1er rg, puis arrêter et couper le fil.

Tambourin

De frise en frise, les fils racontent de belles histoires et se mettent au diapason des rêves et des jeux d'enfants.

Tambourin

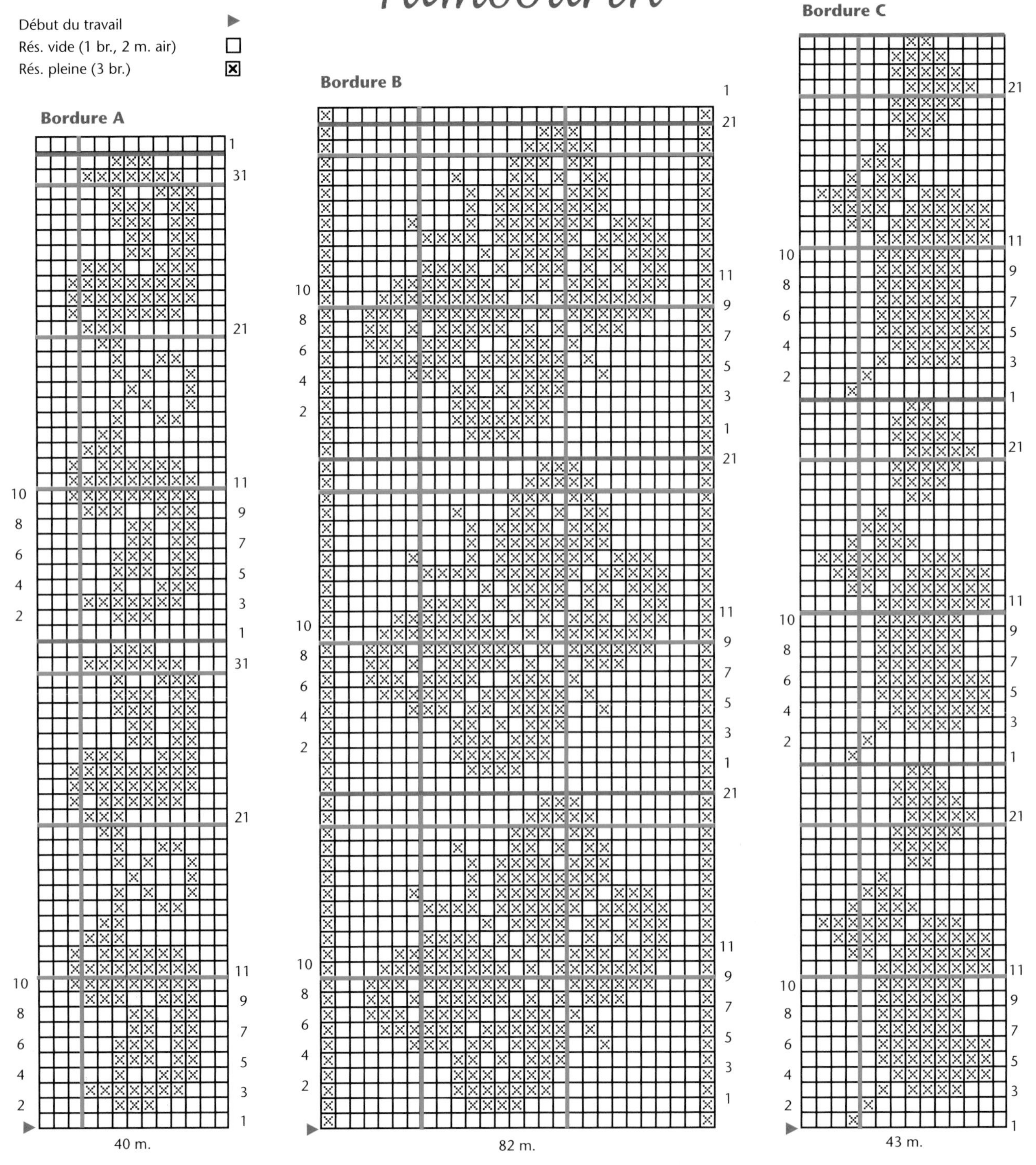

Fournitures :

50 g de fil d'Écosse Freccia n° 25, blanc 7901 pour chaque frise ; un crochet acier n° 0,60.

Dimensions :

La bordure A mesure 7,5 cm de largeur.
La bordure B mesure 10,5 cm de largeur.
La bordure C mesure 6 cm de largeur.

Exécution :

Bordure A : commencer avec une chaîn. de 40 m., puis faire 5 m. air (pour remplacer la 1re br. et le 1er arc.), 1 br. dans la 9e m. à partir du crochet, puis continuer le rg selon le diag. (13 rés. vides). Poursuivre ainsi selon le diag. en répétant toujours du 1er au 32e rg jusqu'à obtenir la longueur souhaitée. Pour terminer, faire encore un 1er rg, puis arrêter et couper le fil.

Bordure B : commencer avec une chaîn. de 82 m., puis faire 3 m. air (pour remplacer la 1re br.), 1 br. dans la 5e m. à partir du crochet, puis continuer le rg selon le diag. (27 rés.). Poursuivre ainsi selon le diag. en répétant toujours du 1er au 22e rg jusqu'à obtenir la longueur souhaitée. Pour terminer, faire encore un 1er rg, puis arrêter et couper le fil.

Bordure C : commencer avec une chaîn. de 43 m., puis faire 5 m. air (pour remplacer la 1re br. et le 1er arc.), 1 br. dans la 9e m. à partir du crochet, puis continuer le rg selon le diag. (14 rés.). Poursuivre ainsi selon le diag. en répétant toujours du 1er au 24e rg jusqu'à obtenir la longueur souhaitée, puis arrêter et couper le fil.

Saveur café

Ces deux modèles délicieusement ornés de moulins à café, de tasses et de cafetières séduiront les amateurs de la boisson et les collectionneurs.

Saveur café

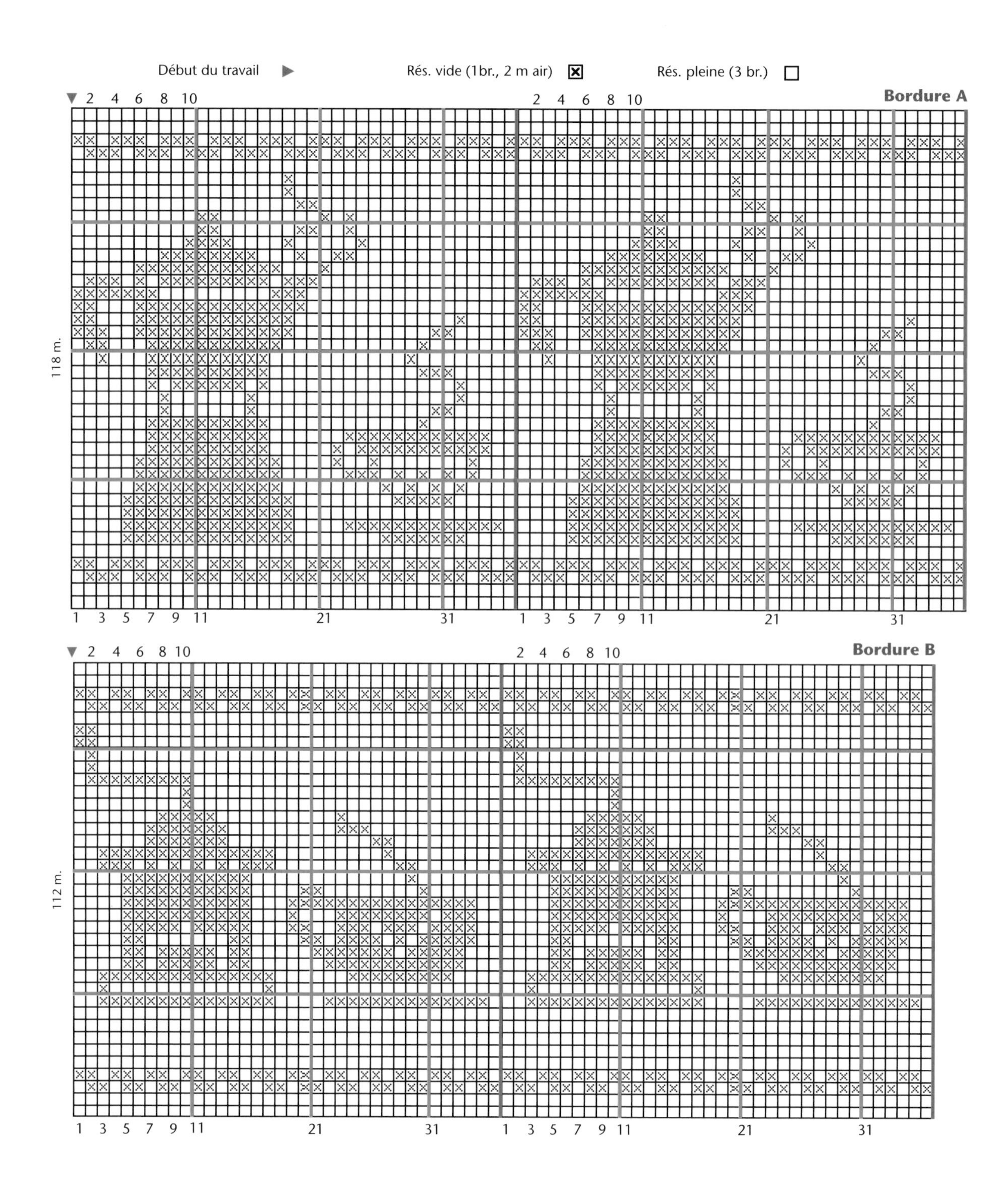

Fournitures :

100 g de fil d'Écosse n° 25 blanc 7901 ; crochet acier n° 0,60.

Dimensions :

Bordure A : 14,5 cm de hauteur.
Bordure B : 14 cm de hauteur.

Exécution :

Bordure A

Commencer une chaîn. de 118 m. Faire 5 m. air (pour remplacer la 1re br. et le 1er arc.), 1 br. dans la 9e m. air à partir du crochet. Poursuivre le rg en se reportant au diag. (39 rés.). Répéter du 1er au 36e rg jusqu'à obtenir la longueur désirée puis arrêter et couper le fil.

Bordure B

Commencer une chaîn. de 112 m. Faire 5 m. air (pour remplacer la 1re br. et le 1er arc.), 1 br. dans la 9e m. air à partir du crochet. Poursuivre le rg en se reportant au diag. (37 rés.). Répéter du 1er au 36e rg jusqu'à obtenir la longueur désirée puis arrêter et couper le fil.

Madeleine

La cuisine se fait douce ainsi décorée de ce duo de frises, l'une misant sur les pleins du motif et l'autre sur la transparence de ses déliés.

Madeleine

Bordure A

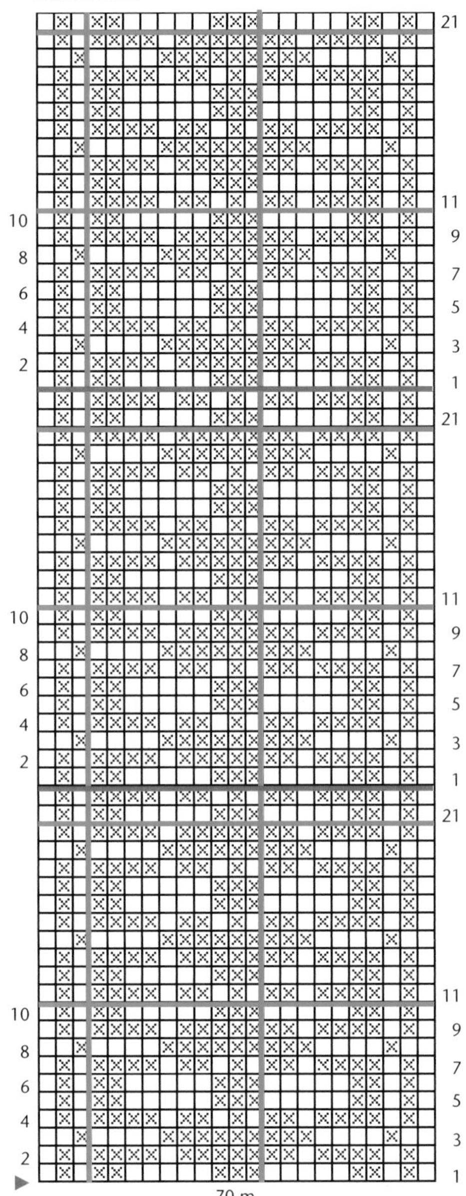

ÉCHANTILLON
Bordure A : 23 rés. x 25 rgs : 9 x 10 cm
Bordure B : 28 rés. x 27 rgs : 9 x 10 cm

Début du travail ▶

Rés. vide (1 br., 2 m. air) □

Rés. pleine (3 br.) ⊠

Rés. de 6 m. (*1 br., 5 m. air, sauter 5 m.*, répéter de *à*)

Arc. (*1 br., 3 m. air, sauter 2 m., 1 m.s., 3 m. air, sauter 2 m.*, répéter de *à*)

Bordure B

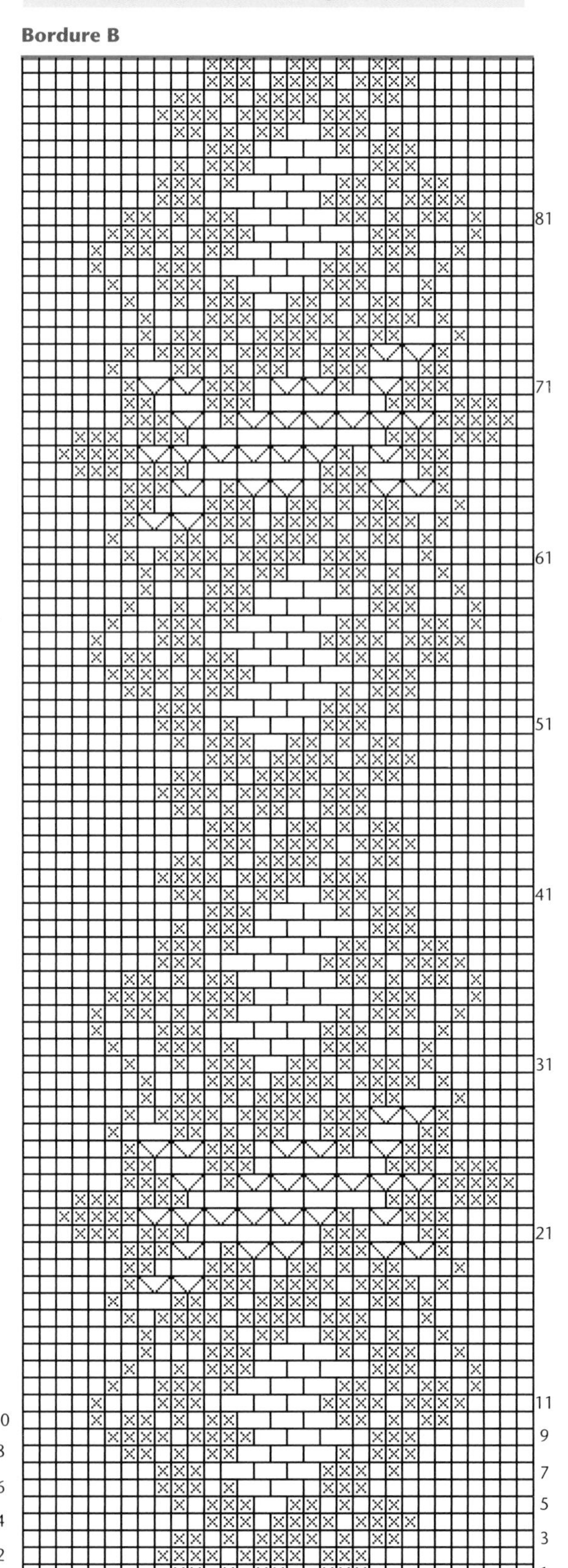

Fournitures :

50 g de fil d'Écosse Freccia n° 25, blanc 7901 pour chacune des bordures ; un crochet acier n° 0,60.

Dimensions :

La bordure A mesure 9 cm de largeur.
La bordure B mesure 10,5 cm de largeur.

Exécution :

Bordure A : commencer par une chaîn. de 70 m., 5 m. air (pour remplacer la 1re br. et le 1er arc.), 1 br. dans la 9e m. à partir du crochet, puis continuer le rg selon le diag. (23 rés.). Poursuivre selon le diag. en répétant toujours du 1er au 22e rg jusqu'à obtenir la longueur souhaitée et en arrêtant la dernière répétition du motif au 21e rg. Arrêter et couper le fil.

Bordure B : commencer par une chaîn. de 94 m., 5 m. air (pour remplacer la 1re br. et le 1er arc.), 1 br. dans la 9e m. à partir du crochet, puis continuer le rg selon le diag. (31 rés.). Poursuivre selon le diag. en répétant toujours du 1er au 90e rg, puis arrêter et couper le fil.

Café-crème

Des rubans de dentelle qui relèveront avec grâce et humour la décoration d'une cuisine ou encore le linge de table dédié à la pause-café.

Café-crème

Fournitures :

50 g de fil d'Écosse Freccia n° 25, blanc 7901 pour chaque bordure ; un crochet acier n° 0,60.

Dimensions :

La bordure A mesure 10,5 cm de largeur.
La bordure B mesure 10 cm de largeur.
La bordure C mesure 9,5 cm de largeur.

Exécution :

Bordure A : commencer par une chaîn. de 61 m., faire 3 m. air (pour remplacer la 1re br.), 1 br. dans la 5e m. à partir du crochet, puis continuer le rg selon le diag. (20 rés.). Poursuivre selon le diag. en répétant toujours du 1er au 26e rg jusqu'à obtenir la longueur souhaitée. Terminer en faisant encore un rg, puis arrêter et couper le fil.

Bordure B : commencer par une chaîn. de 82 m., faire 5 m. air (pour remplacer la 1re br. et le 1er arc.), 1 br. dans la 9e m. à partir du crochet, puis continuer le rg selon le diag. (27 rés.). Poursuivre selon le diag. en répétant toujours du 1er au 38e rg jusqu'à obtenir la longueur souhaitée, puis arrêter et couper le fil.

Bordure C : commencer par une chaîn. de 76 m., faire 5 m. air (pour remplacer la 1re br. et le 1er arc.), 1 br. dans la 9e m. à partir du crochet, puis continuer le rg selon le diag. (25 rés.). Poursuivre selon le diag. en répétant toujours du 1er au 24e rg jusqu'à obtenir la longueur souhaitée, puis arrêter et couper le fil.

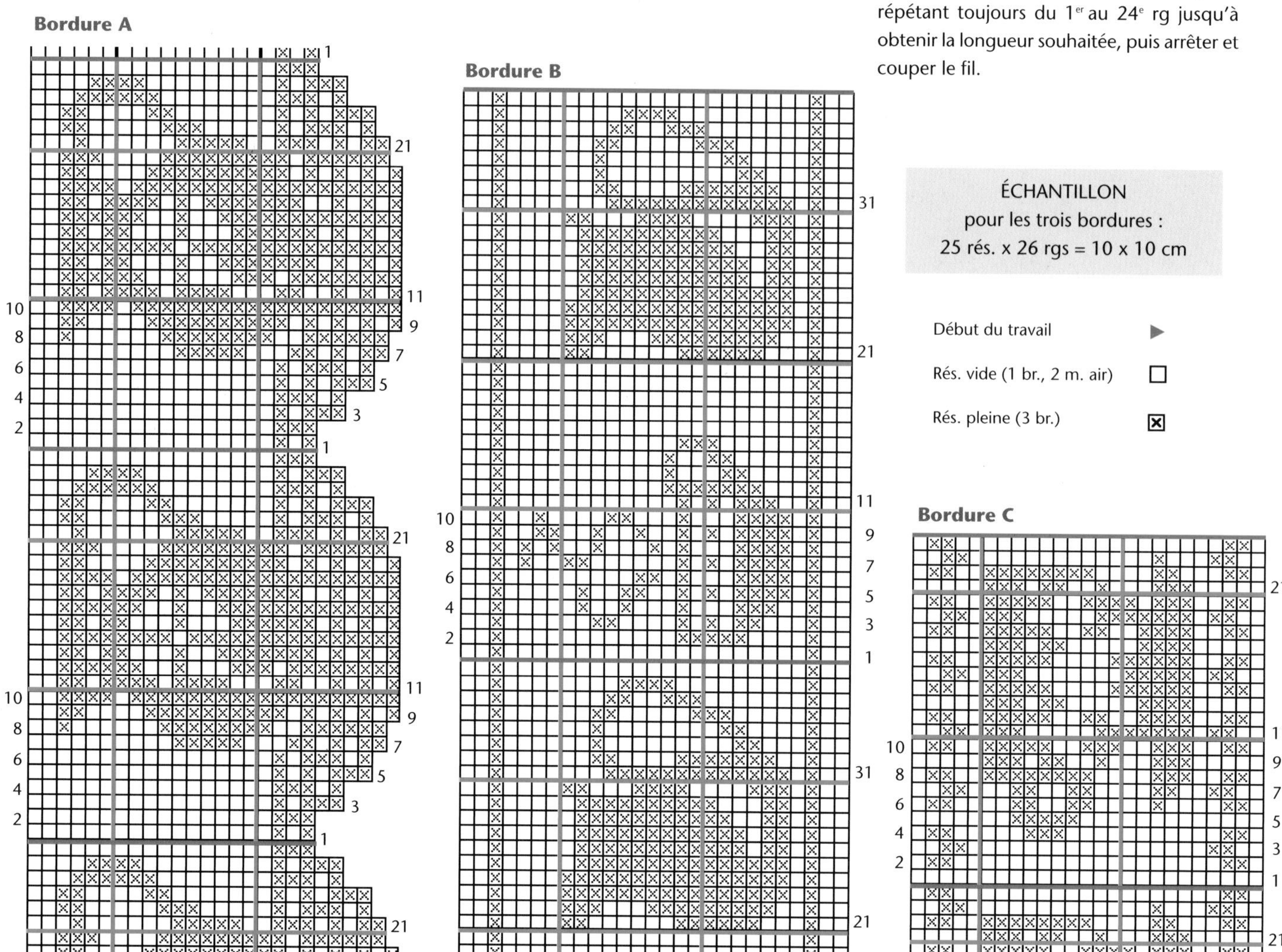

L'heure rousse

Un duo de frises des plus harmonieux orne les étagères de la cuisine pour y créer une ambiance à la fois raffinée et rustique.

L'heure rousse

ÉCHANTILLON
Bordure A : 28 rés. x 28 rgs : 10 x 10 cm – Bordure B : 26 rés. x 26 rgs : 10 x 10 cm

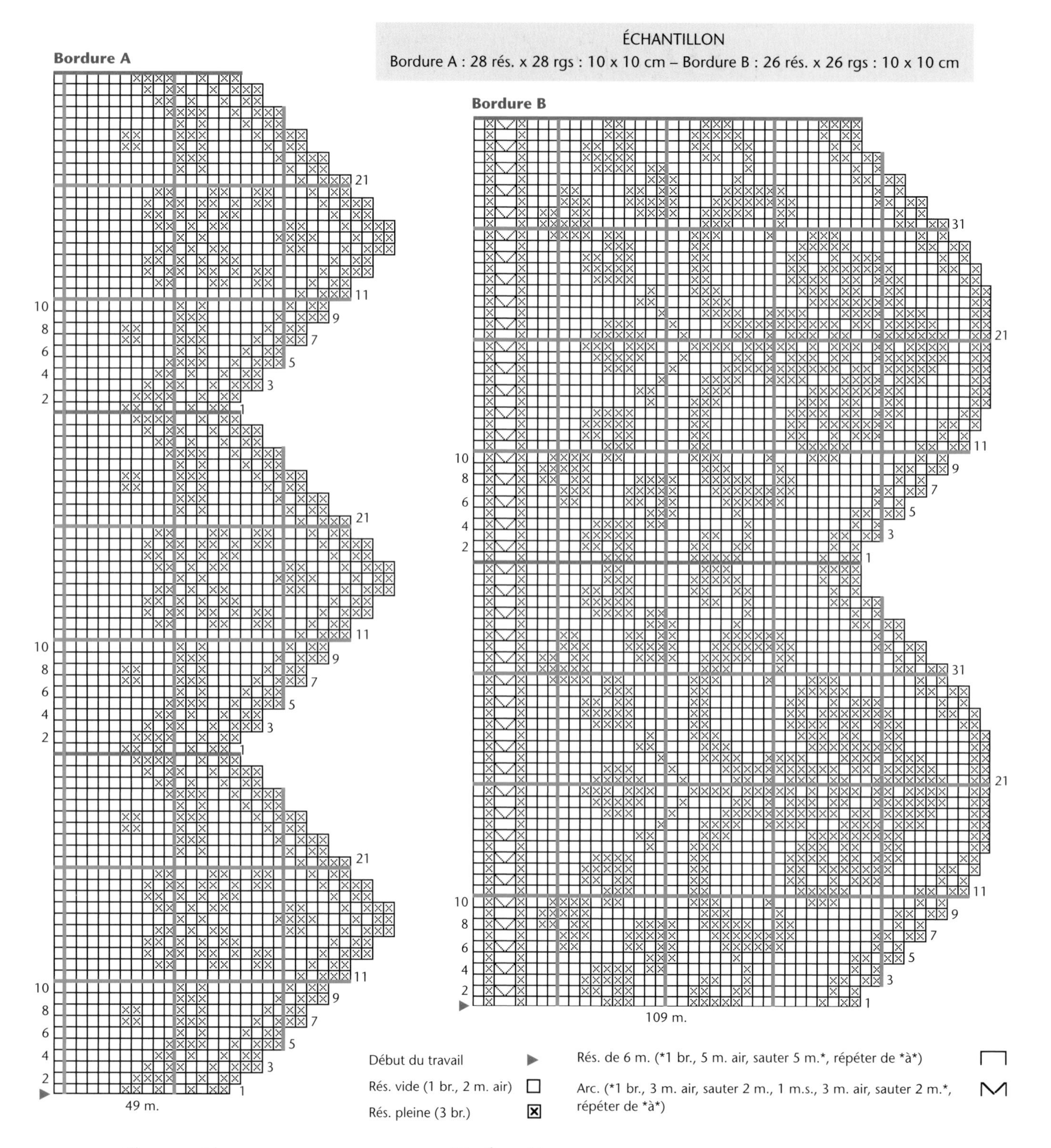

Fournitures :

50 g de fil d'Écosse Freccia n° 25, blanc 7901 pour chacune des bordures ; un crochet acier n° 0,60.

Dimensions :

La bordure A mesure 11,5 cm de largeur.
La bordure B mesure 20 cm de largeur.

Exécution :

Bordure A : commencer par une chaîn. de 49 m., faire 3 m. air (pour remplacer la 1re br.), piquer une br. dans la 5e m. à partir du crochet, puis continuer le rg selon le diag. (16 rés.). Poursuivre selon le diag. en répétant toujours du 1er au 30e rg jusqu'à obtenir la longueur souhaitée, puis arrêter et couper le fil.

Bordure B : commencer par une chaîn. de 109 m., faire 3 m. air (pour remplacer la 1re br.), piquer une br. dans la 5e m. à partir du crochet, puis continuer le rg selon le diag. (34 rés. et une rés. de 6 m.). Poursuivre selon le diag. en répétant toujours du 1er au 40e rg jusqu'à obtenir la longueur souhaitée, puis arrêter et couper le fil.

Thé ou café ?

Des frises pleines d'arômes qui se mettent au diapason de tous les goûts à l'heure de la pause, le matin ou l'après-midi.

Thé ou café ?

Fournitures :

50 g de fil d'Écosse Freccia n° 25 blanc 7901 pour chaque bordure ; 1 crochet acier n° 0,60.

Dimensions :

Modèle A : 12,5 cm de hauteur.
Modèle B : 10 cm de hauteur.
Modèle C : 9,5 cm de hauteur.

Exécution :

Modèle A : commencer par 1 chaîn. de 100 m., 5 m. air (pour remplacer la 1re br. et le 1er arc.), 1 br. dans la 9e m. à partir du crochet, continuer selon le diag. (33 rés. vides). Répéter toujours du 1er au 26e rg jusqu'à obtenir la longueur souhaitée, puis arrêter et couper le fil.

Modèle B : commencer par 1 chaîn. de 82 m., 5 m. air (pour remplacer la 1re br. et le 1er arc.), 1 br. dans la 9e m. à partir du crochet, continuer selon le diag. (27 rés.). Répéter toujours du 1er au 24e rg jusqu'à obtenir la longueur souhaitée, pour la dernière répétition terminer au 23e rg, puis arrêter et couper le fil.

Modèle C : commencer par 1 chaîn. de 79 m., 5 m. air (pour remplacer la 1re br. et le 1er arc.), 1 br. dans la 9e m. à partir du crochet, continuer selon le diag. (26 rés. vides). Répéter toujours du 1er au 106e rg jusqu'à obtenir la longueur souhaitée, puis arrêter et couper le fil.

Début du travail ▶
Rés. vide (1 br., 2 m. air) ☐
Rés. pleine (3 br.) ☒

ÉCHANTILLON
27 rés. x 30 rgs : 10 x 10 cm

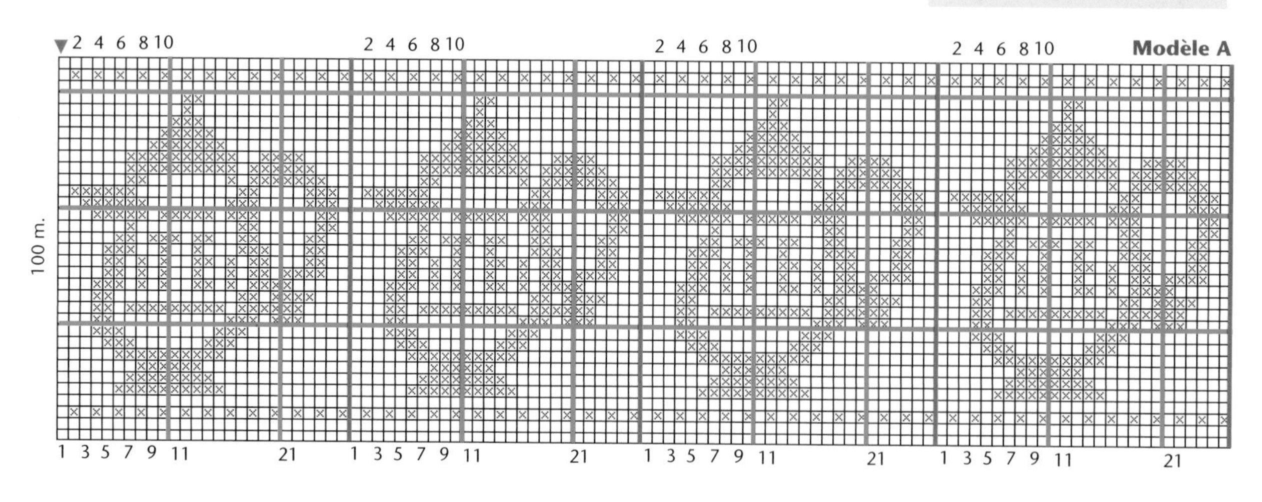

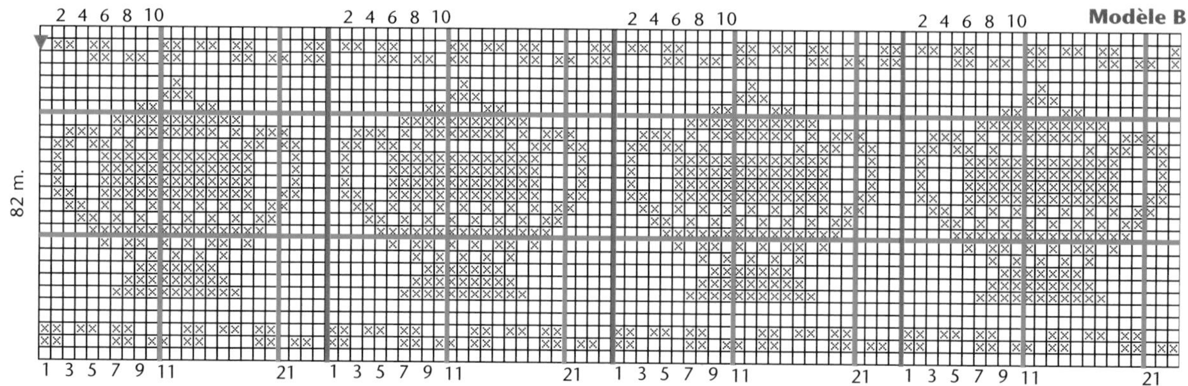

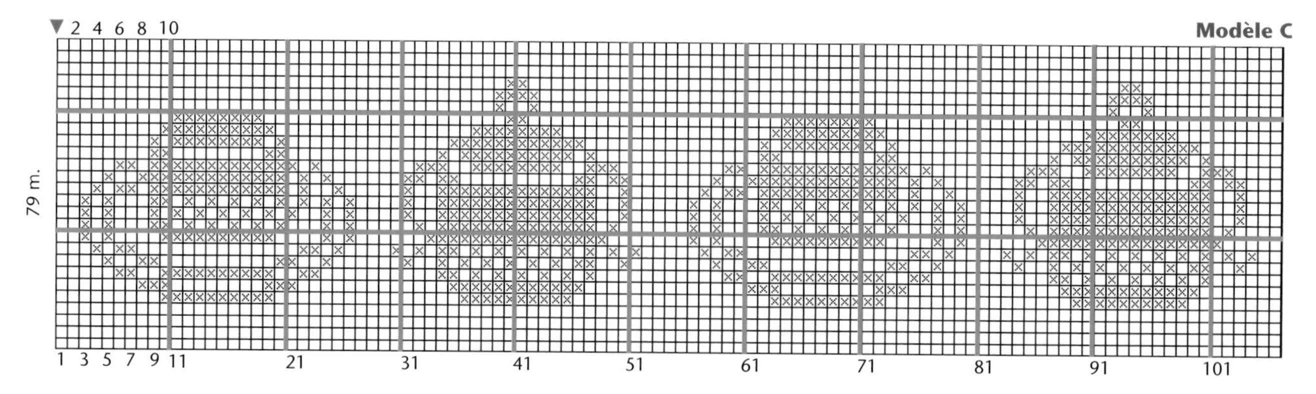

Côté cuisine

Pour goûter la saveur du temps quand il n'est pas compté, des frises pleines d'esprit et de naturel qui distillent un agréable parfum.

Côté cuisine

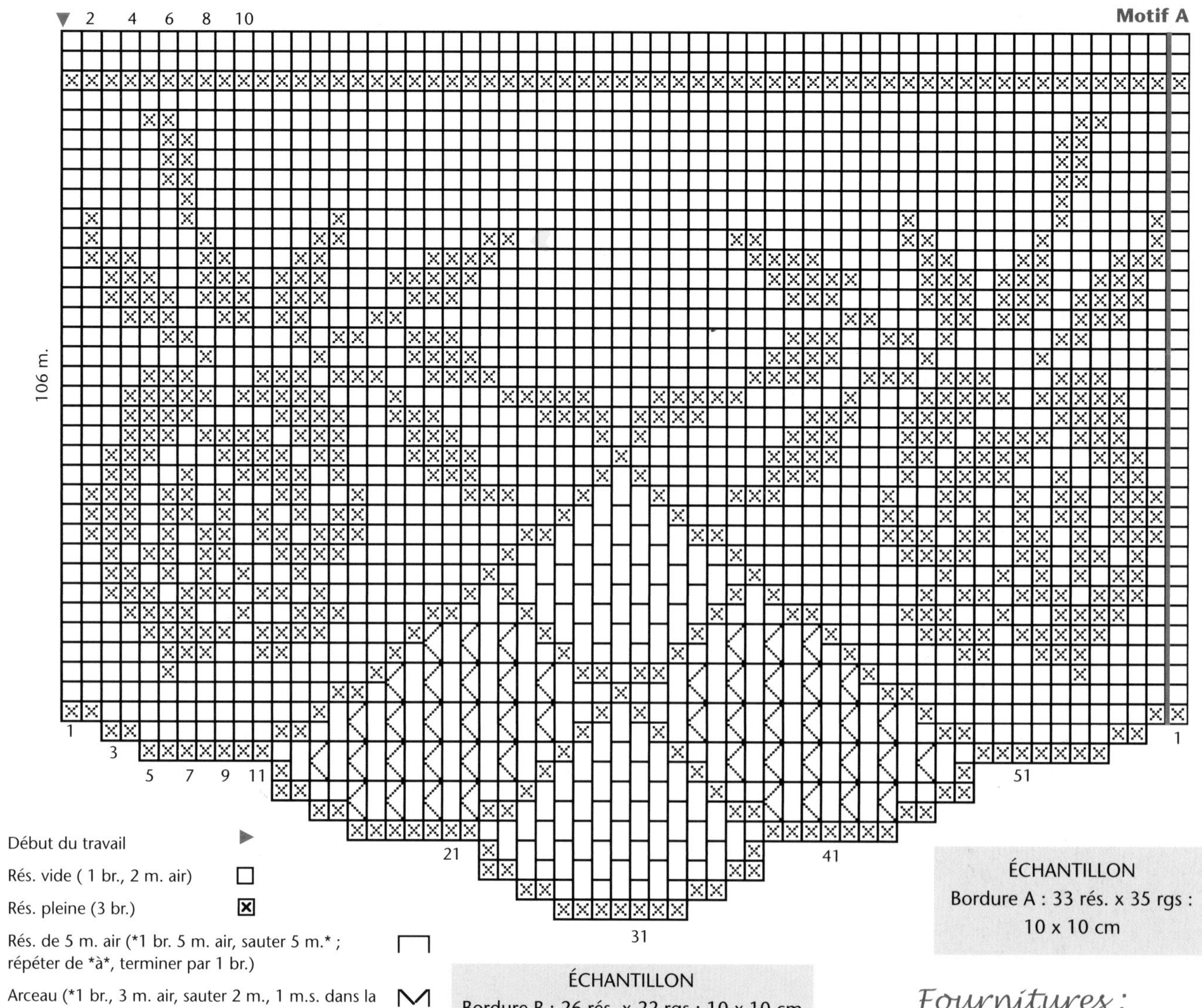

- Début du travail ▶
- Rés. vide (1 br., 2 m. air) □
- Rés. pleine (3 br.) ☒
- Rés. de 5 m. air (*1 br. 5 m. air, sauter 5 m.* ; répéter de *à*, terminer par 1 br.)
- Arceau (*1 br., 3 m. air, sauter 2 m., 1 m.s. dans la m. suivante, 3 m. air, sauter 2 m.* ; répéter de *à*)

ÉCHANTILLON
Bordure A : 33 rés. x 35 rgs : 10 x 10 cm

ÉCHANTILLON
Bordure B : 26 rés. x 22 rgs : 10 x 10 cm

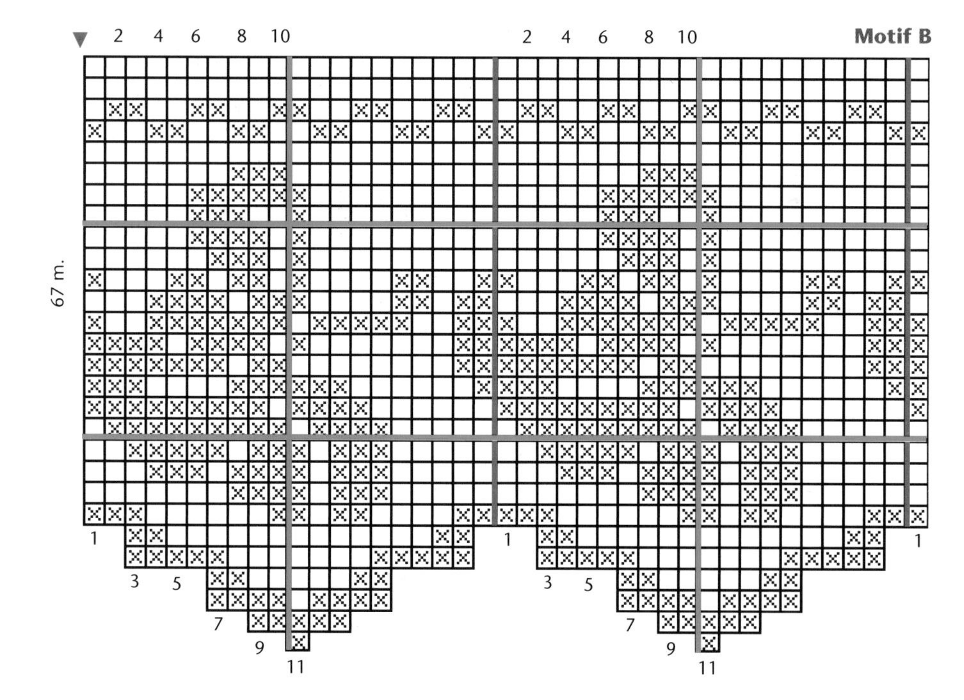

Fournitures :

50 g de fil d'Écosse Freccia n° 25 Blanc 7901 pour chaque bordure ; crochet acier n° 0,60.

Dimensions :

Bordure A : 12,5 cm de hauteur.
Bordure B : 11 cm de hauteur.

Exécution :

Motif A : commencer par 1 chaîn. de 106 m., 3 m. air (pour remplacer la 1re br.), 1 br. dans la 5e m. à partir du crochet. Continuer le rg selon le diag. (35 rés.). Répéter toujours du 1er au 58e rg jusqu'à obtenir la longueur souhaitée. Pour terminer, faire encore 1 premier rg, puis arrêter et couper le fil.
Motif B : commencer par 1 chaîn. de 67 m., 3 m. air (pour remplacer la 1re br.), 1 br. dans la 5e m. à partir du crochet. Continuer le rg selon le diag. (22 rés.). Répéter toujours du 1er au 20e rg jusqu'à obtenir la longueur souhaitée. Pour terminer, faire encore 1 premier rg, puis arrêter et couper le fil.

Guirlandes

À la manière des frises que dessinent les enfants sur leurs cahiers d'écolier, trois bordures aux motifs géométriques bien rythmés.

Guirlandes

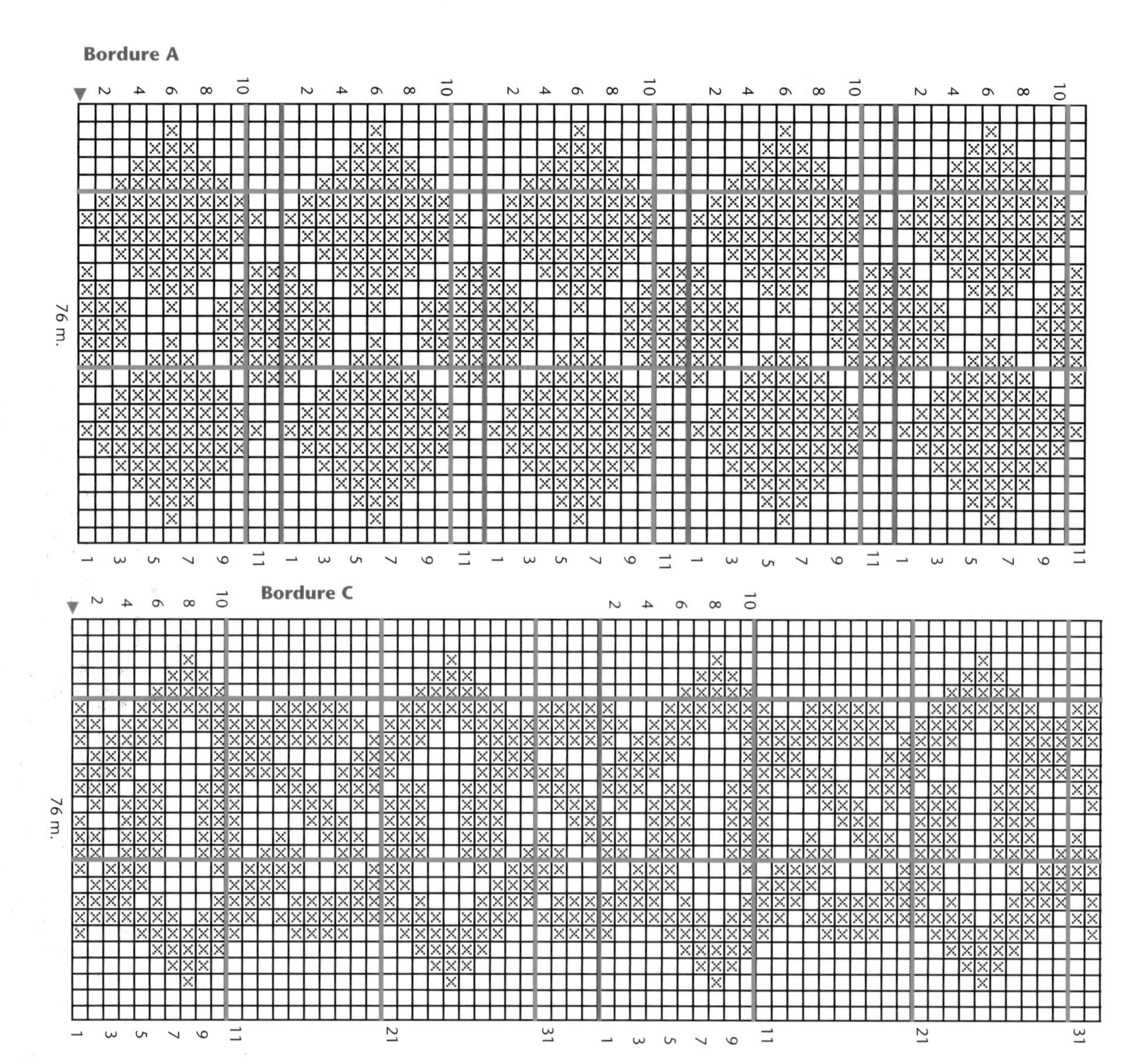

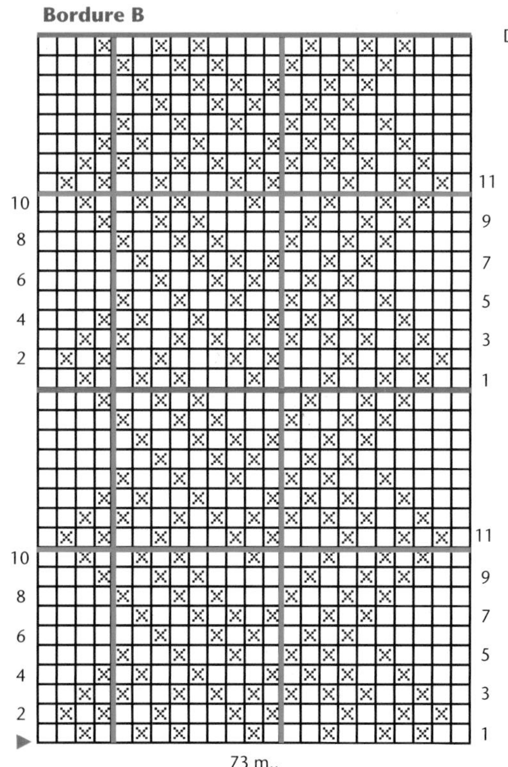

Début du travail ▶ Rés. pleine (3 br.) ☒

Rés. vide (1 br., 2 m. air) ☐

ÉCHANTILLON
20 rés. x 27 rgs : 10 x 10 cm

Fournitures :

50 g de fil d'Écosse Freccia n° 25 blanc 7901 pour chacune des bordures ; crochet acier n° 0,60.

Dimensions :

Bordure A : 12,5 cm de hauteur.
Bordure B : 12 cm de hauteur.
Bordure C : 12,5 cm de hauteur.

Exécution :

Bordure A : commencer par une chaîn. de 76 m., 5 m. air (pour remplacer la 1re br. et le 1er arc.), 1 br. dans la 9e m. à partir du crochet, continuer le rg selon le diag. (25 rés.). Continuer selon le diag. en répétant du 1er au 12e rg jusqu'à obtenir la longueur souhaitée, terminer en faisant encore un 11e rg, puis arrêter et couper le fil.

Bordure B : commencer par une chaîn. de 73 m., 5 m. air (pour remplacer la 1re br. et le 1er arc.), 1 br. dans la 9e m. à partir du crochet, continuer le rg selon le diag. (24 rés.). Continuer selon le diag. en répétant du 1er au 18e rg jusqu'à obtenir la longueur souhaitée, puis arrêter et couper le fil.

Bordure C : commencer par une chaîn. de 76 m., 5 m. air (pour remplacer la 1re br. et le 1er arc.), 1 br. dans la 9e m. à partir du crochet, continuer le rg selon le diag. (25 rés.). Continuer selon le diag. en répétant du 1er au 34e rg jusqu'à obtenir la longueur souhaitée, terminer en faisant encore un 1er rg, puis arrêter et couper le fil.

Brise marine

Sans faire de vagues, hippocampes et coquillages sortent de leur réserve pour mettre la maison au rythme de croisière.

Brise marine

Début du travail ▶ Rés. pleine (3 br.) ☒

Rés. vide (1 br., 2 m. air) ☐

ÉCHANTILLON
21 rés. x 22 rgs : 10 x 10 cm

Fournitures :

50 g de fil d'Écosse Freccia n° 25 blanc 7901 pour chaque bordure ; crochet acier n° 0,60.

Dimensions :

Bordure A : 17 cm de hauteur. Bordure B : 21 cm de hauteur.

Exécution :

Bordure A : commencer par une chaîn. de 115 m., 5 m. air (pour remplacer la 1re br. et le 1er arc.), 1 br. dans la 9e m. à partir du crochet, continuer le rg selon le diag. (38 rés.). Répéter toujours du 1er au 42e rg jusqu'à obtenir la longueur désirée. Pour finir, faire encore une fois les 3 premiers rgs, puis arrêter et couper le fil.

Bordure B : commencer par une chaîn. de 100 m., 3 m. air (pour remplacer la 1re br.), 1 br. dans la 5e m. à partir du crochet, continuer le rg selon le diag. (33 rés.). Répéter toujours du 1er au 33e rg jusqu'à obtenir la longueur désirée. Arrêter et couper le fil.

Bordure A

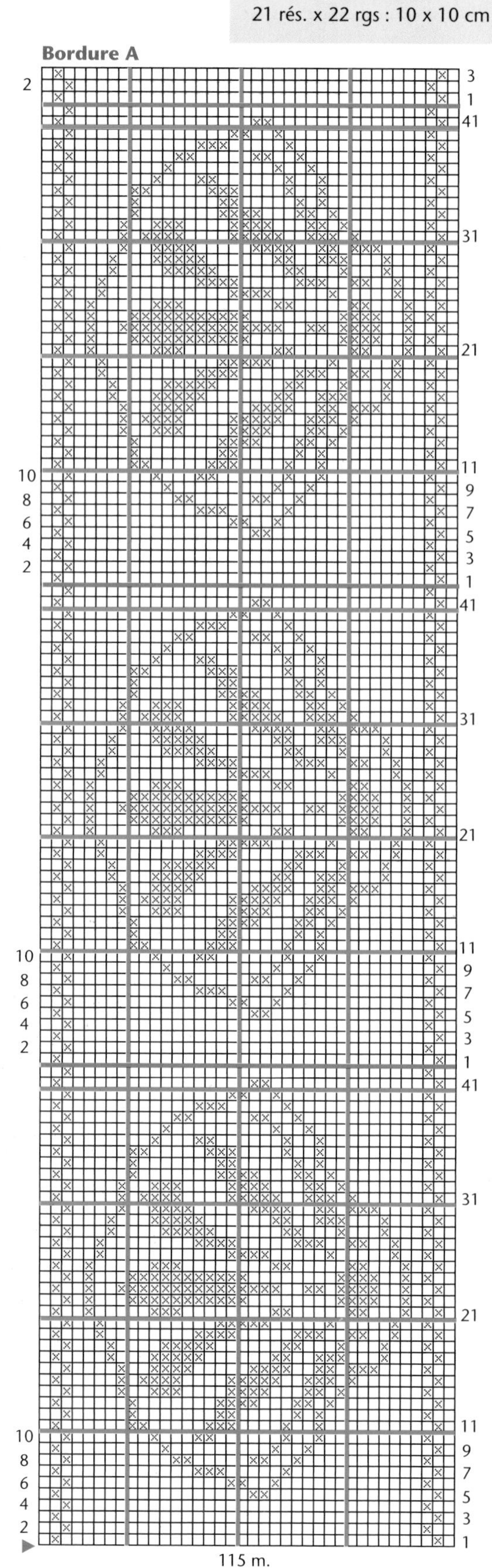

Bordure B

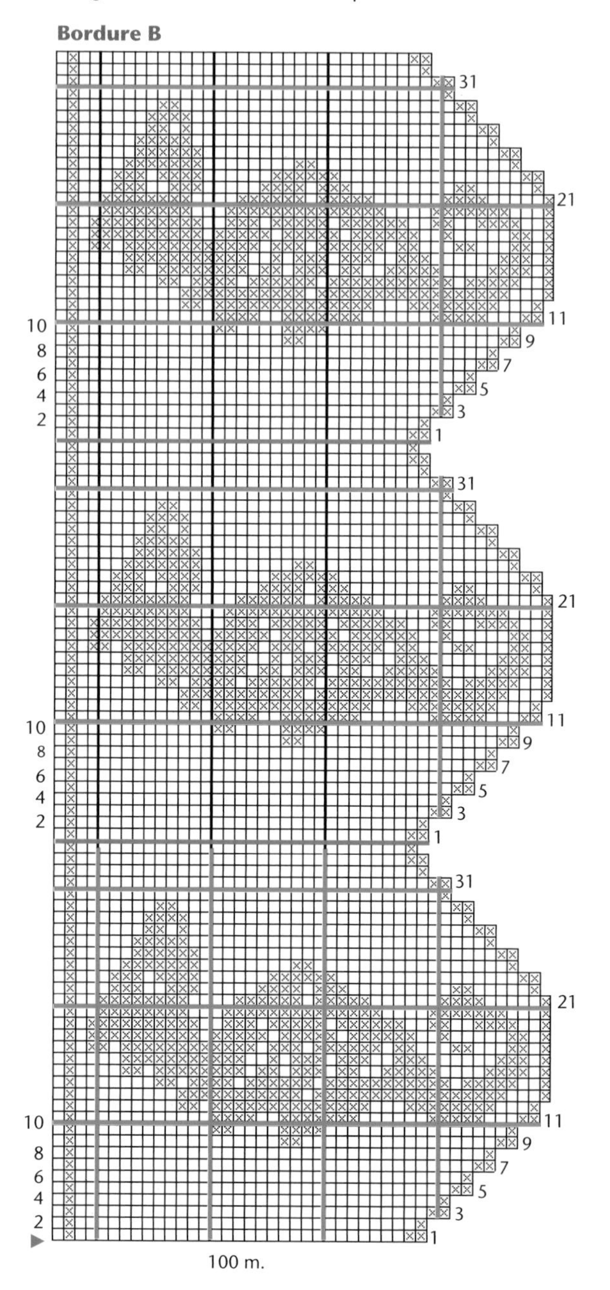

Le carnaval des animaux

Coccinelles, éléphants et papillons se suivent à la queue leu leu pour entourer votre chérubin de tendresse.

Le carnaval des animaux

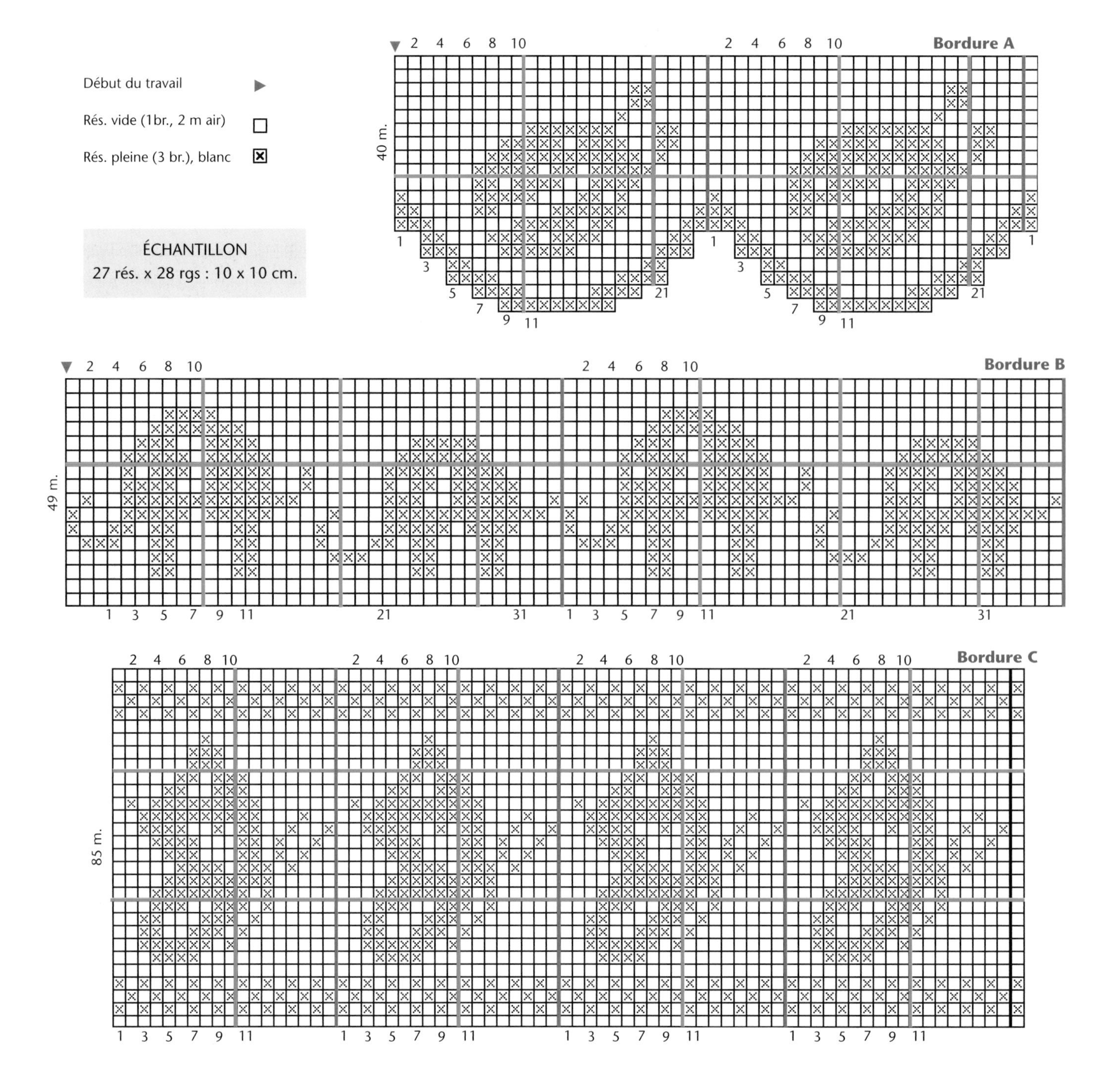

Fournitures :

50 g de fil d'Écosse n° 25 blanc 7901 ; crochet acier n° 0,60.

Dimensions :

Bordure A : 7,5 cm de hauteur.
Bordure B : 6,5 cm de hauteur.
Bordure C : 10 cm de hauteur.

Exécution :

Les coccinelles, bordure A : commencer par 1 chaîn. de base de 40 m. Faire 3 m. air (pour remplacer la 1re br.), 1 br. dans la 5e m. air à partir du crochet, poursuivre le rg selon le diag. (13 rés.). Continuer en répétant du 1er au 24e rg autant de fois que nécessaire pour obtenir la longueur souhaitée. Terminer par en faisant encore un 1er rg, puis arrêter et couper le fil.

Les éléphants, bordure B : commencer par 1 chaîn. de base de 49 m. Faire 5 m. air (pour remplacer la 1re br. et 1er arc.), 1 br. dans la 9e m. air à partir du crochet, poursuivre le rg selon le diag. (16 rés.). Continuer en répétant du 1er au 36e rg autant de fois que nécessaire pour obtenir la longueur souhaitée. À la fin du dernier 36e rg, arrêter et couper le fil.

Les papillons, bordure C : commencer par 1 chaîn. de base de 85 m. Faire 5 m. air (pour remplacer la 1re br. et 1er arc.), 1 br. dans la 9e m. air à partir du crochet, poursuivre le rg selon le diag. (28 rés.). Continuer en répétant du 1er au 18e rg autant de fois que nécessaire pour obtenir la longueur souhaitée. Terminer par en faisant encore un 1er rg, puis arrêter et couper le fil.

Trompe-l'œil I

Tamisée, filtrée, apprivoisée, la lumière se fait douce et un brin malicieuse avec ce superbe motif qui met la fenêtre à la fenêtre !

Trompe-l'œil I

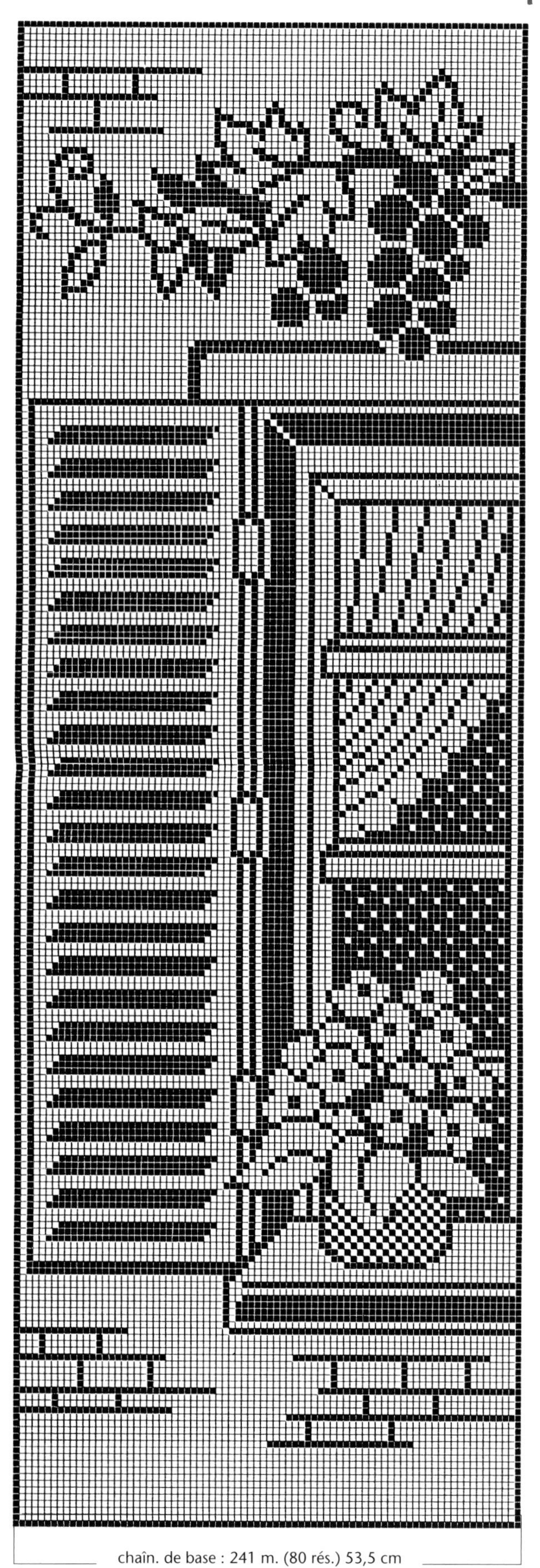

chaîn. de base : 241 m. (80 rés.) 53,5 cm

Fournitures :

11 pel. de fil coton, qualité Relais n° 8, blanc ; crochet acier n° 1,00 ; 16 anneaux métalliques.

Dimensions :

53,5 x 151,5 cm pour chaq. rideau.

Exécution :

Trav. les 2 rideaux séparément d'après les diag. respectifs. Les résilles sont faites avec des doubles br. dont les symboles figurent fiche II. Commencer sur une chaîn. de base de 241 m.

1er rang : 4 m. air (pour la 1re double br.) et en commençant dans la 6e m. à partir du crochet, trav. 1 double br. sur chaq. m. de la chaîn., 4 m. air pour tourner.

2e rang : trav. 1 rés. pleine (=1 double br. sur les 3 m. suiv.), 78 rés. vides (=78 fs* 2 m. air, 1 double br. sur la 3e m. suiv.*), 1 rés. pleine, 4 m. air pour tourner.

3e au 227e rang : alterner les rés. vides et les rés. pleines d'après le diag. Pour trav. 1 rés. pleine sur 1 rés. vide, faire 2 doubles br. sous la chaîn. de 2 m. de la rés. vide, 1 double br. sur la double br. suiv.

Finitions : superposer les 2 rideaux, les repasser sous un linge humide afin de leur donner la même dimension et fixer 8 anneaux sur chacun d'eux à intervalles réguliers.

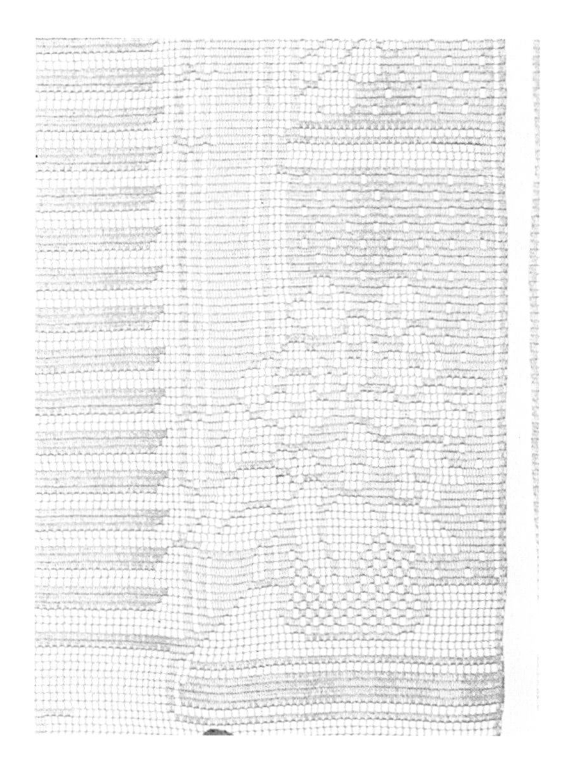

Trompe-l'œil II

À la pointe de l'indémodable, ce modèle décline à sa manière l'hyperréalisme et marie avec éclat création et récréation.

Trompe-l'œil II

ÉCHANTILLON
15 rés. x 15 rgs = 10 x 10 cm.

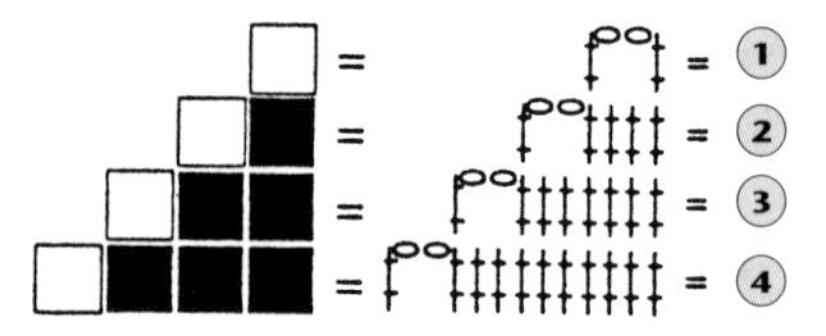

① 1 double br., 2 m. air, 1 double br.

② 1 double br., 2 m. air, 4 doubles br.

③ 1 double br., 2 m. air, 7 doubles br.

④ 1 double br., 2 m. air, 10 doubles br.

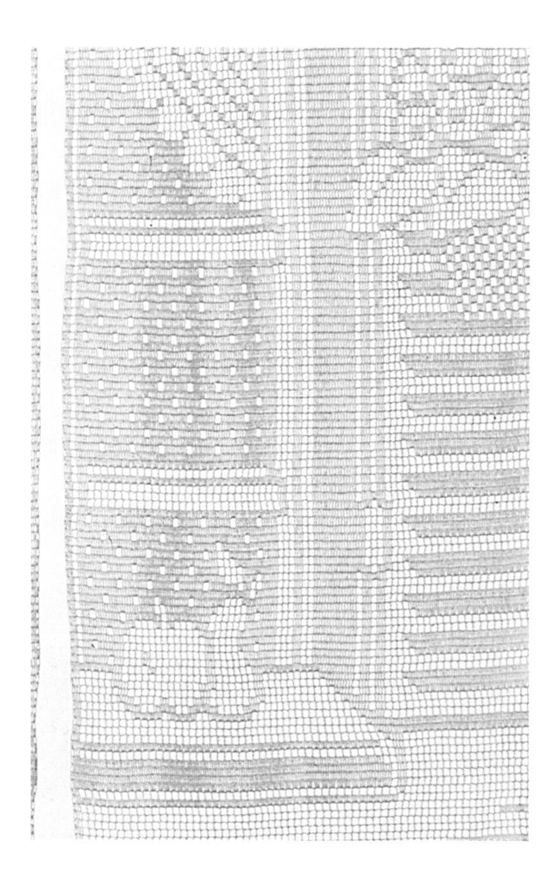

Douceur naturelle

Un rêve de tournesols joliment stylisés pour accueillir la lumière en beauté et préserver juste ce qu'il faut d'intimité en toute saison.

Douceur naturelle

chaîn. de base : 184 m. (61 rés.) 40,5 cm

(121 rgs) 80,5 cm

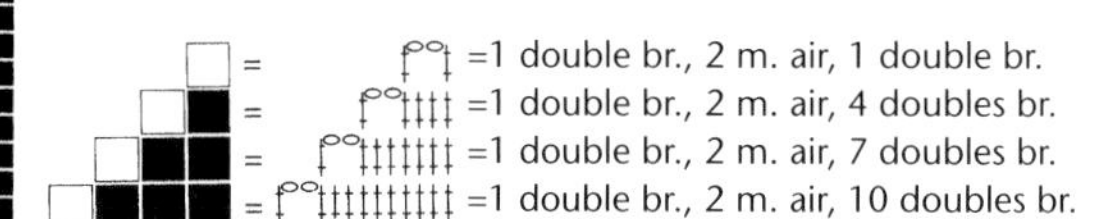

ÉCHANTILLON
15 rés. x 15 rgs : 10 x 10 cm

Fournitures :

200 g de cordonnet, qualité Relais n° 8, 100 % coton, blanc ; crochet acier n° 1,00 ; 12 anneaux.

Dimensions :

40,5 x 80,5 cm.

Exécution :

Commencer sur une chaîn. de base de 184 m.

1er rang : 4 m. air (pour la 1re double br.) et en commençant dans la 6e m. à partir du crochet, trav. 1 double br. sur chaq. m. de la chaîn., 4 m. air pour tourner.

2e au 119e rang : trav. au pt de filet en rgs aller-retour sur 61 rés. d'après le diag. Alterner ainsi les rés. vides (= 2 m. air et 1 double br. sur la 3e m. suiv.) et les rés. pleines (= 1 double br. sur les 3 m. suiv.) et sachant que pour trav. 1 rés. pleine sur 1 rés. vide, faire 2 doubles br. sous la chaîn. de 2 m. de la rés. vide et 1 double br. sur la double br. suiv.

120e au 121e rang : former séparément les pointes du bas de l'ouvrage en trav. les rgs 120 et 121 sur 3 rés. pour chaq. pointe comme le montre le schéma. Pour dim. au début du rg, avancer en m.c. sur la 4e m. (faire 3 m.c. pour dim. 1 rés. + 1 pour commencer sur la m. suiv.) et laisser libre 3 m. à la fin du rg. Crocheter un 2e rideau identique.

Finitions : fixer 6 anneaux sur le haut de chaq. rideau, les étirer aux dimensions indiquées et les repasser sous un linge humide.

Bosquet

Cet entre-deux raffiné se marie très bien avec une toile de lin plus rustique et double l'attrait de ce rideau qui saura s'adapter à toutes les fenêtres.

Bosquet

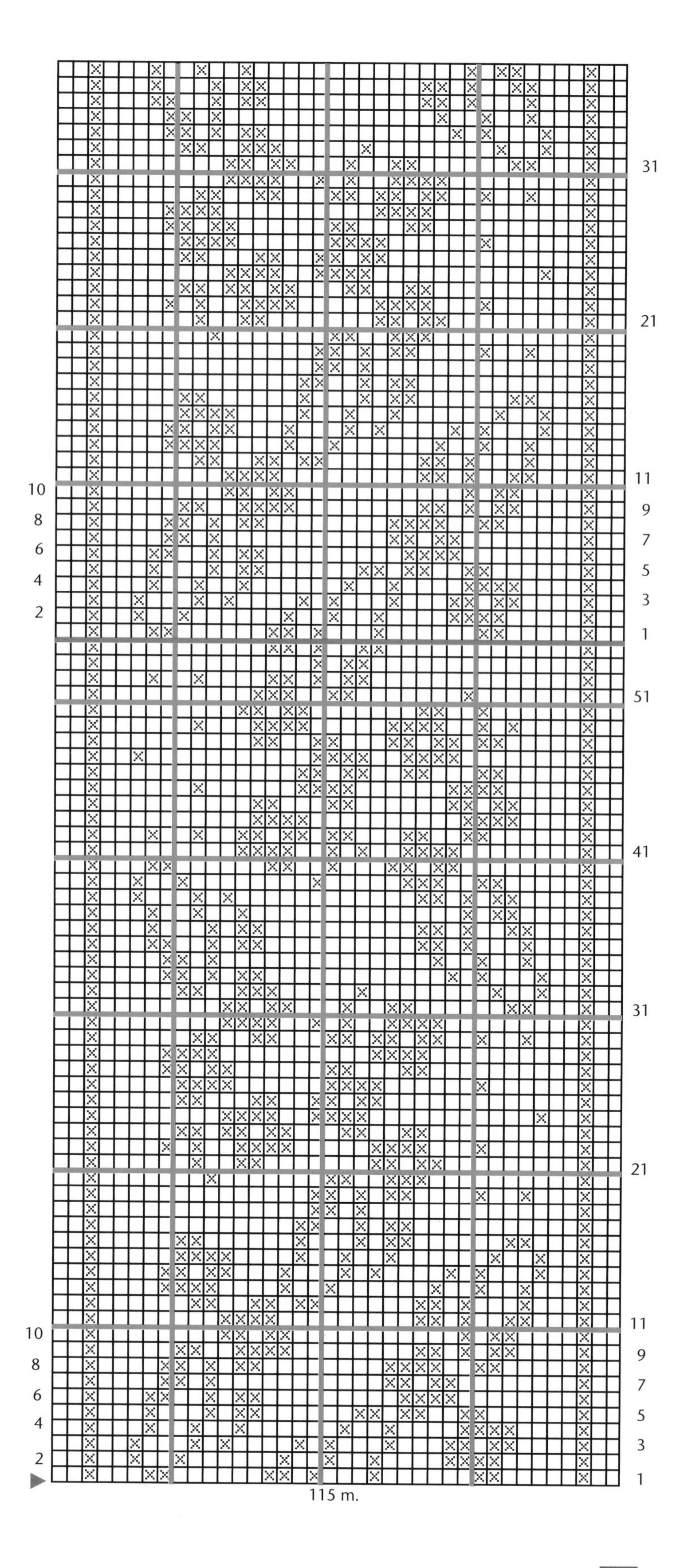

ÉCHANTILLON
17,5 rés. x 15,5 rgs = 10 x 10 cm

Début du travail ▶

Rés. vide (1 br., 2 m. air) ☐

Rés. pleine (3 br.) ☒

Fournitures :

50 g de fil d'Écosse Freccia n° 25, blanc 7901 ; un crochet acier n° 0,60.
Ruban blanc de 5 cm de large et toile de lin aux dimensions de votre fenêtre, 70 cm de large dans notre modèle.

Dimensions :

L'entre-deux mesure 70 x 19 cm.

Exécution :

Commencer par le bord inférieur avec une chaîn. de 115 m., puis faire 5 m. air (pour remplacer la 1re br. et le 1er arc.), 1 br. dans la 9e m. à partir du crochet, puis continuer le rg selon le diag. (38 rés.). Poursuivre ainsi selon le diag. en répétant deux fois du 1er au 54e rg, puis arrêter et couper le fil.
Finitions : laver toutes les pièces avant de les assembler. Mettre l'entre-deux en forme en le tendant parfaitement avec des épingles jusqu'à obtenir les dimensions indiquées. Laisser sécher et ôter les épingles quand il est parfaitement sec. Couper le ruban et le glisser le long de chacun des longs côtés. Replier les extrémités sur l'envers de l'entre-deux et coudre à petits points cachés. Fixer l'entre-deux à 8 cm du bord inférieur de la toile à petits points cachés. Couper le tissu derrière l'entre-deux en laissant 0,5 cm pour les ourlets. Terminer en faisant ces ourlets.

Persienne I

Pour voiler légèrement la fenêtre ou jouer les brise-bise, voilà un rideau subtilement fleuri qui s'adaptera à tous les styles.

Persienne I

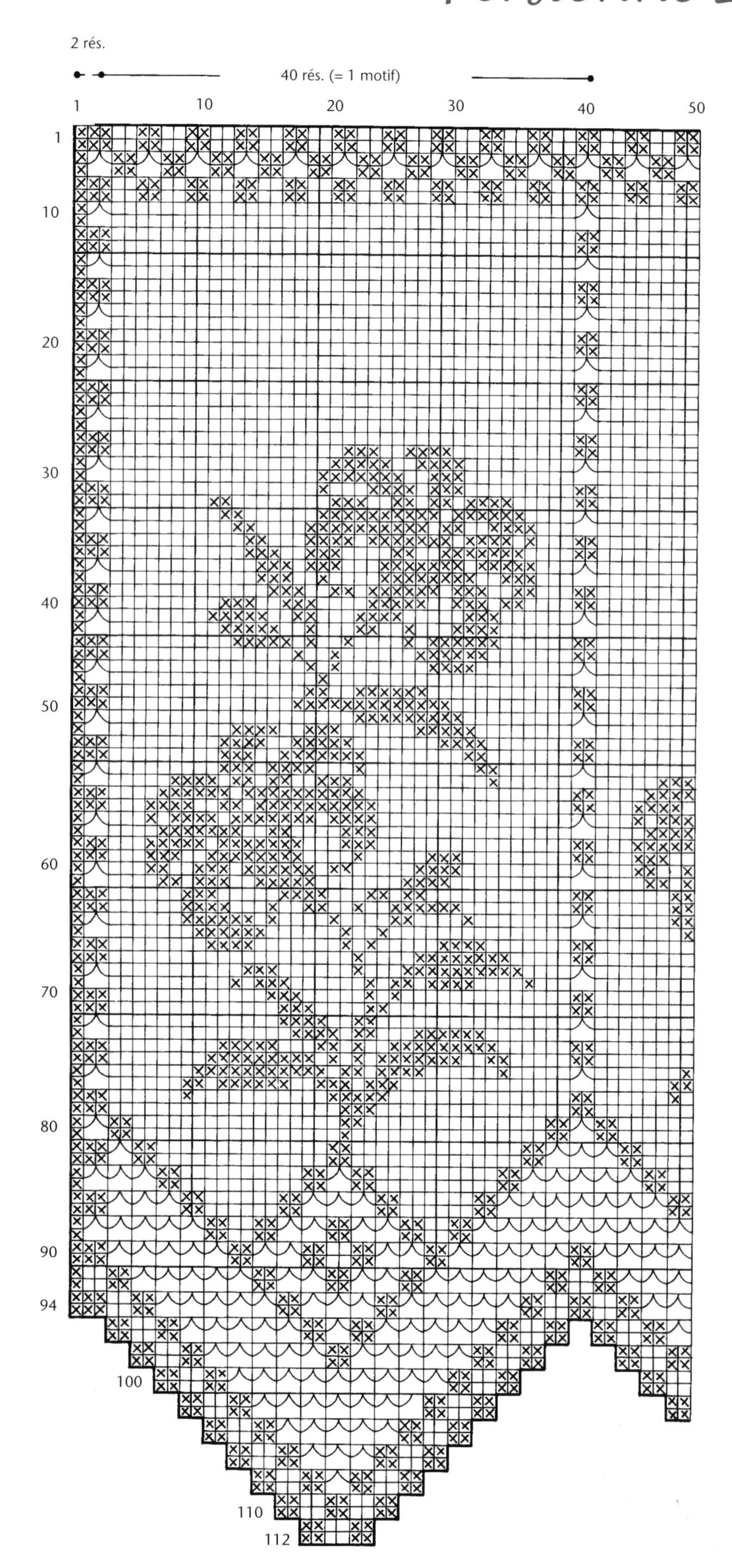

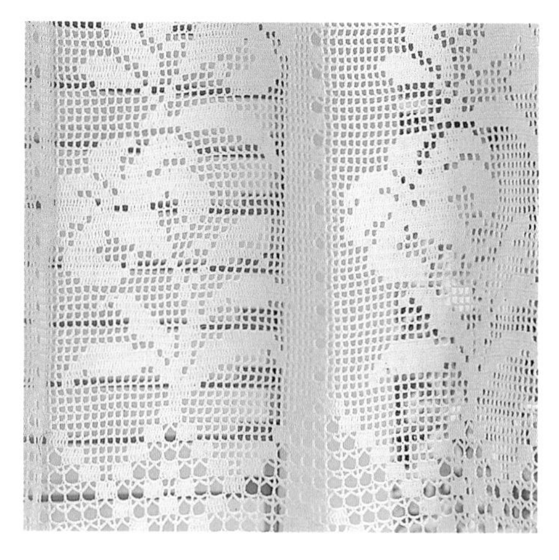

Fournitures :

175 g de cordonnet n° 40, blanc ; crochet acier n° 1,00.

Dimensions :

102 x 54 cm.

Exécution :

Commencer sur une chaîn. de base de 613 m. (pour 5 motifs).

1er rang : 3 m. air (pour remplacer la 1re br.), trav. 3 rés. pleines (=3 fs *1 br. sur les 3 m. suiv.*), et rép. **2 rés. vides (=2 fs *2 m. air, 1 br. sur la 3e m. suiv.*), 2 rés. pleines**, terminer par 3 rés. pleines, 3 m. air pour tourner.

2e rang : rép. le 1er rg en piquant les br. sur les br.

3e rang : trav. 1 rés. pleine et rép.*1 rés. fantaisie (=3 m. air, 1 m.s. sur la 3e m. suiv., 3 m. air, 1 br. sur la 3e m. suiv.), 2 rés. pleines*, terminer par 1 rés. pleine, 3 m. air pour tourner.

4e au 94e rang : cont. d'après le diag. À partir du 4e rg, trav. 1 grande rés. (=5 m. air, 1 br. sur la br. suiv.) au-dessus de chaq. rés. fantaisie. Pour trav. 1 rés. pleine sur 1 rés. vide, faire *2 br. sur la chaîn. de 2 m. de la rés. vide du rg précéd. et 1 br. sur la br. suiv.*.

95e au 112e rang : au début du 95e rg, dim. 3 rés. (= faire 1 m.c. sur les 9 premières br. + une autre m.c. pour commencer sur la m. suiv.) et cont. uniquement sur 38 rés. afin de former la 1re pointe.

113e et 114e rangs : trav. le 113e rg en m.s. et le 114e rg en m.c. et couper le fil. Crocheter séparément de la même façon les 4 autres pointes.

Bordure : trav. 4 rgs de m.s. sous la chaîn. de base et couper le fil.

Persienne II

Dans la lumière du jour et la transparence du point de filet en fond, les fleurs qui ornent cet ouvrage sont superbement mises en valeur.

Persienne II

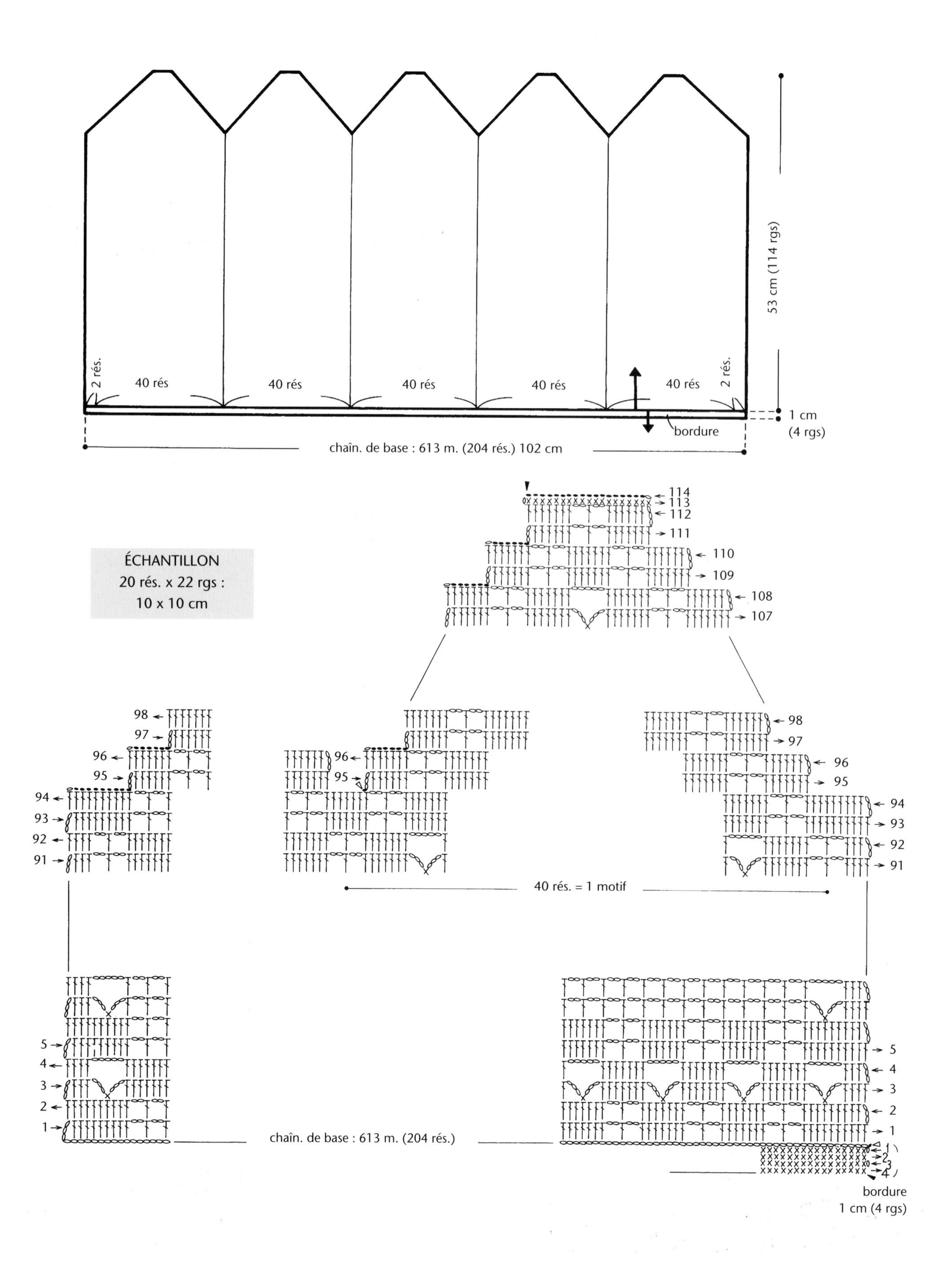

Carte du tendre

Il existe mille façons de jouer avec la lumière, en voilà une qui met le rose à la fenêtre pour l'habiller d'une manière gaie et douce.

Carte du tendre

ÉCHANTILLON
le motif : 80 x 14 cm
la bordure mesure 5 cm de hauteur

Début du travail ▶

Rés. vide (1 br., 2 m. air) ☐

Rés. pleine (3 br.) ☒

Rés. de 6 m. (*1 br., 5 m. air, sauter 5 m.*, répéter de *à*)

Arc. (*1 br., 3 m. air, sauter 2 m., 1 m.s., 3 m. air, sauter 2 m.*, répéter de *à*)

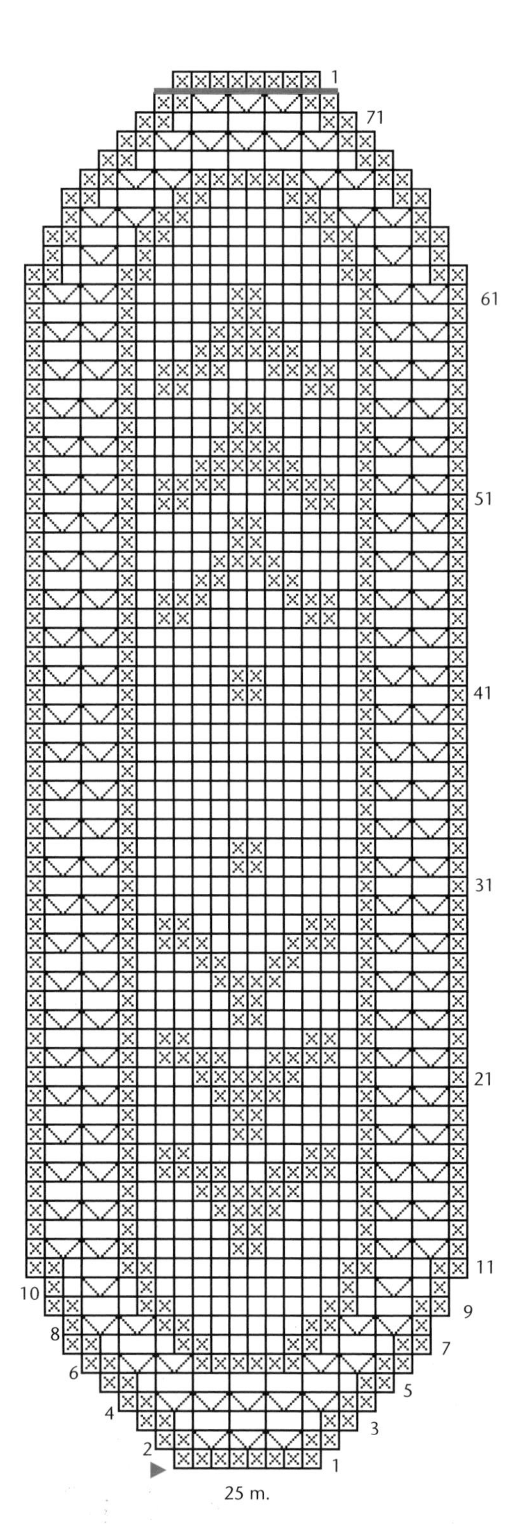

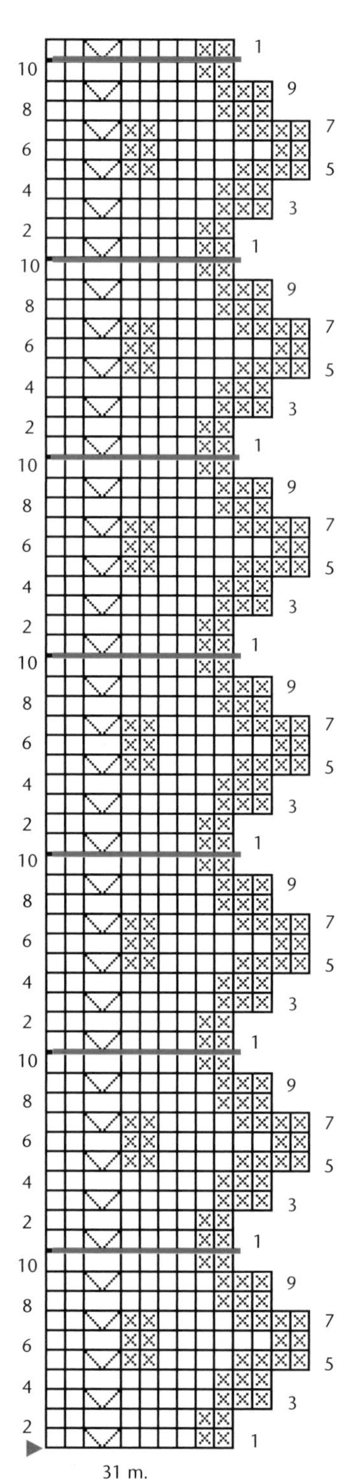

Fournitures :

50 g de fil d'Écosse Freccia n° 16, rose intense 1486 ; un crochet acier n° 0,75. Un panneau de tissu aux dimensions de votre fenêtre.

Dimensions :

120 x 87,5 cm.

Exécution :

Motif : commencer par une chaîn. de 25 m., faire 3 m. air (pour remplacer la 1re br.), 1 br. dans la 5e m. à partir du crochet, puis continuer le rg selon le diag. (8 rés. pleines). Poursuivre ainsi selon le diag. en faisant deux fois du 1er au 72e rg. Terminer en faisant encore un 1er rg, puis arrêter et couper le fil.
Bordure : commencer par une chaîn. de 31 m., faire 3 m. air (pour remplacer la 1re br.), 1 br. dans la 5e m. à partir du crochet, puis continuer le rg selon le diag. (10 rés.). Continuer en répétant toujours du 1er au 10e rg jusqu'à obtenir la longueur souhaitée. Avant de terminer faire encore un 1er rg, puis arrêter et couper le fil.
Finitions : laver les pièces crochetées et le rideau. Laisser sécher motif et bordure bien à plat épinglés aux dimensions voulues. Faire les ourlets du rideau et coudre la bordure au bas de celui-ci à petits points cachés. Faufiler le motif à 10 cm du bord inférieur du tissu, en le plaçant au centre sur la largeur. Le coudre avec un point zigzag très serré. Sur l'envers du motif, couper le tissu au ras de la couture.

Brassée de roses

Pour profiter chaque jour de l'éclat des fleurs, un beau duo de rideaux qui marie avec subtilité l'abondance des motifs et le style épuré de leur contour.

Brassée de roses

ÉCHANTILLON
14 rés. x 16 rgs : 10 x 10 cm

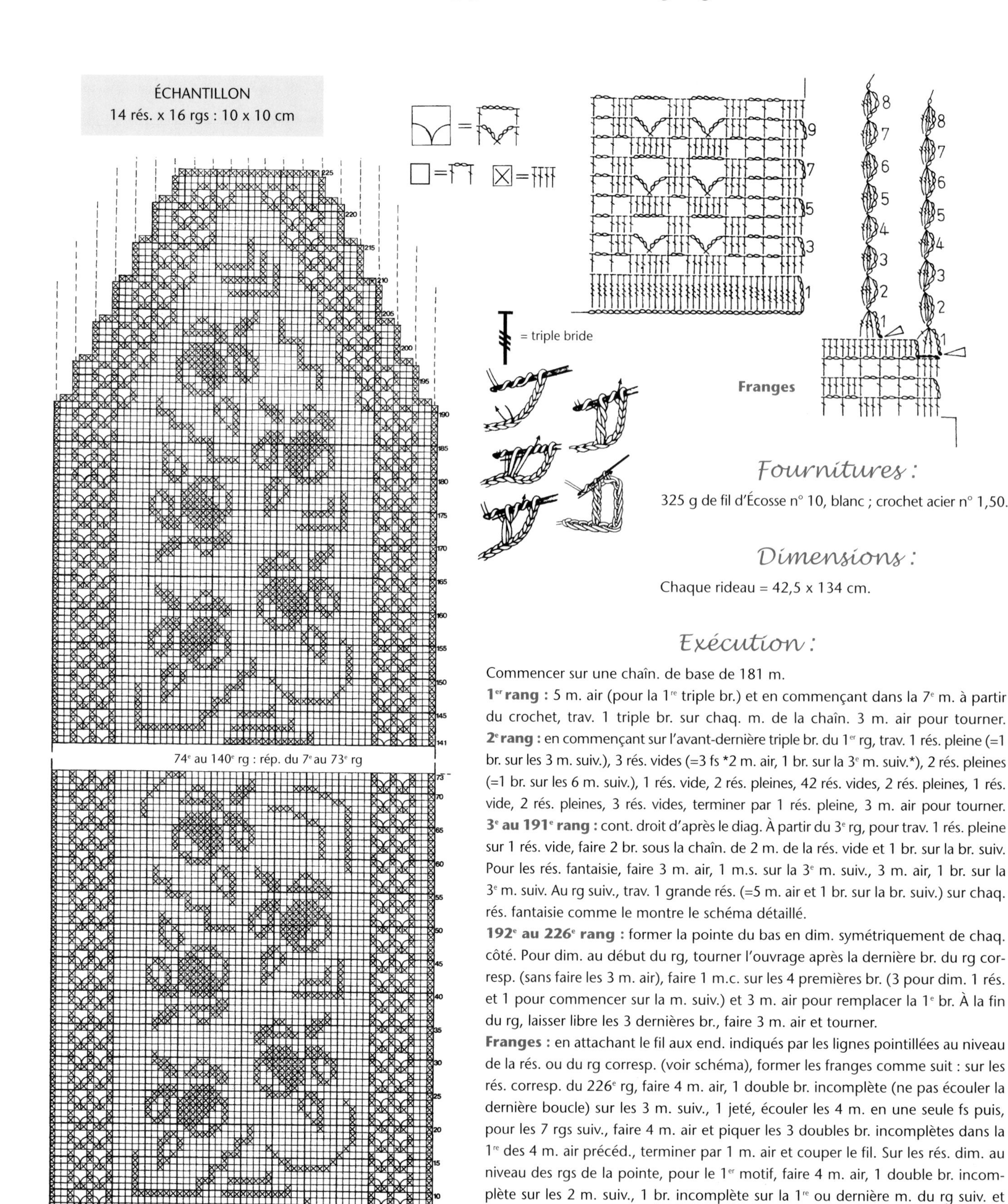

Fournitures :

325 g de fil d'Écosse n° 10, blanc ; crochet acier n° 1,50.

Dimensions :

Chaque rideau = 42,5 x 134 cm.

Exécution :

Commencer sur une chaîn. de base de 181 m.

1er rang : 5 m. air (pour la 1re triple br.) et en commençant dans la 7e m. à partir du crochet, trav. 1 triple br. sur chaq. m. de la chaîn. 3 m. air pour tourner.

2e rang : en commençant sur l'avant-dernière triple br. du 1er rg, trav. 1 rés. pleine (=1 br. sur les 3 m. suiv.), 3 rés. vides (=3 fs *2 m. air, 1 br. sur la 3e m. suiv.*), 2 rés. pleines (=1 br. sur les 6 m. suiv.), 1 rés. vide, 2 rés. pleines, 42 rés. vides, 2 rés. pleines, 1 rés. vide, 2 rés. pleines, 3 rés. vides, terminer par 1 rés. pleine, 3 m. air pour tourner.

3e au 191e rang : cont. droit d'après le diag. À partir du 3e rg, pour trav. 1 rés. pleine sur 1 rés. vide, faire 2 br. sous la chaîn. de 2 m. de la rés. vide et 1 br. sur la br. suiv. Pour les rés. fantaisie, faire 3 m. air, 1 m.s. sur la 3e m. suiv., 3 m. air, 1 br. sur la 3e m. suiv. Au rg suiv., trav. 1 grande rés. (=5 m. air et 1 br. sur la br. suiv.) sur chaq. rés. fantaisie comme le montre le schéma détaillé.

192e au 226e rang : former la pointe du bas en dim. symétriquement de chaq. côté. Pour dim. au début du rg, tourner l'ouvrage après la dernière br. du rg corresp. (sans faire les 3 m. air), faire 1 m.c. sur les 4 premières br. (3 pour dim. 1 rés. et 1 pour commencer sur la m. suiv.) et 3 m. air pour remplacer la 1e br. À la fin du rg, laisser libre les 3 dernières br., faire 3 m. air et tourner.

Franges : en attachant le fil aux end. indiqués par les lignes pointillées au niveau de la rés. ou du rg corresp. (voir schéma), former les franges comme suit : sur les rés. corresp. du 226e rg, faire 4 m. air, 1 double br. incomplète (ne pas écouler la dernière boucle) sur les 3 m. suiv., 1 jeté, écouler les 4 m. en une seule fs puis, pour les 7 rgs suiv., faire 4 m. air et piquer les 3 doubles br. incomplètes dans la 1re des 4 m. air précéd., terminer par 1 m. air et couper le fil. Sur les rés. dim. au niveau des rgs de la pointe, pour le 1er motif, faire 4 m. air, 1 double br. incomplète sur les 2 m. suiv., 1 br. incomplète sur la 1re ou dernière m. du rg suiv. et écouler les 4 m. en une seule fs comme le montre le schéma détaillé.

Finitions : tendre aux dimensions indiquées avec des épingles, repasser sous un linge humide, vaporiser avec une solution d'amidon et laisser sécher avant d'ôter les épingles.

Renaissance

Avec ses arabesques, ses volutes et ses éléments empruntés à l'architecture, ce panneau évoque le style du renouveau.

Renaissance

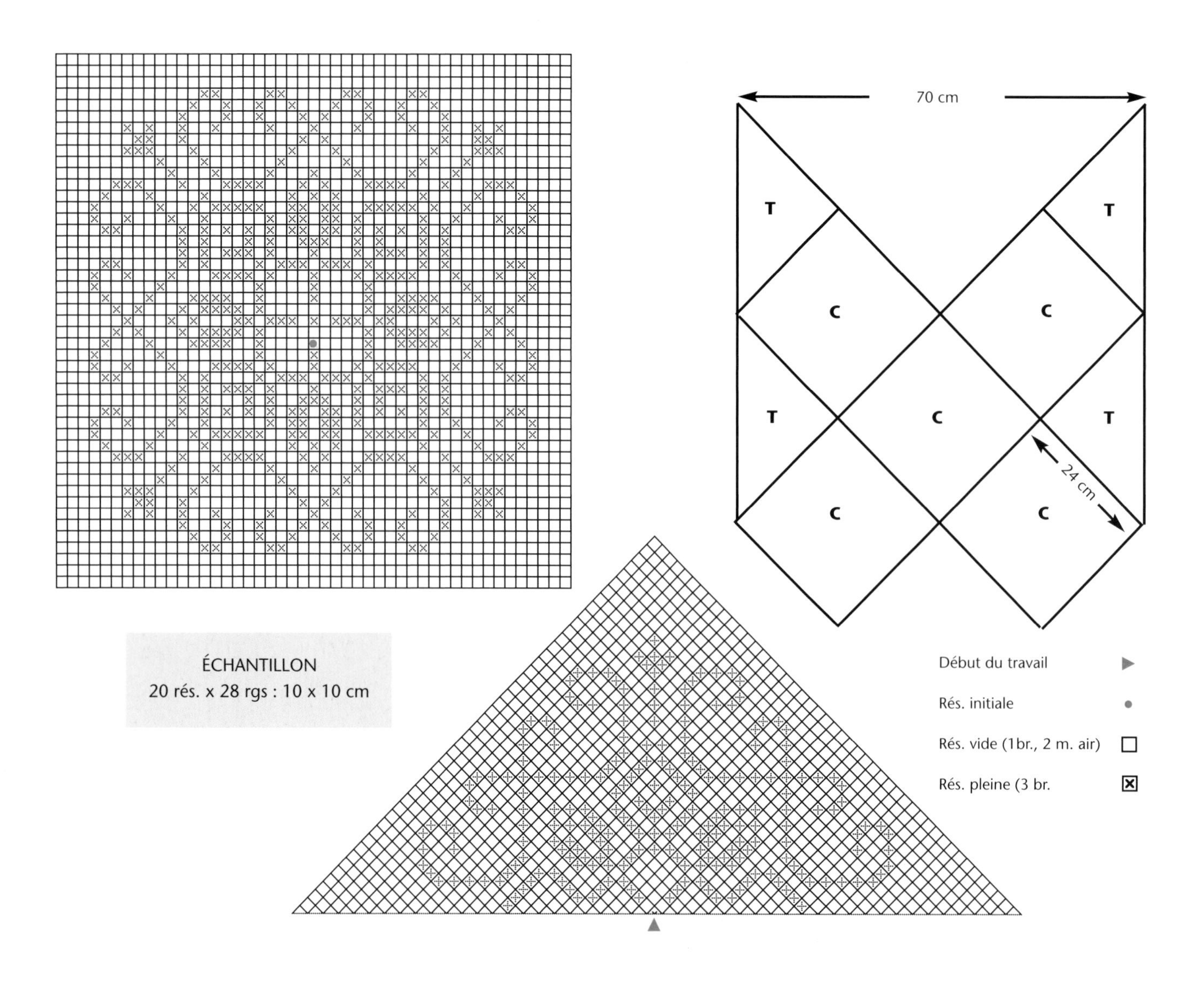

Fournitures :

100 g de fil d'Écosse Freccia n° 16 blanc 7901 ; crochet acier n° 0,75. Un morceau de lin blanc de 60 x 60 cm ; aiguille à broder ; 6 anneaux d'accrochage.

Dimensions :

70 x 87,5 cm. Chaque carré mesure 24 cm de côté.

Exécution :

Pour obtenir ces dimensions, il faut 5 carrés et 4 triangles rectangles.

Carré : il se travaille en rond. Faire une chaîn. de 12 m. et fermer le cercle par 1 m.c. dans la 1re m. (le symbole • dans le diag.). Continuer selon le diag. À la fin du 23e t., arrêter et couper le fil. Faire 4 autres carrés identiques.

Triangle rectangle : faire une chaîn. de 10 m. air et fermer le cercle par 1 m.c. dans la 1re m. Après cette rés. centrale, le triangle se travaille par rgs. Faire 6 m. air, 1 br. dans la m.c. qui ferme la rés., 2 m. air, sauter 2 m., et faire dans la m. suivante : 1 br., 5 m. air, 1 br. : faire 2 m. air, sauter 2 m. et dans la m. suivante faire : 1 br., 2 m. air, 1 double br. Tourner l'ouvrage. Commencer le 2e rg par 6 m. air, 1 br. dans la double br. du rg précédent, 2 m. air, 1 br. dans la br. suivante, 2 br. dans l'arc. suivant, 1 br. dans la br. suivante ; 2 m. air, puis faire dans la 3e des 5 m. air suivantes : 1 br., 5 m. air, 1 br. ; 2 m. air, 1 br. sur la br. suivante, 2 br. dans l'arc. suivant, 1 br. dans la br. suivante, 2 m. air ; faire enfin dans la 4e m. des 6 premières du rg précédent : 1 br., 2 m. air, 1 double br. Continuer en suivant le diag. jusqu'au 23e rg en procédant selon le même principe pour l'angle et les début et fin de chaque rg.

Finitions et montage : mettre chacune des pièces en forme en les laissant sécher épinglées aux bonnes dimensions après les avoir humidifiées. Les assembler par une couture avec le même fil que l'ouvrage en commençant par coudre les carrés autour du carré central. Piquer l'aiguille dans la 1re m. du dernier t. du carré placé au centre et la faire sortir dans la m. correspondante d'un des carrés inférieurs. Coudre ensuite à points cachés et procéder de même pour les autres modules. Coudre ensuite les triangles toujours selon ce même principe. Faire ensuite 1 t. de m.s. au bord de l'ouvrage. Laver tissu et pièce crochetée avant de les réunir. Les coudre à petits points cachés en laissant 2 cm sur les bords pour les ourlets et en plaçant l'un des angles droits du tissu en pointe. Terminer en faisant les ourlets de 1 cm sur les 3 côtés du tissu. Fixer les anneaux en les cousant à distance égale les uns des autres.

La ville bleue I

Idéal pour une chambre d'enfant, ce tableau de style naïf sait nous toucher par l'harmonie souriante de sa composition et la douceur du fil bleu.

La ville bleue I

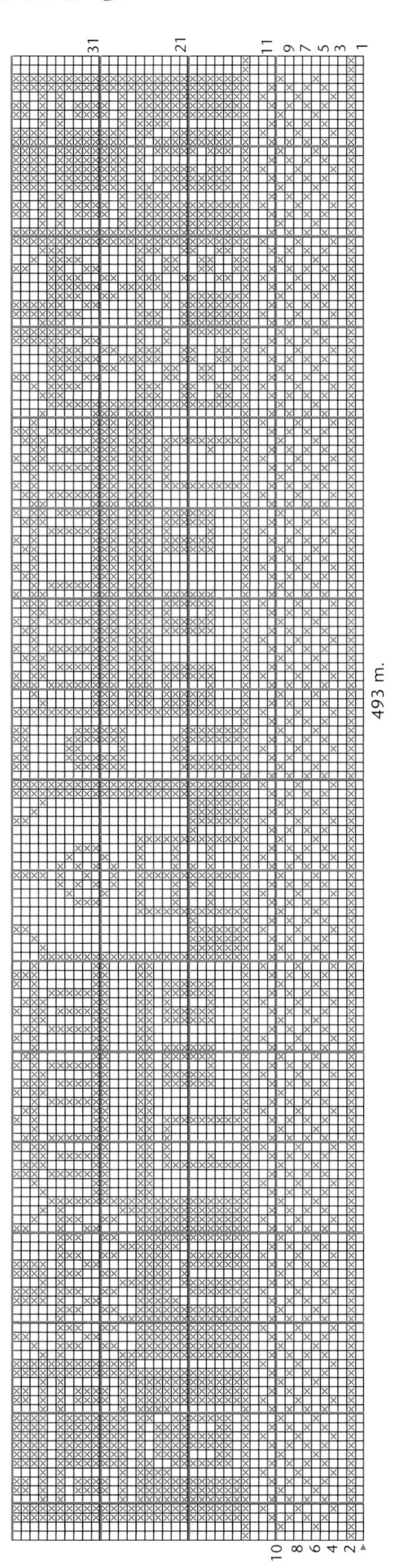

Début du travail ▶

Rés. vide (1 br., 2 m. air) ☐

Rés. pleine (3 br.) ☒

Fournitures :

100 g de fil d'Écosse n° 25, Azur 912. Un crochet acier n° 0,60. 15 boutons en bois.

Dimensions :

88 x 42 cm.

Exécution :

Commencer par une chaîn. de base de 493 m. Faire 5 m. air (pour remplacer la 1re br. et le 1er arc.) et piquer la 1re br. dans la 9e m. à partir du crochet. Continuer selon le diag. (164 rés. vides en tout). Poursuivre jusqu'au 93e rg (voir fiche II à partir du 41e rg), puis faire les 5 attaches comme indiqué sur le schéma et fixant le fil sur l'envers du travail par 1 m.c. à la m. indiquée par la flèche rouge.

Finitions : sur l'endroit du travail, attacher le fil par 1 m.c. dans la 1re rés. et faire 1 t. de m.s. tout autour du modèle en remplaçant la 1re par 1 m. air. À la fin du tour, terminer par 1 m.c. dans la m. air du début. Arrêter et couper le fil. Replier les attaches en deux sur le devant de l'ouvrage et fermer chacune d'elles avec 3 boutons.

La ville bleue II

Agrémenté de boutons en bois en écho à la tringle, ce modèle pourra s'orner différemment selon la tringle choisie.

La ville bleue II

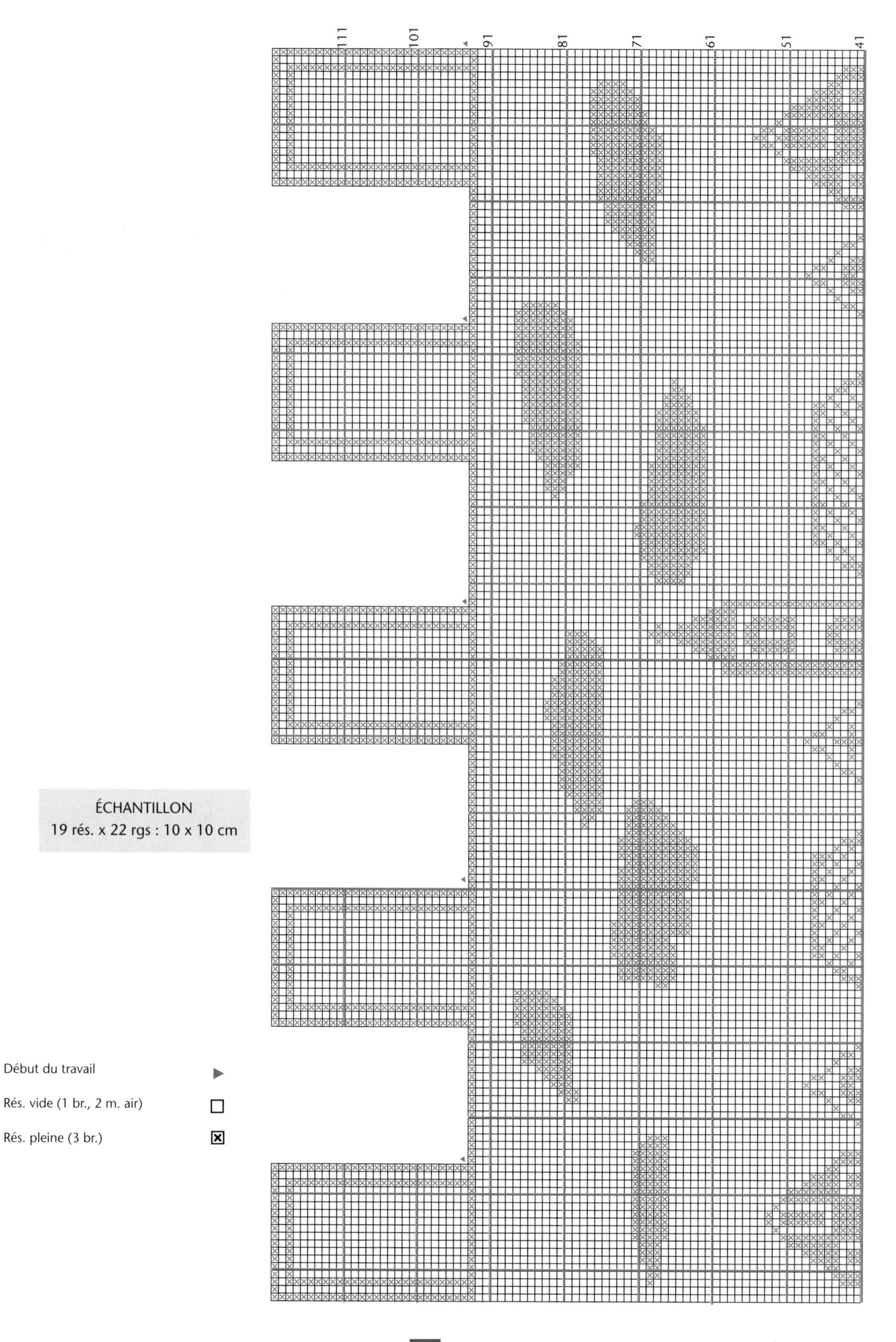

ÉCHANTILLON
19 rés. x 22 rgs : 10 x 10 cm

Début du travail ▶

Rés. vide (1 br., 2 m. air) ☐

Rés. pleine (3 br.) ☒

Blanche fenêtre

Le blanc, tout naturellement, pour accueillir la lumière qu'il laisse pénétrer avec distinction dans la maison.

Blanche fenêtre

Fournitures :

50 g de fil d'Écosse Freccia n° 25 blanc 7901; 1 crochet acier n° 0,60. Un rideau de 70 cm de large, 71 cm de passe-ruban de 2 cm de hauteur, 110 cm de ruban de 1 cm de hauteur.

Dimensions :

La bordure mesure 22,5 cm de hauteur.

ÉCHANTILLON
21 rés. x 19 rgs : 10 x 10 cm

Exécution :

Commencer par 1 chaîn. de 124 m., 5 m. air (pour remplacer la 1re br. et le 1er arc.), 1 br. dans la 9e m. à partir du crochet, continuer selon le diag. (41 rés.). Poursuivre selon le diag. en répétant 3 fs du 1er au 38e rg. Terminer en travaillant encore 1 fs du 1er au 21e rg, puis arrêter et couper le fil.

Finitions : laver la pièce crochetée et le rideau avant de les assembler. Mettre le module en forme en le tendant parfaitement avec des épingles jusqu'à obtenir les dimensions indiquées. Laisser sécher l'ouvrage et ôter les épingles quand il est parfaitement sec. Coudre la bordure à petits points cachés au bas du rideau. Couper le ruban en deux, et l'enfiler dans le passe-ruban en commençant par le milieu. Replier les petits côtés de l'ensemble sur 0,5 cm et les coudre. Coudre ensuite le passe-ruban sur le rideau en le plaçant à cheval sur la couture qui unit le rideau et la bordure. Former le nœud au centre avec les deux morceaux de ruban.

- Début du travail ▶
- Rés. vide (1 br., 2 m. air) ☐
- Rés. pleine (3 br.) ☒
- Rés. de 5 m. air (*1 br. 5 m. air, sauter 5 m.*; répéter de *à*, terminer par 1 br.)
- Arceau (*1 br., sauter 2 m., 1 br. dans la m. suivante, 3 m. air, sauter 2 m.* ; répéter de *à*)

124 m.

Pampilles

Un motif vertical tout en longueur qui se termine par des découpes comme des pampilles pour habiller gaiement la fenêtre.

Pampilles

Fournitures :

325 g de cordonnet n° 20, blanc ; crochet acier n° 1,25.

Dimensions :

60 x 130 cm.

Exécution :

Commencer sur une chaîn. de base de 590 m.

1er rang : 3 m. air (pour la 1re br.), 1 br. dans la 5e m. à partir du crochet, 2 m. air, 2 br. sur la même dernière m., 1 m. air, *1 double br., 2 m. air, 1 double br.* sur la 6e m. suiv., 1 m. air, 1 coq. (= 2 br., 2 m. air, 2 br.) sur la 6e m. suiv., 7 m. air, sauter 11 m. et rép. 15 fs **1 coq. sur la m. suiv., 7 m. air, 1 coq. sur la 12e m. suiv., 1 m. air, rép. 1 fs de *à* sur la 6e m. suiv., 1 m. air, 1 coq. sur la 6e m. suiv., 7 m. air, sauter 11 m.**, terminer par 1 coq. sur la m. suiv., 7 m. air, 1 coq. sur la 12e m. suiv., 1 m. air, rép. 1 fs de *à* sur la 6 m. suiv., 1 m. air, 1 coq. sur la 6e m. suiv. (= dernière m. de la chaîn.), 1 m. air pour tourner et avancer en m.c. dans l'arc. de la 1re coq.

3e au 21e rang : cont. de la même manière d'après le schéma.

22e au 85e rang : rép. 4 fs les rgs 6 à 21 afin d'obtenir 5 ananas complets et la base du 6e.

86e et 87e rangs : rép. les rgs 6 et 7.

88e rang : comme le 8e rg mais trav. la coq. entre 2 ananas avec 1 picot (= faire 5 m. air, 1 m.c. dans la 2e de ces 5 m. et 1 m. air.

89e au 99e rang : terminer séparément en rgs aller-retour les 17 ananas et couper le fil à la fin du 99e rg de chacun d'eux.

Bordure supérieure : 1er rang : rattacher le fil sur la dernière m. de la chaîn. de base (voir triangle blanc) et en remplaçant la 1re br. par 3 m. air, trav. 1 br. sous chaq. m. de la chaîn. (trav. la dernière br. de ce rg sous la 1re coq. du 1er rg et laisser libre la dernière m.), 1 m. air pour tourner.

2e rang : trav. 1 m.s. sur chaq. br., 3 m. air pour tourner.

3e au 6e rang : rép. les rgs 1 et 2.

7e rang : trav. 1 m.c. sur chaq. m. du 6e rg et couper le fil.

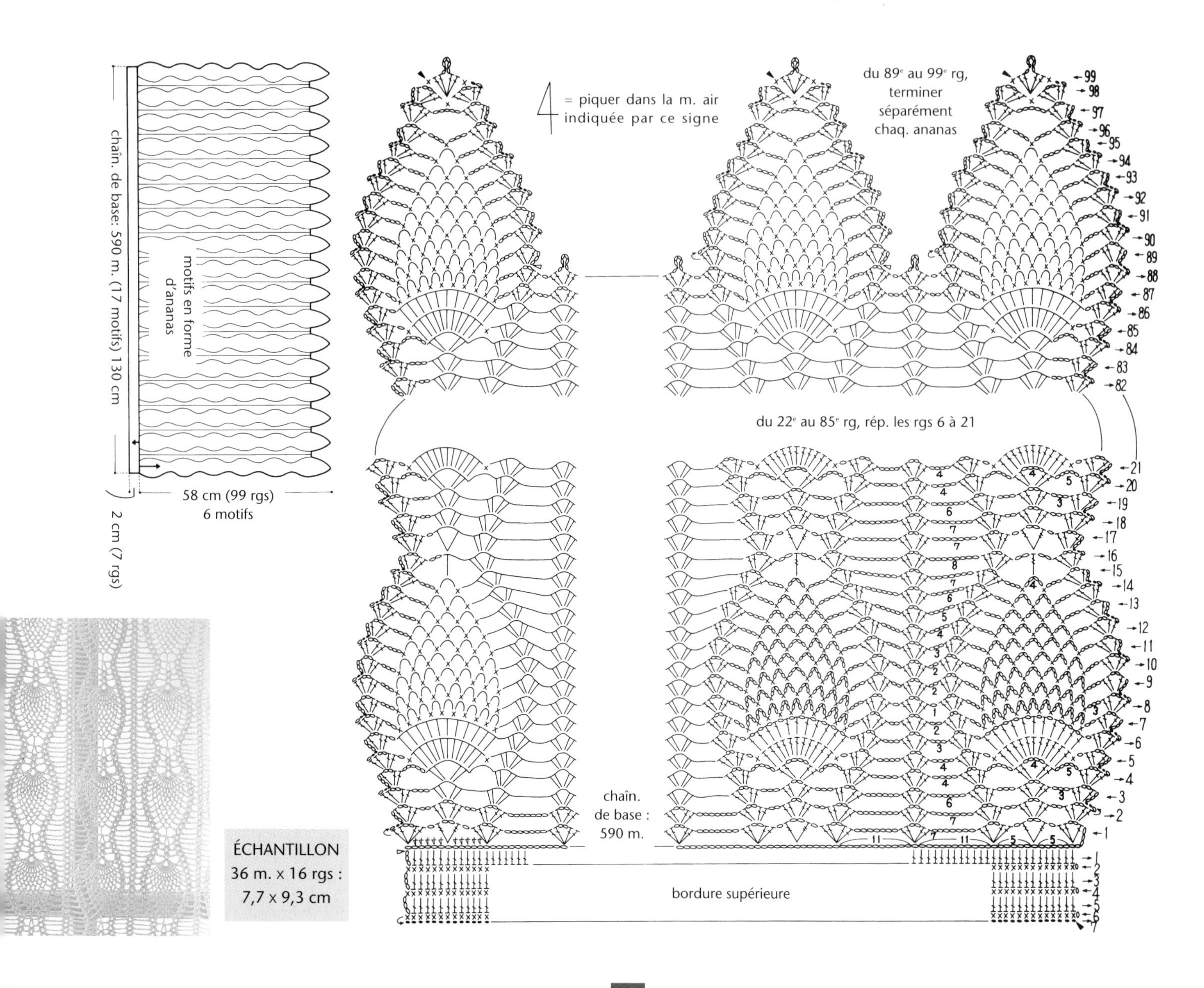

Lumière tamisée

Comme dans les maisons du Nord, mini rideaux et petits cœurs entrelacés, le décor de la fenêtre est planté.

Lumière tamisée

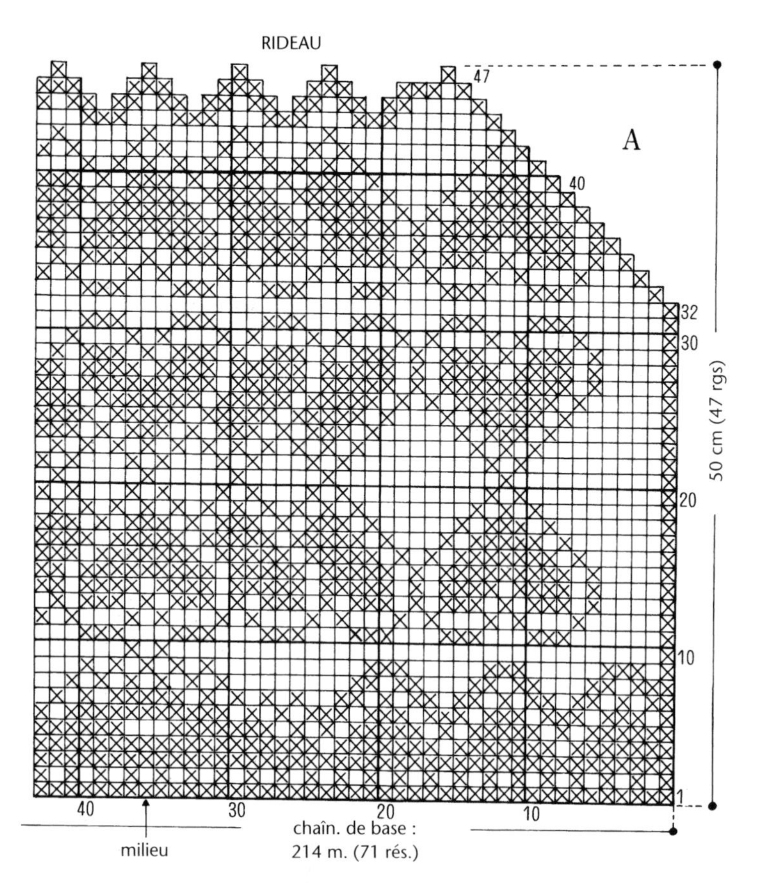

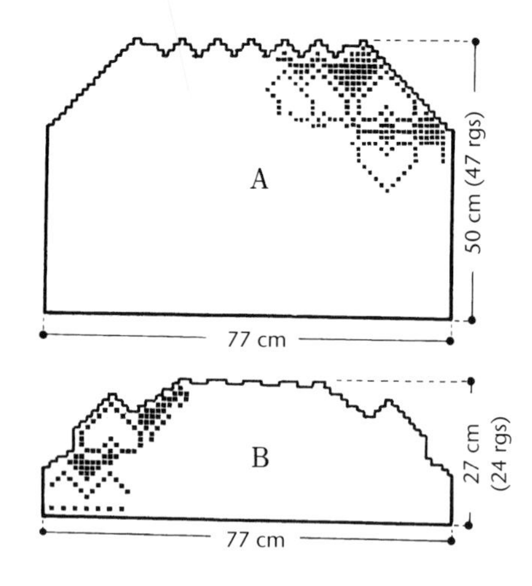

ÉCHANTILLON
9,5 rés. x 9,5 rgs :
10 x 10 cm

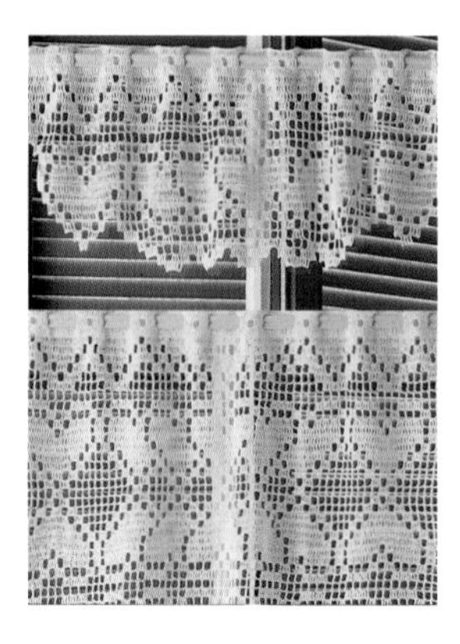

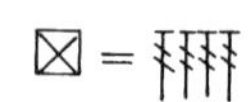

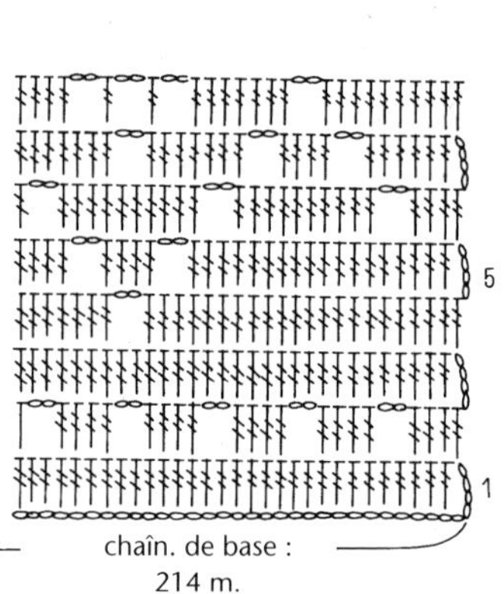

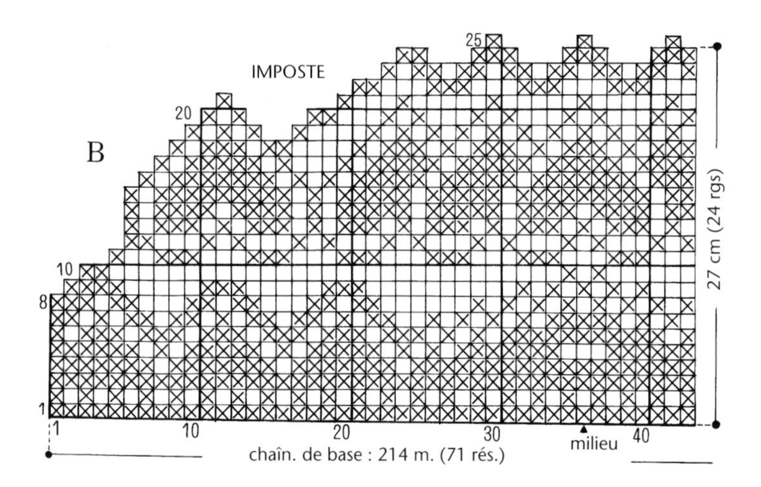

Fournitures :

195 g (130 g pour le rideau, 65 g pour l'imposte) de fil coton n° 8, blanc ; crochet acier n° 1,75.

Dimensions :

Rideau = 77 x 50 cm ; imposte = 77 x 27 cm.

Exécution :

Rideau : commencer sur une chaîn. de base de 214 m.

1er rang : 4 m. air (pour la 1re double br.) et en commençant dans la 6e m. à partir du crochet, trav. 1 double br. sur chaq. m. de la chaîn., 4 m. air pour tourner.

2e rang : commencer dans la 6e m. à partir du crochet et rép. *1 rés. pleine (= 1 double br. sur les 3 m. suiv.), 1 rés. vide (= 2 m. air, 1 double br. sur la 3e m. suiv.)*, terminer par 1 rés. pleine, 4 m. air pour tourner.

3e au 32e rang : cont. droit de la même manière d'après le diag. (trav. les rés. 1 à 36, puis les rés. 35 à 1 pour la 2e moitié de l'ouvrage). Pour trav. 1 rés. pleine sur 1 rés. vide, faire 2 doubles br. sous la chaîn. de 2 m. de la rés. vide, et 1 double br. sur la double br. suiv.

33e au 47e rang : à partir du 33e rg, commencer à dim. symétriquement de chaq. côté en avançant en m.c. sur la 4e double br. au début du rg (faire 3 m.c. pour chaq. rés. à dim. + 1 m.c. pour commencer sur la m. suiv.) et en laissant libre 3 m. (pour chaq. rés. à dim.) à la fin du rg. A partir du 45e rg, terminer séparément chaq. pointe en rgs aller-retour et couper le fil à la fin du 47e rg de chacune d'elle.

Imposte : commencer sur une chaîn. de base de 214 m. et trav. de la même manière que le rideau d'après le diag. corresp. (trav. de la rés. 1 à 36 puis de la rés. 35 à 1 pour la 2e moitié). Couper le fil à la fin du 24e rg.

Linge de maison et layette

Les petits navires...

Tous les petits mousses vogueront vers de doux rêves, bien au chaud sous leur couette égayée de cette frise marine à laquelle fait écho un joli tableau.

IDÉE

Ce tableau pourra venir orner une couverture de berceau ou de lit d'enfant.

Les petits navires...

ÉCHANTILLON
Frise 24 rés. x 29 rgs : 9 x 10 cm
Tableau 22 rés. x 18 rgs : 5 x 10 cm

Tableau

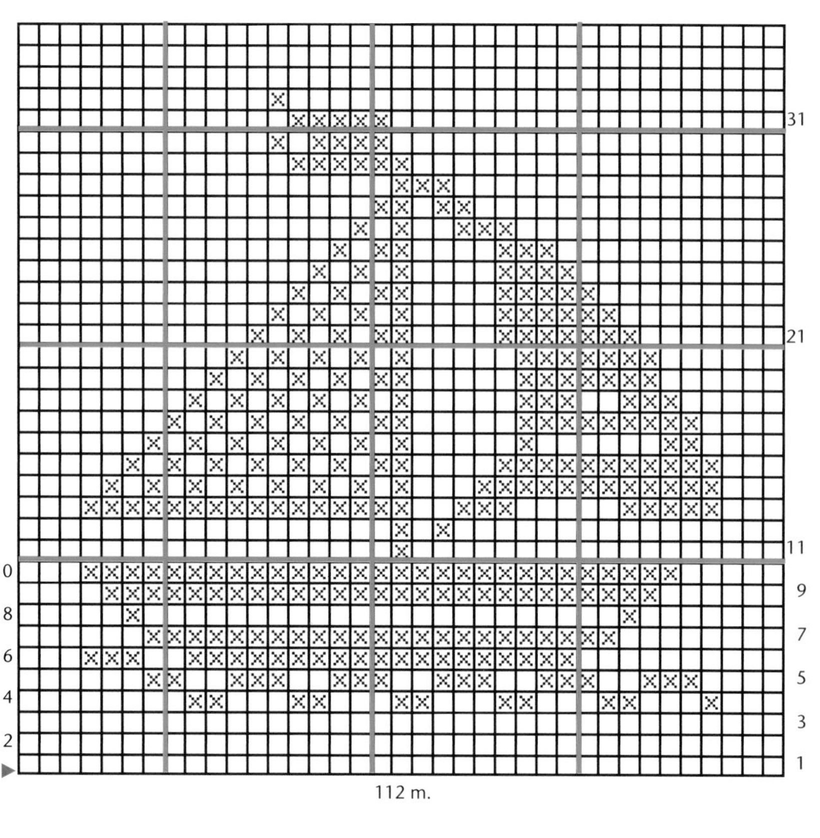

Frise

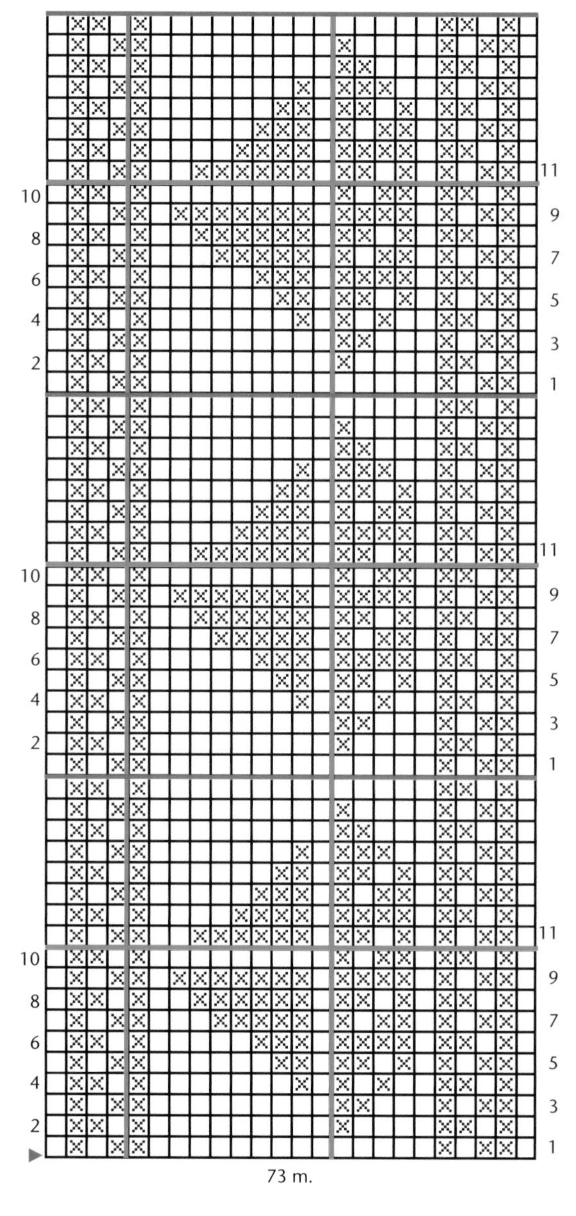

Début du travail ▶ Rés. pleine (3 br.), blanc ☒

Rés. vide (1br., 2 m air) ☐

Fournitures :

50 g de fil d'Écosse Freccia n° 25 blanc 7901 ; crochet acier n° 0,60 ; 1 m de croquet blanc pour border le tableau.

Dimensions :

La frise mesure 9 cm de haut ;
le tableau : 16,5 x 19,5 cm.

Exécution :

Frise : commencer par 1 chaîn. de base de 73 m. Faire 5 m. air (pour remplacer la 1re br. et le 1er arc), 1 br. dans la 9e m. air à partir du crochet, poursuivre le rg selon le schéma (24 rés.). Continuer selon le diag. en répétant du 1er au 18e rgs autant de fois que nécessaire pour obtenir la longueur souhaitée, puis arrêter et couper le fil.

Finitions : la housse de couette (ou le drap) et la bordure ayant été lavées, repasser la frise et la placer à l'aide d'épingles. La faufiler, ôter les épingles et coudre à points invisibles, enlever les fils de faufilure pour finir.

Tableau : commencer par 1 chaîn. de base de 112 m. Faire 5 m. air (pour remplacer la 1re br. et le 1er arc), 1 br. dans la 9e m. air à partir du crochet, poursuivre le rg selon le diag. (37 rés.). Continuer selon le schéma, à la fin du 35e rg arrêter et couper le fil.

Finitions : fixer le croquet tout autour du tableau à points invisibles. Placer le tableau sur un fond de cadre de couleur en harmonie avec la pièce et le linge, mettre le cadre. Le tableau est prêt pour l'accrochage.

CONSEIL

Pour placer votre motif sur la couverture, vous prendrez en compte la hauteur du revers du drap sur celle-ci afin de créer un ensemble des plus harmonieux.

Doux accords

Couleurs tendres, lignes légères et transparence pour cette frise qui personnalisera avec subtilité le linge de toilette.

Doux accords

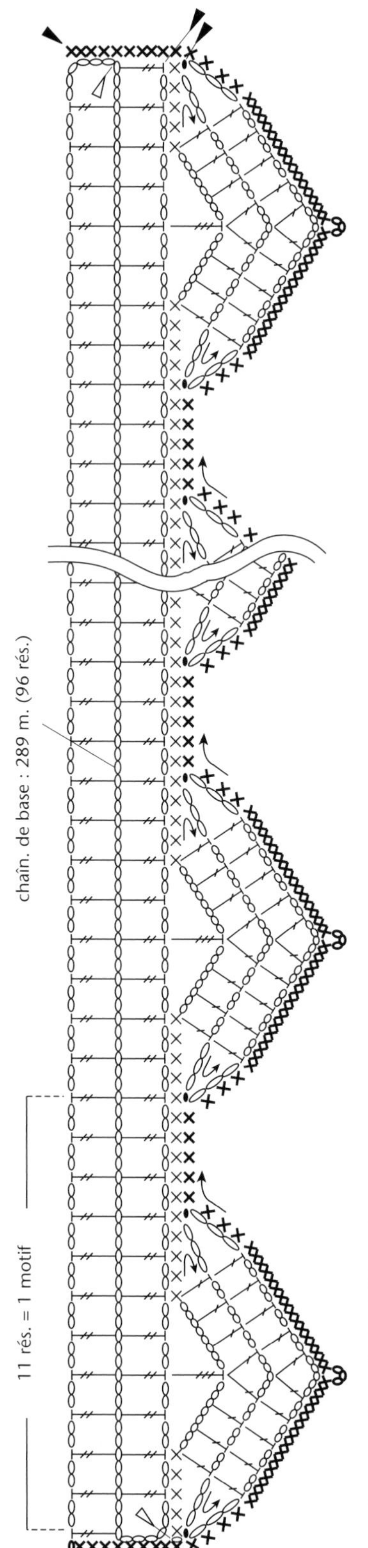

ÉCHANTILLON
Un motif complet :
5,8 x 4 cm

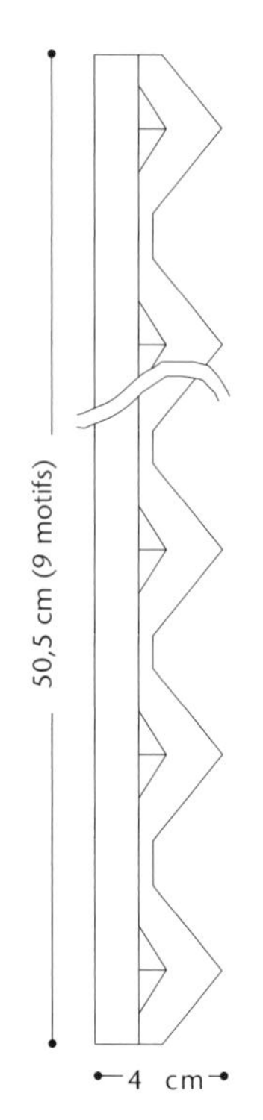

Fournitures :

40 g de cordonnet n° 20, dont 35 g rose et 5 g blanc ; crochet acier n° 1,25.

Dimensions :

Voir dessin.

Exécution :

1er rang : avec le fil blanc, commencer sur une chaîn. de base de 289 m. et trav. 96 rés. de doubles br. avant de couper le fil.

Motif : attacher le fil rose sur l'end. du 1er rg, dans la 1re rés. vide (voir triangle blanc) et former chaq. motif en trav. 3 rgs aller-retour comme suit : pour le 1er rg, faire *5 m.s. (1 sur chaq. double br., 1 dans chaq. arc.), 8 m. air, 1 triple br. sur la 2e double br. suiv., 8 m. air, sauter 1 double br., 5 m.s. (comme précédemment) ; pour le 2e rg, faire 3 m. air pour tourner, trav. 7 rés. de br. sur le 1er rg, terminer par 3 m. air, 1 m.c. sur la 1re m.s. du début du 1re rg, 3 m. air pour tourner et pour le 3e rg, trav. 9 rés. vides de br., terminer par 3 m. air, 1 m.c. sur la dernière m.s. du 1er rg, puis faire 5 m.s. sur les doubles br. et arc. du rg blanc et reprendre à* pour le motif suiv.

Bordures : avec le fil blanc, trav. 1 rg de rés. de doubles br. sous la chaîn. initiale et sans couper le fil, faire 1 rg de m.s. sur 3 côtés comme indiqué en gras sur le schéma.

Montage : coudre la dentelle sur le tissu au niveau de la chaîn. de base.

Fragrances

La salle de bains prend les couleurs du bien-être
avec cet ensemble de serviettes orné d'un entre-deux délicat.

Fragrances

Début du travail ▶

Rés. vide (1 br., 2 m. air) ☐

Rés. pleine (3 br.) ☒

ÉCHANTILLON
31 rés. x 36 rgs : 10 x 10 cm

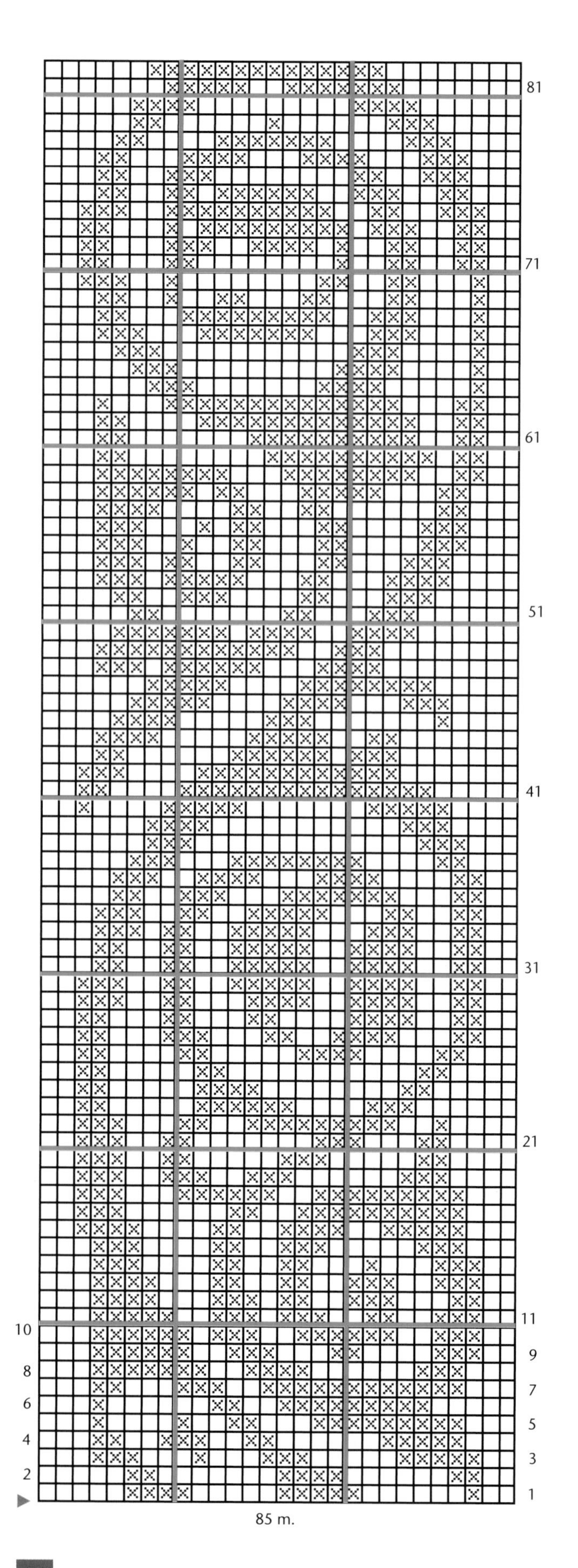

Fournitures :

50 g de fil d'Écosse Freccia n° 25 blanc 7901 ; crochet acier n° 0,60. Une serviette en tissu.

Dimensions :

L'entre-deux mesure 9 cm de hauteur.

Exécution :

Commencer par une chaîn. de 85 m., 5 m. air (pour remplacer la 1re br. et le 1er arc.), 1 br. dans la 9e m. à partir du crochet. Continuer le rg selon le diag. (28 rés.). Poursuivre selon le diag. en répétant du 1er au 82e rg jusqu'à obtenir la longueur souhaitée. Arrêter et couper le fil.
Montage et finitions : laver le tissu et l'entre-deux avant de les réunir. Repasser l'entre-deux sous un linge humide, puis l'épingler sur l'essuie-mains en veillant à le placer bien droit. Faufiler, ôter les épingles, et coudre à petits points cachés. Couper le tissu sous l'entre-deux en laissant 1 cm de chaque côté pour les ourlets.

Une chanson douce

Sur un petit vichy, les frises ornées de motifs purs et simples apportent une touche supplémentaire de tendresse au monde de bébé.

Une chanson douce

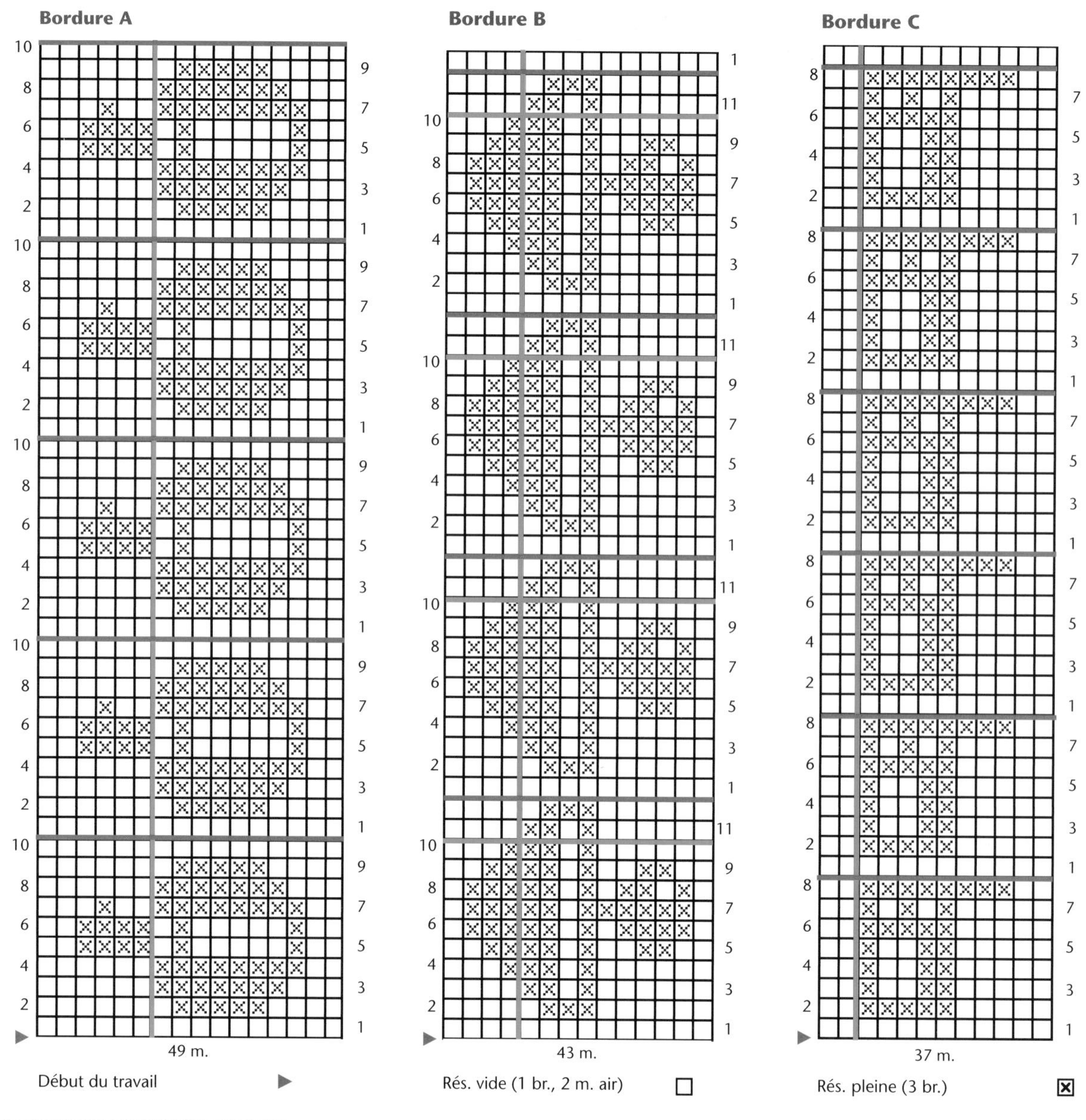

ÉCHANTILLON
19 rés. x 18,5 rgs : 10 x 10 cm

Fournitures :

100 g de fil d'Écosse Freccia n° 16, blanc 7901 ; un crochet acier n° 0,75. Drap et habillage de berceau.

Dimensions :

Motif A : 7 cm de hauteur.
Motif B : 6 cm de hauteur.
Motif C : 5,5 cm de hauteur.

Exécution :

Motif A : commencer avec une chaîn. de 49 m., puis faire 5 m. air (pour remplacer la 1re br. et le 1er arc.), 1 br. dans la 9e m. à partir du crochet, puis continuer le rg selon le diag. (16 rés. vides). Répéter toujours du 1er au 10e rg jusqu'à obtenir la longueur souhaitée, puis arrêter et couper le fil.

Motif B : commencer avec une chaîn. de 43 m., puis faire 5 m. air (pour remplacer la 1re br. et le 1er arc.), 1 br. dans la 9e m. à partir du crochet, puis continuer le rg selon le diag. (14 rés. vides). Répéter toujours du 1er au 12e rg jusqu'à obtenir la longueur souhaitée. Pour terminer, faire encore un 1er rg, puis arrêter et couper le fil.

Motif C : commencer avec une chaîn. de 37 m., puis faire 5 m. air (pour remplacer la 1re br. et le 1er arc.), 1 br. dans la 9e m. à partir du crochet, puis continuer le rg selon le diag. (12 rés. vides). Répéter toujours du 1er au 8e rg jusqu'à obtenir la longueur souhaitée. Pour terminer, faire encore un 1er rg, puis arrêter et couper le fil.

Finitions : laver toutes les pièces avant de les assembler. Mettre les frises en forme en le tendant parfaitement avec des épingles jusqu'à obtenir les dimensions indiquées. Laisser sécher et ôter les épingles quand elles sont parfaitement sèches. Coudre les frises à petits points cachés en fronçant celle destinée au volant du couffin.

Blanc sur blanc

Une parure de lit sublime dont les ornements de dentelle viennent souligner l'éclat de la toile fine du drap.

Blanc sur blanc

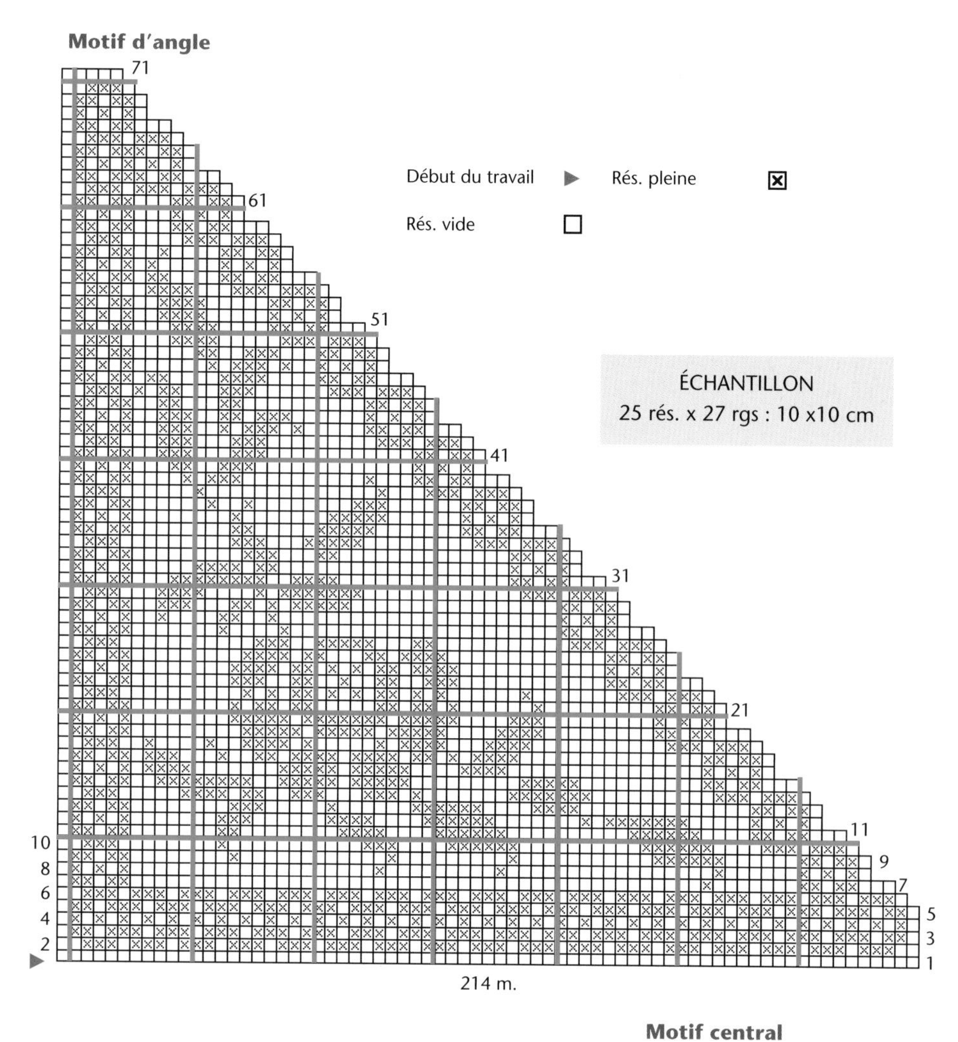

Fournitures :

100 g de fil d'Écosse n° 25 blanc 7901 ; crochet acier n° 0,60.

Dimensions :

Motif d'angle : 31 x 28 cm.
Motif central : 58 x 28 cm.

Exécution :

Motif d'angle : commencer par une chaîn. de 214 m. Faire 5 m. air (pour remplacer la 1re br. et le 1er arc.), 1 br. dans la 9e m. air à partir du crochet. Poursuivre le rg en se reportant au diag. (71 rés. vides). Continuer selon le diag. jusqu'à la fin du 71e rg. Arrêter et couper le fil. Faire 4 motifs d'angle en tout : 2 pour la taie d'oreiller et 2 pour le drap. Bien sûr, si vous souhaitez orner d'autres taies d'oreiller, il faudra donc prévoir 2 motifs par exemplaire.

Motif central : commencer par une chaîn. de 394 m. Faire 5 m. air (pour remplacer la 1re br. et le 1er arc.), 1 br. dans la 9e m. air à partir du crochet. Poursuivre le rg en se reportant au diag. (131 rés. vides). Continuer selon le diag. jusqu'à la fin du 67e rg. Arrêter et couper le fil.

Finitions : bien placer chacun des motifs d'angle dans un des coins des taies d'oreiller, les faufiler, puis les coudre à petits points. Découper ensuite les triangles de tissu sous les motifs en laissant 1 cm le long des 3 côtés pour l'ourlet. Donner un petit coup de ciseaux dans les angles pour que l'ourlet soit bien plat, replier l'ourlet, le faufiler et bien le lisser avec les doigts puis le coudre enfin à points cachés. Procéder de même pour le drap en veillant à placer le grand motif parfaitement au centre. Retirer les fils de faufilure et repasser.

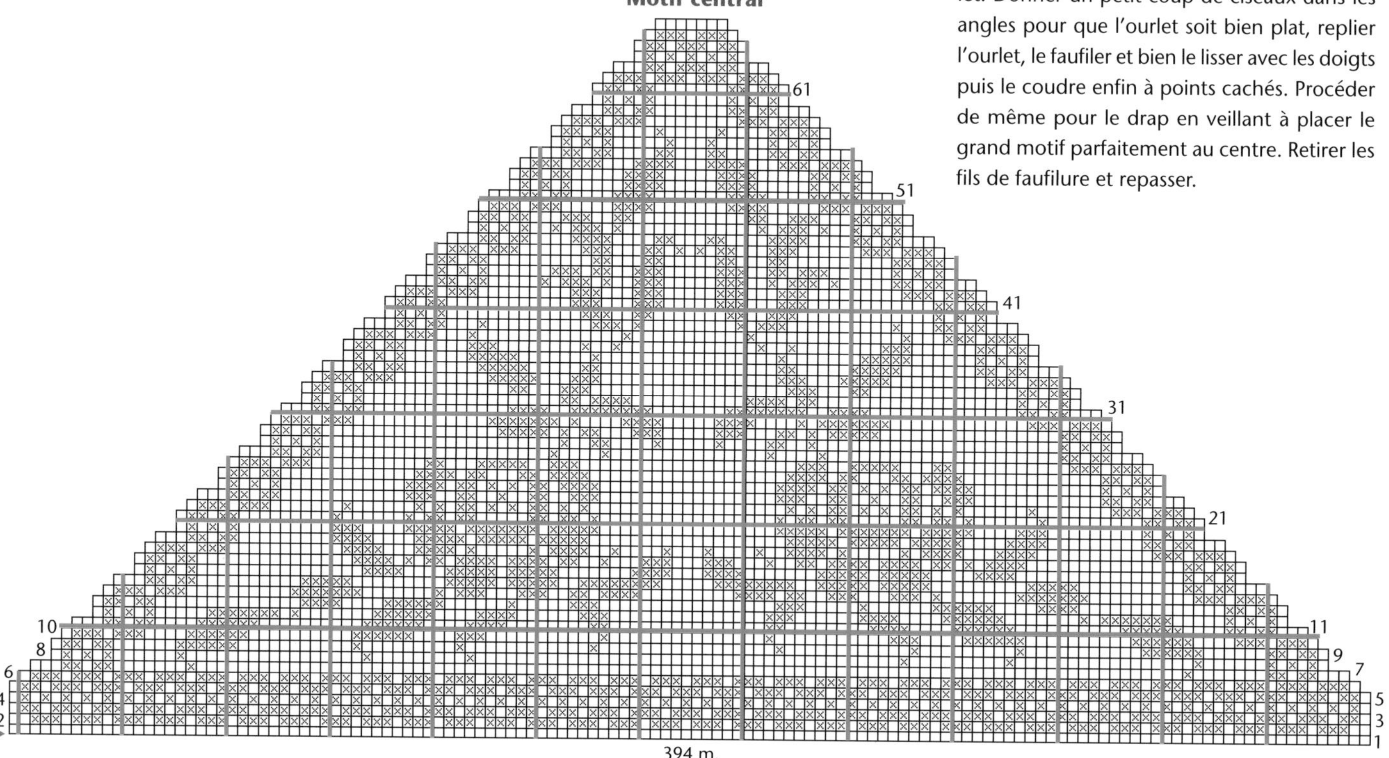

Lugano

La dentelle au crochet et le lin se marient à merveille.
Raffinement exquis ou simplicité sublime ? Les deux à la fois.

Lugano

Fournitures :

100 g de fil d'Écosse Freccia n° 25, blanc 7901 ; un crochet acier n° 0,60. Serviettes de toilette en toile de lin de 35 et 70 cm de large.

Dimensions :

La frise mesure 28 cm de hauteur.

ÉCHANTILLON
30 rés. x 30 rgs = 10 x 10 cm

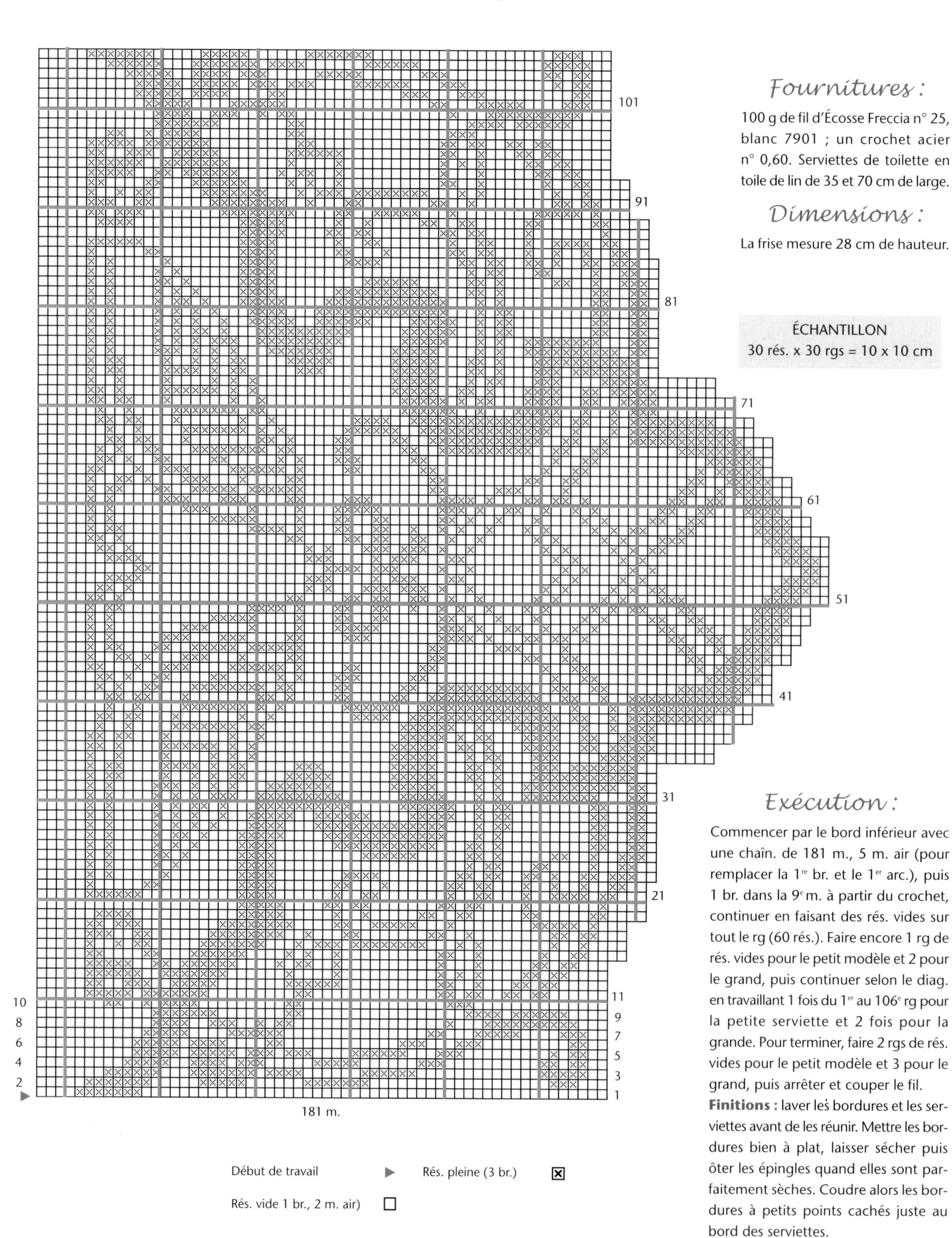

Exécution :

Commencer par le bord inférieur avec une chaîn. de 181 m., 5 m. air (pour remplacer la 1re br. et le 1er arc.), puis 1 br. dans la 9e m. à partir du crochet, continuer en faisant des rés. vides sur tout le rg (60 rés.). Faire encore 1 rg de rés. vides pour le petit modèle et 2 pour le grand, puis continuer selon le diag. en travaillant 1 fois du 1er au 106e rg pour la petite serviette et 2 fois pour la grande. Pour terminer, faire 2 rgs de rés. vides pour le petit modèle et 3 pour le grand, puis arrêter et couper le fil.

Finitions : laver les bordures et les serviettes avant de les réunir. Mettre les bordures bien à plat, laisser sécher puis ôter les épingles quand elles sont parfaitement sèches. Coudre alors les bordures à petits points cachés juste au bord des serviettes.

Fuchsia

Frise fleurie ou frise céleste, à vous de choisir pour faire vibrer encore plus les couleurs de l'éponge dans la salle de bains.

Fuchsia

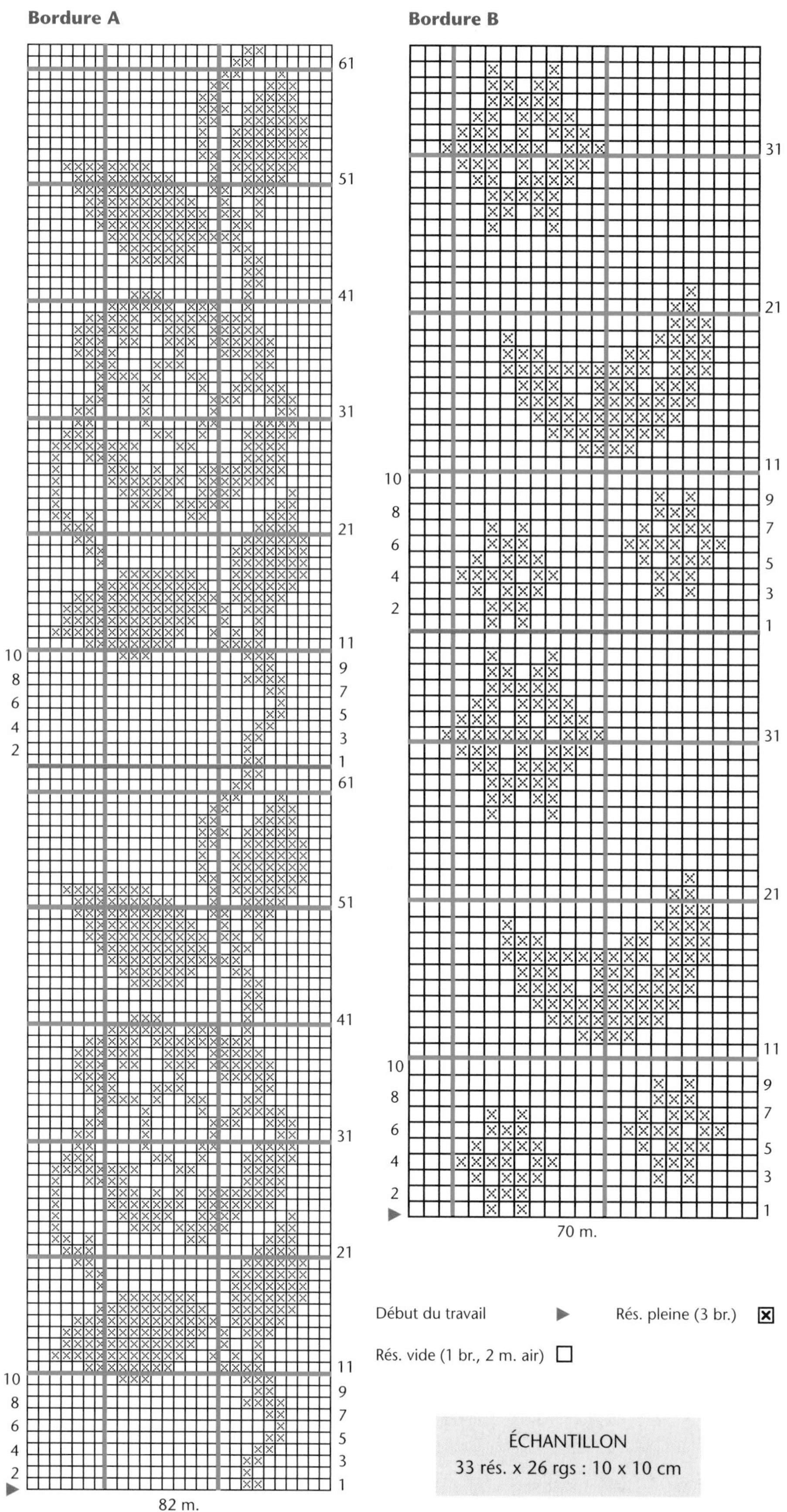

Début du travail ▶

Rés. pleine (3 br.) ☒

Rés. vide (1 br., 2 m. air) ☐

ÉCHANTILLON
33 rés. x 26 rgs : 10 x 10 cm

Fournitures :

100 g de fil d'Écosse Freccia n° 25, blanc 7901 pour les deux frises ; un crochet acier n° 0,60. Serviettes de toilette.

Dimensions :

La bordure A mesure 8 cm de hauteur.
La bordure B mesure 7 cm de hauteur.

Exécution :

Bordure A : commencer par une chaîn. de 82 m., faire 5 m. air (pour remplacer la 1re br. et le 1er arc.), 1 br. dans la 9e m. à partir du crochet, puis continuer le rg selon le diag. (27 rés.). Poursuivre ainsi selon le diag. en répétant toujours du 1er au 62e rg jusqu'à obtenir la longueur souhaitée, puis arrêter et couper le fil.

Bordure B : commencer par une chaîn. de 70 m., puis faire 5 m. air (pour remplacer la 1re br. et le 1er arc.), 1 br. dans la 9e m. à partir du crochet, puis continuer le rg selon le diag. (23 rés.). Poursuivre ainsi selon le diag. en répétant toujours du 1er au 37e rg jusqu'à obtenir la longueur souhaitée, puis arrêter et couper le fil.

Finitions : laver les frises et les serviettes avant de les réunir. Laisser sécher les frises à plat en les épinglant aux dimensions souhaitées. Faufiler les frises le long des petits côtés à une distance du bord plus ou moins grande selon la taille de vos serviettes (entre 10 et 15 cm). Coudre à petits points cachés.

Bord de mer

Pour que l'heure du bain soit aux couleurs de l'été, petits poissons et étoiles de mer se laissent prendre au filet !

Bord de mer

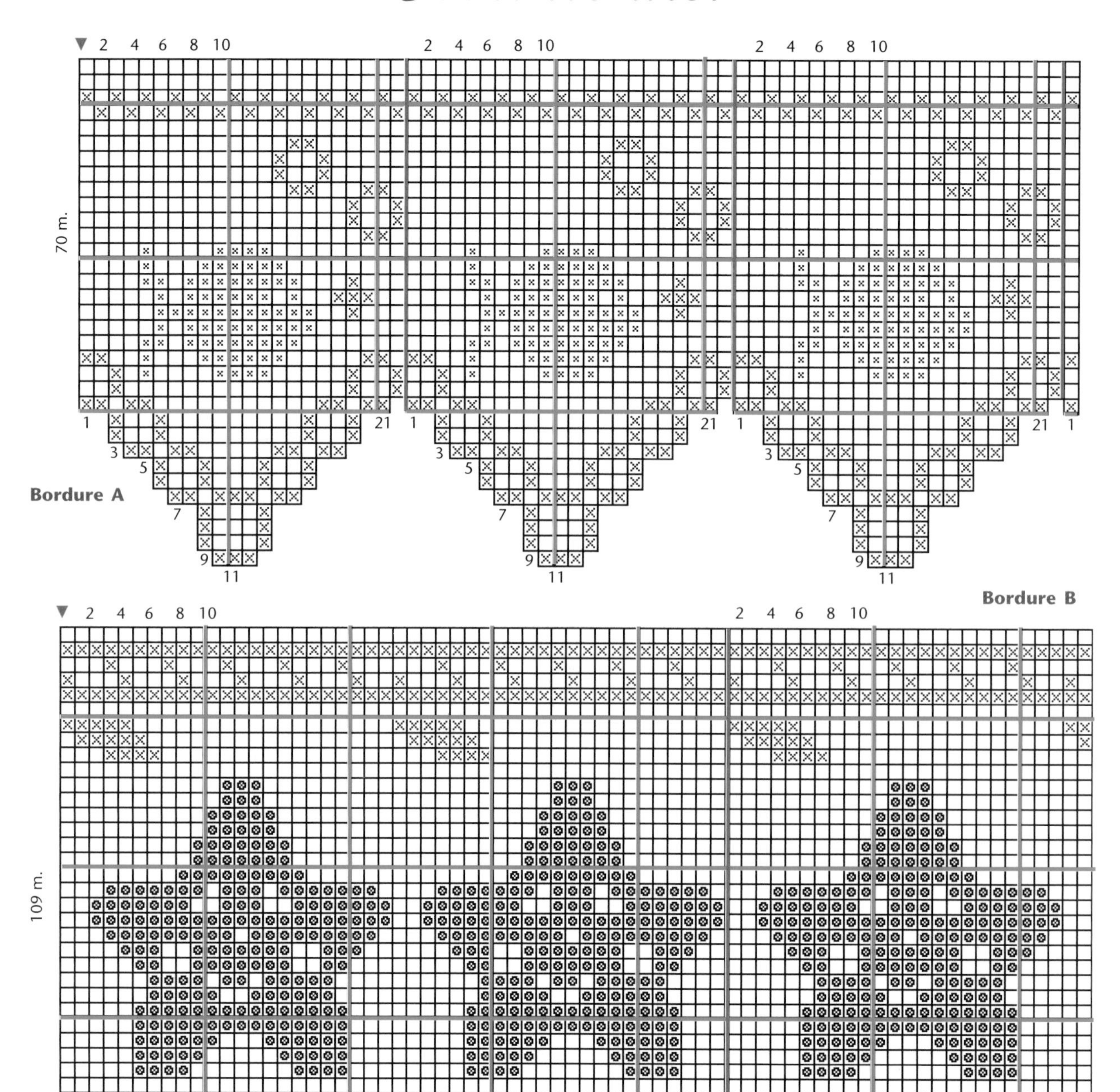

Début du travail ▶ — Rés. vide (1br., 2 m air) ☐ — Rés. pleine (3 br.) blanc ☒ — Rés. pleine (3 br.) vert d'eau — Rés. pleine (3 br.) jaune

ÉCHANTILLON
Bordure A : 31 rés. x 30 rgs : 10 x 10 cm
Bordure B : 19 rés. x 20 rgs : 10 x 10 cm

Fournitures :

Bordure A : 50 g de fil d'Écosse n° 25 blanc 7901 ; 50 g de fil d'Écosse vert d'eau 1489 ; crochet acier n° 0,60. **Bordure B :** 50 g de fil d'Écosse n° 16 blanc 7901 ; 50 g de fil d'Écosse jaune 986 ; crochet acier n° 0,75.

Dimensions :

Bordure A : 10,5 cm de hauteur.
Bordure B : 17,5 cm de hauteur.

Exécution :

Bordure A

Commencer par 1 chaîn. de base de 70 m. Faire 3 m. air (pour remplacer la 1re br.), 1 br. dans la 5e m. air à partir du crochet, poursuivre le rg selon le diagr. (23 rés.).

Continuer en suivant le diagr. et en répétant le motif du 1er au 22e rg jusqu'à obtenir la longueur désirée et en terminant le dernier motif au 21e rg. Arrêter et couper le fil.

Bordure B

Commencer par 1 chaîn. de base de 109 m. Faire 5 m. air (pour remplacer la 1re br. et le 1er arc.), 1 br. dans la 9e m. air à partir du crochet, poursuivre le rg selon le diagr. (36 rés.).

Continuer en suivant le diagr. et en répétant le motif du 1er au 46e rg jusqu'à obtenir la longueur désirée. Terminer en faisant encore un 1er rg, puis arrêter et couper le fil.

Comme un conte I

Une couverture « cocon » douce et confortable, aux motifs craquants pour le bien-être des tout-petits avec pour vous le plaisir d'offrir.

Comme un conte I

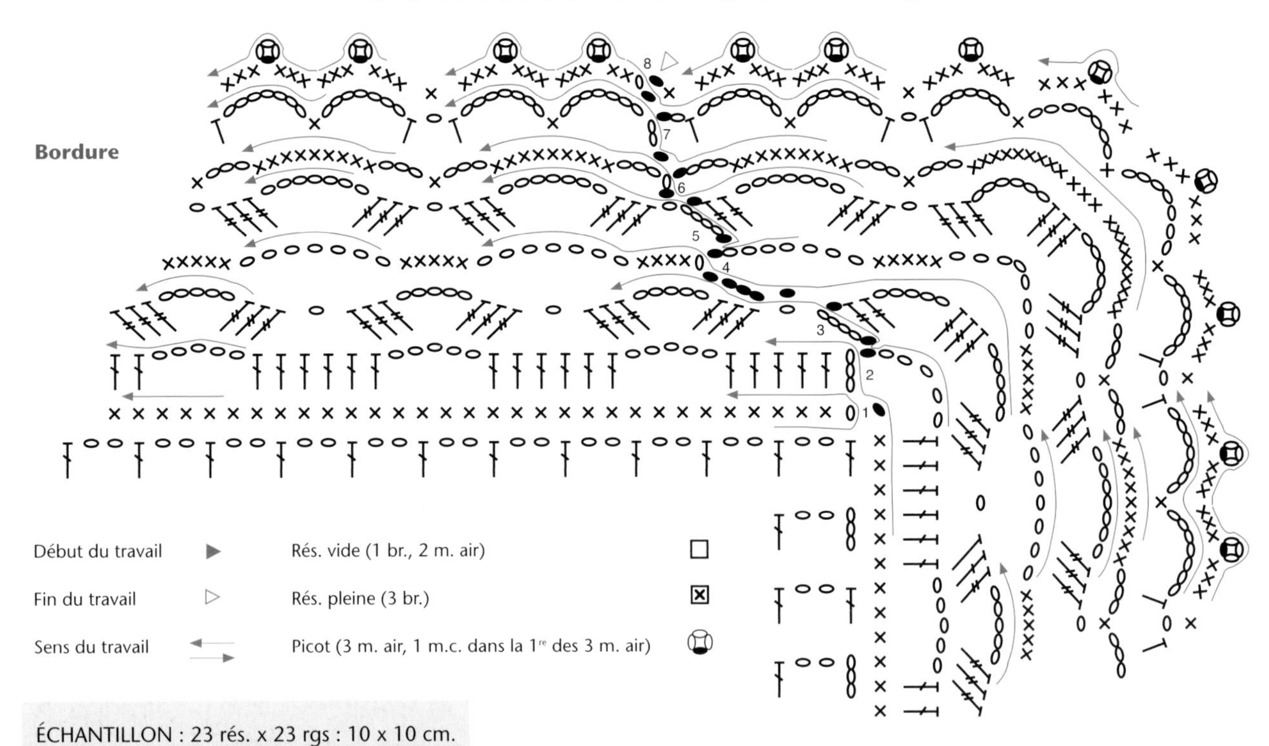

ÉCHANTILLON : 23 rés. x 23 rgs : 10 x 10 cm.

Fournitures :

150 g de fil d'Écosse n° 25, blanc 7901 ; un crochet acier n° 0,60. Une couverture en tissu fantaisie de 78 x 88 cm.

Dimensions :

La couverture au crochet mesure 72 x 82 cm.

Exécution :

Commencer par une chaîn. de 445 m., faire 5 m. air (pour remplacer la 1re br. et le 1er arc.), 1 br. dans la 9e m. à partir du crochet, puis continuer le rg selon le diag. (148 rés. vides). Poursuivre selon le diag. (fiche II). À la fin, du 178e rg, sans couper le fil, commencer la bordure.

Bordure : 1er tour : faire 1 t. de m.s. en remplaçant la 1re par 1 m. air. Placer les m. de manière à avoir sur chaque côté un nombre de m. multiple de 10 + 6 m. pour l'angle. Terminer le t. par 1 m.c. dans la m. air du début du t.

2e tour : 3 m. air (pour remplacer la 1re br.), 1 br. sur chacune des 5 m. suivante, *5 m. air, sauter 4 m., 1 br. sur chacune des 6 m. suivantes*. Répéter de *à* tout autour de la couverture comme indiqué sur le schéma. Dans l'angle, après les 6 br., faire 5 m. air, puis 6 br. sur chacune des 6 premières m. du côté suivant. Terminer par 1 m.c. dans 3e m. air du début du t.

3e tour : 1 m.c. sur la 1re m., 5 m. air (pour remplacer la 1re double br. et le 1er espace), *puis dans l'arc. suivant faire 3 doubles br., 5 m. air, 3 doubles br., 1 m. air, sauter le groupe de 6 br. suivant*. Répéter toujours de *à* sur tout le pourtour comme indiqué sur le schéma. Dans les arc. d'angle, faire 3 doubles br., 5 m. air, 3 doubles br., 5 m. air, 3 doubles br. Terminer par 1 m.c. dans la 4e m. air du début du t. Terminer dans le dernier angle par 3 doubles br., 5 m. air, 3 doubles br., 5 m. air, 2 doubles br., 1 m.c. dans la 4e m. air du début du t.

4e tour : 1 m.c. sur chacune des 5 premières m., 1 m. air (pour remplacer la 1re m.s.), 4 m.s. dans l'arc de 5 m. air du rg précédent, *7 m. air, 5 m. s. dans l'arc de 5 m. air suivant*. Répéter toujours de *à*, terminer par 1 m.c. dans la 1re m. air du t.

5e tour : 1 m.c. sur la 1re m., 5 m. air (pour remplacer la 1re double br. et le 1er espace de 1 m. air), *3 doubles br., 7 m. air, 3 doubles br. dans l'arc de suivant, 1 m. air*. répéter toujours de *à*. Dans les arc. d'angle, faire 3 doubles br., 6 m. air, 3 doubles br., 6 m. air, 3 doubles br. Dans le dernier angle, faire seulement 2 doubles br. dans le dernier groupe et faire 1 m.c. dans la 4e m. air du début du t. comme le montre le schéma.

6e tour : 1 m.c. sur la 5e m. air du t. précédent, 4 m. air, *9 m.s. dans l'arc. suivant de 7 m. air, 3 m. air, 1 m.s. sur la m. air suivante, 3 m. air*. Répéter toujours de *à*. Dans les angles, faire 9 m.s. dans le 1er arc. de 7 m. air, m. s. sur les 3 br. suivantes, 9 m.s. dans le 2e arc. de 7 m. air comme indiqué sur le schéma. Terminer par 1 m.c. sur la 1re m. air du t.

7e tour : 1 m.c. sur la 2e m. air du t. précédent comme le montre le schéma, 9 m. air (dont 2 pour remplacer la 1re demi-br.), *1 m.s. dans la 5e m.s. du t. précédent, 7 m. air, 1 demi-br. dans l'arc. suivant de 3 m. air, 1 m. air, 1 demi-br. dans l'arc suivant, 7 m. air. Répéter toujours de *à*. Dans les angles, 1 m.s. dans la 5e m.s. du t. précédent, 7 m. air, sauter 5 m.s., puis 1 m.s. sur la m.s. suivante, 7 m. air, sauter 5 m., 1 m.s. dans la m.s. suivante comme indiqué sur le schéma. Terminer par 1 m.c. dans la 2e m. air du début du t.

8e tour : 1 m.c., *3 m.s. dans le 1er arc. (remplacer la 1re par 1 m. air), 1 picot, 3 m.s. dans le même arc., 3 m.s. dans l'arc. suivant, 1 picot, 3 m.s. dans le même arc., 1 m.s. sur la m. air entre 2 demi-br. du t. précédent*. Répéter toujours de *à*. Dans les angles, faire 2 fois : 3 m.s. dans le 1er arc., 1 picot, 3 m.s. dans le même arc., 3 m.s. dans l'arc. suivant, 1 picot, 3 m.s. dans le même arc. Terminer par 1 m.c dans la 1re m. air du t. Arrêter et couper le fil.

Finitions : laver les deux pièces avant de les réunir. Faire sécher la couverture crochetée bien à plat en l'épinglant aux dimensions voulues. Placer ensuite la couverture au crochet sur celle en tissu en la centrant parfaitement. Faufiler, puis coudre à petits points cachés. Ôter les fils de faufilure.

Comme un conte II

Ce modèle sera tout aussi charmant travaillé dans un fil pastel et posé sur un tissu plus clair qui mettra les motifs en relief.

Comme un conte II

Matin bonheur

La journée s'annonce belle avec ce modèle léger comme un souffle qui laisse joliment parler les cœurs.

Matin bonheur

Module A

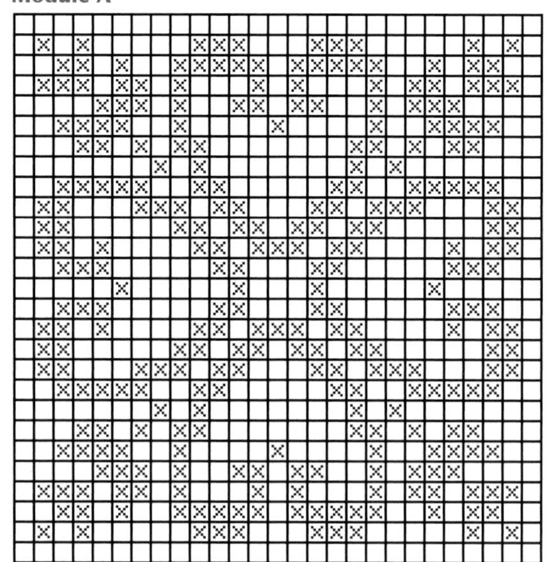

Module B

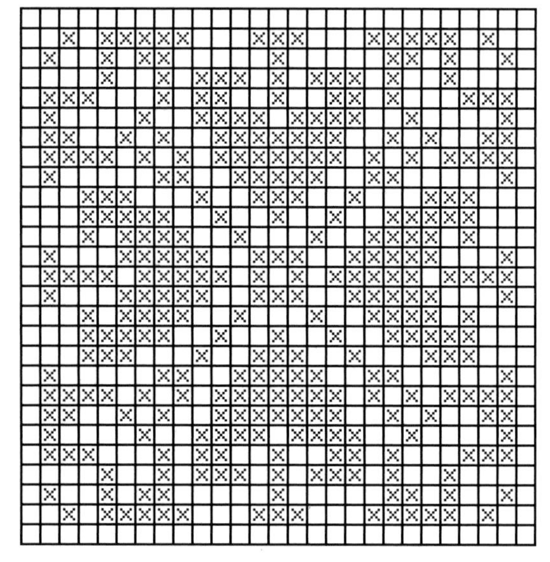

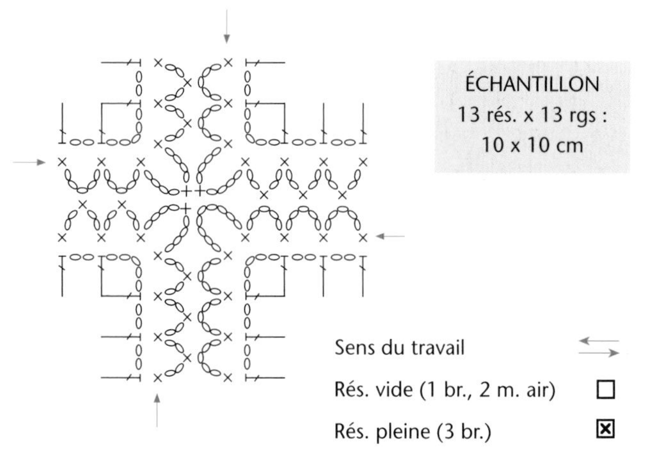

Fournitures :

Environ 2 000 g de fil de coton ; un crochet acier n° 2,00. Le poids du fil varie en fonction de sa qualité et des dimensions souhaitées. Il est conseillé de faire un échantillon assez grand, de le mesurer et de le peser afin de calculer le poids de fil nécessaire.

Dimensions :

260 x 160 cm.

Chaque module mesure 21 cm de côté.

Exécution :

Pour réaliser ce dessus-de-lit destiné à un lit d'une place il faut 52 modules dans chacun des motifs, soit 104 en tout. Il est bien sûr possible de l'adapter à un lit plus grand en augmentant le nombre de modules en fonction de vos dimensions et en tenant bien compte de la répartition en quinconce des deux motifs.

Module A : se travaille en rond. Faire une boucle de 12 m. et la fermer par 1 m.c.

1er tour : 5 m. air (pour remplacer la 1re br. et le 1er arc.), *sauter 2 m., 1 br., 5 m. air et 1 br. dans la m. suivante, 2 m. air*, répéter 3 fois de *à* ; sauter 2 m., 1 br. dans la 1re m. air du t., 5 m. air et fermer le t. par 1 m.c. dans la 3e m. air du début du t. Continuer au point de filet selon le schéma. Fermer tous les t. par 1 m.c. dans la 3e m. air du début du t. Pour chaque rés. vide d'angle, faire 5 m. air entre 2 br. Pour chaque rés. pleine d'angle, faire comme indiqué pour le module B. À la fin du 13e t., arrêter et couper le fil.

Module B : se travaille en rond. Faire une boucle de 12 m. et la fermer par 1 m.c.

1er tour : *3 br. dans le cercle (remplacer la 1re par 3 m. air), tourner le travail à 90° dans le sens des aiguilles d'une montre, 3 br. dans le corps de la dernière br. effectuée (remplacer la 1re br. par 3 m. air), 1 br. dans la base de la même br.* ; répéter 3 fois de *à*, fermer ce t. et les suivants par 1 m.c. dans la 1re m. du t. Continuer au point de filet jusqu'à la fin du 13e t. Pour chaque rés. vide d'angle, faire 5 m. air entre 2 br. Pour chaque rés. pleine, faire comme indiqué au 1er tour. Arrêter et couper le fil.

Finitions : laver les modules et les faire sécher en les fixant sur un support avec des épingles aux dimensions voulues. Quand ils sont secs, retirer les épingles. Chaque pièce est ainsi prête pour l'assemblage. Préparer des rangées de 8 modules en alternant les motifs A et B et en commençant une rangée par le motif A et la suivante par le motif B. Faire un tour d'arc. autour 1er module selon le schéma en attachant le fil sur l'endroit du travail par 1 m.c. et en terminant par 1 m.c. dans la 1re m. du t. Arrêter et couper le fil. Faire de même pour le module suivant sur 3 côtés, et au cours du 4e côté le réunir au module précédent selon le schéma. Pour la seconde rangée, faire 3 côtés d'arc. autour du 1er module, puis le réunir par le 4e côté au module en vis-à-vis de la 1re rangée. Pour le 2e module, faire 2 côtés d'arc. puis le réunir au précédent par le 3e côté et à la 1re rangée par le 4e côté. Dans les angles, les 4 arc. de 9 m. sont réunis entre eux par 1 m.s. Sur les bords du dessus-de-lit, les arc. d'angle sont réunis 2 par 2. À la fin de l'assemblage, repasser délicatement l'ouvrage.

Marelle I

Pour dire leur tendresse et leur joie, les fées du crochet se sont penchées sur cette couverture blanche délicieusement ponctuée de petites fleurs pastel.

Marelle I

MOTIF (trav. les t. 1 à 9 avec le fil couleur)

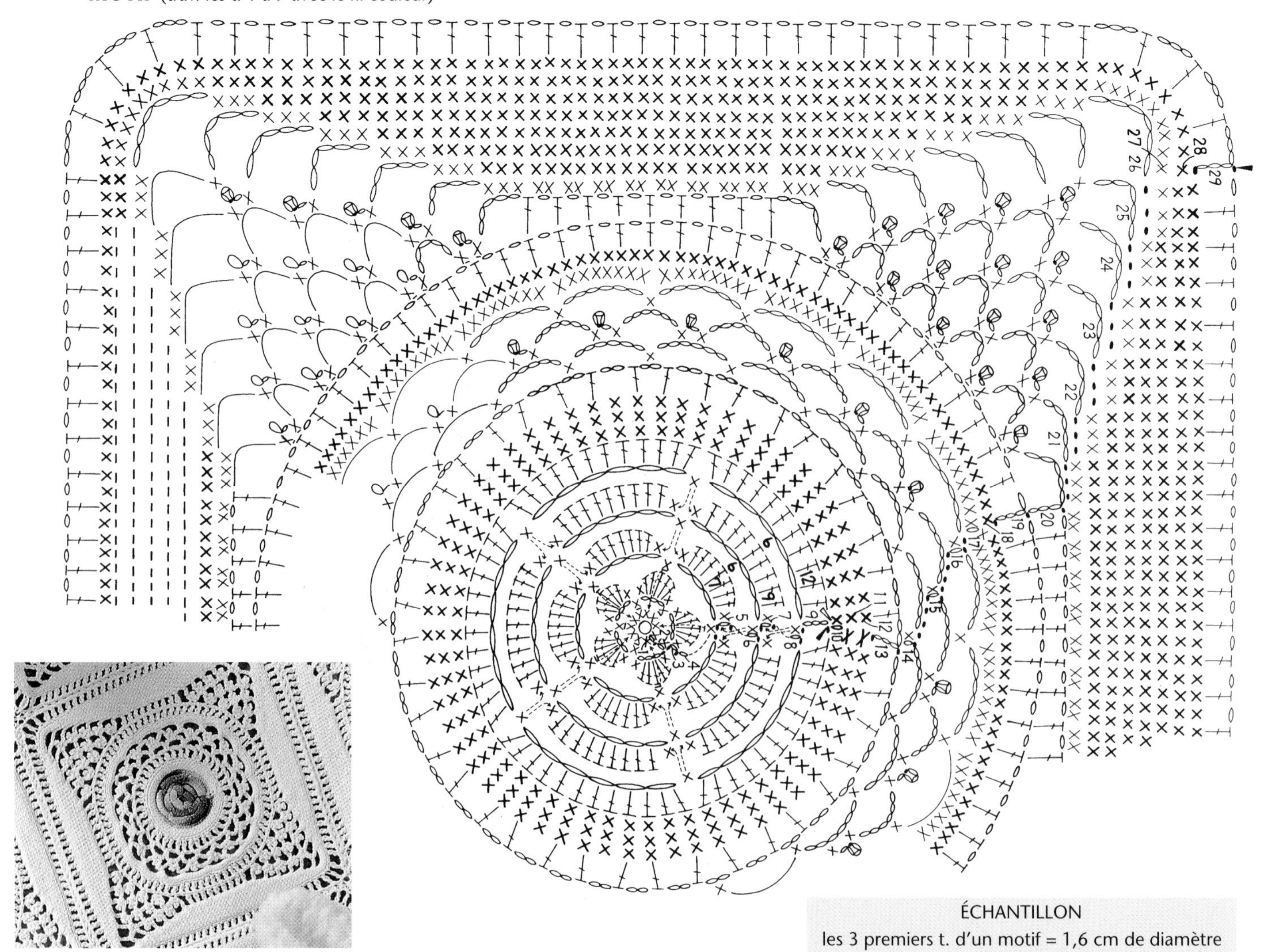

ÉCHANTILLON
les 3 premiers t. d'un motif = 1,6 cm de diamètre

Fournitures :

260 g de Cébélia, Art. 167 n° 20 blanc, crochet métallique n° 1.50 ; coton perlé jaune n° 90, orange n° 106, bleu n° 67, vert n° 114.

Dimensions :

63 x 59 cm.

Exécution :

Motif (16 fs) : 1er tour : commencer par 1 m. air et 10 m.s. dans une boucle formée avec l'extrémité du fil couleur (voir dessin), fermer par 1 m.c. piquée sur la 1re m.s.

2e tour : faire 1 m. air et en piquant les m.s. sous le brin arrière des m. du t. précéd., rép. 5 fs *1 m.s., 3 m. air, sauter 1 m.*, fermer comme le 1er t. et faire une autre m.c. dans le 1er arc.

3e tour : voir schéma.

4e tour : rabattre les pétales du 3e t. vers soi et en piquant sous le brin arrière des m.s. restées libres du 1er t., rép. *1 m.s., 4 m. air*, fermer comme le 1er t.

5e au 9e tour : en rabattant les pétales des t. précéd. vers soi, former 3 autres corolles de pétales d'après le schéma. Piquer les m.s. des t. d'arc. entre les 2 m.s. corresp. du t. précéd. comme indiqué par les flèches pointillées. Fermer le 9e t. par 1 m.c. piquée dans la 3e des 3 m. air qui remplacent la 1re br. et couper le fil.

10e au 29e tour : attacher le fil blanc sur la même m. que la m.c. qui ferme le 9e t. et cont. d'après le schéma et l'explication des symboles qui l'accompagnent (voir pour ceux-ci p. 154). Couper le fil à la fin du 29e t. Crocheter ainsi séparément 16 motifs avec les fils couleurs corresp. d'après le dessin.

Assemblage des motifs : placer les motifs end. sur end. et les assembler entre eux en rép. *1 m.s., 2 m. air* et en piquant les m.s. sous le brin arrière des m. air corresp. des 2 motifs à assembler comme le montre le schéma.

Finitions : bordure : 1er au 7e rang : rattacher le fil dans le 4e arc. de 3 m. de l'angle droit du motif A (voir triangle blanc p. 154) et en suiv. les flèches pour le sens du trav., crocheter 9 rgs sur 3 côtés d'après le schéma corresp. Couper le fil à la fin du 5e rg pour le rattacher sur la dernière triple br. du 4e rg afin que les groupes de triples br. écoulées ens. du 6e t. paraissent sur l'end. de l'ouvrage.

8e tour : former les éventails de br. avec picot sur les 3 côtés de l'ouvrage, cont. sur le 4e côté en trav. des m.s. piquées sous le brin arrière des m. de la lisière des motifs, fermer par 1 m.c. piquée dans la 3e m. air du début et couper le fil.

Marelle II

Au cœur de chaque motif, la touche fantaisie des fils colorés s'accorde à l'esprit classique du fil blanc et fait de ce modèle un concentré de douceur et de gaieté.

Marelle II

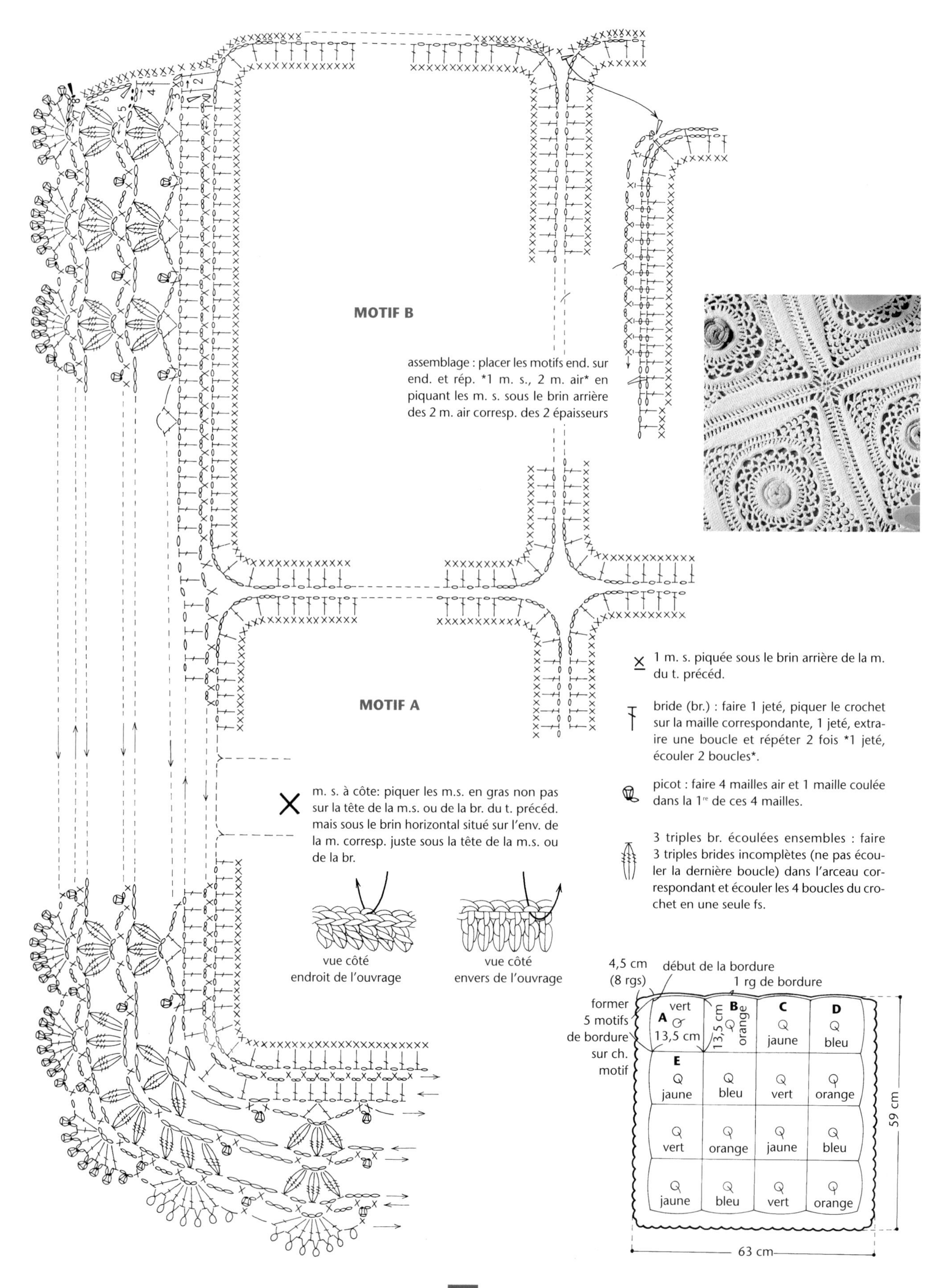
MOTIF B
assemblage : placer les motifs end. sur end. et rép. *1 m. s., 2 m. air* en piquant les m. s. sous le brin arrière des 2 m. air corresp. des 2 épaisseurs
MOTIF A
1 m. s. piquée sous le brin arrière de la m. du t. précéd.
bride (br.) : faire 1 jeté, piquer le crochet sur la maille correspondante, 1 jeté, extraire une boucle et répéter 2 fois *1 jeté, écouler 2 boucles*.
picot : faire 4 mailles air et 1 maille coulée dans la 1re de ces 4 mailles.
3 triples br. écoulées ensembles : faire 3 triples brides incomplètes (ne pas écouler la dernière boucle) dans l'arceau correspondant et écouler les 4 boucles du crochet en une seule fs.
m. s. à côte: piquer les m.s. en gras non pas sur la tête de la m.s. ou de la br. du t. précéd. mais sous le brin horizontal situé sur l'env. de la m. corresp. juste sous la tête de la m.s. ou de la br.
vue côté endroit de l'ouvrage
vue côté envers de l'ouvrage
4,5 cm (8 rgs)
début de la bordure
1 rg de bordure
former 5 motifs de bordure sur ch. motif
A vert 13,5 cm
B orange 13,5 cm
C jaune
D bleu
E jaune
bleu
vert
orange
vert
orange
jaune
bleu
jaune
bleu
vert
orange
59 cm
63 cm

Aubade

Un ensemble d'hexagones aux bords ajourés
et au cœur joliment fleuri qui fera chanter les beaux matins dorés.

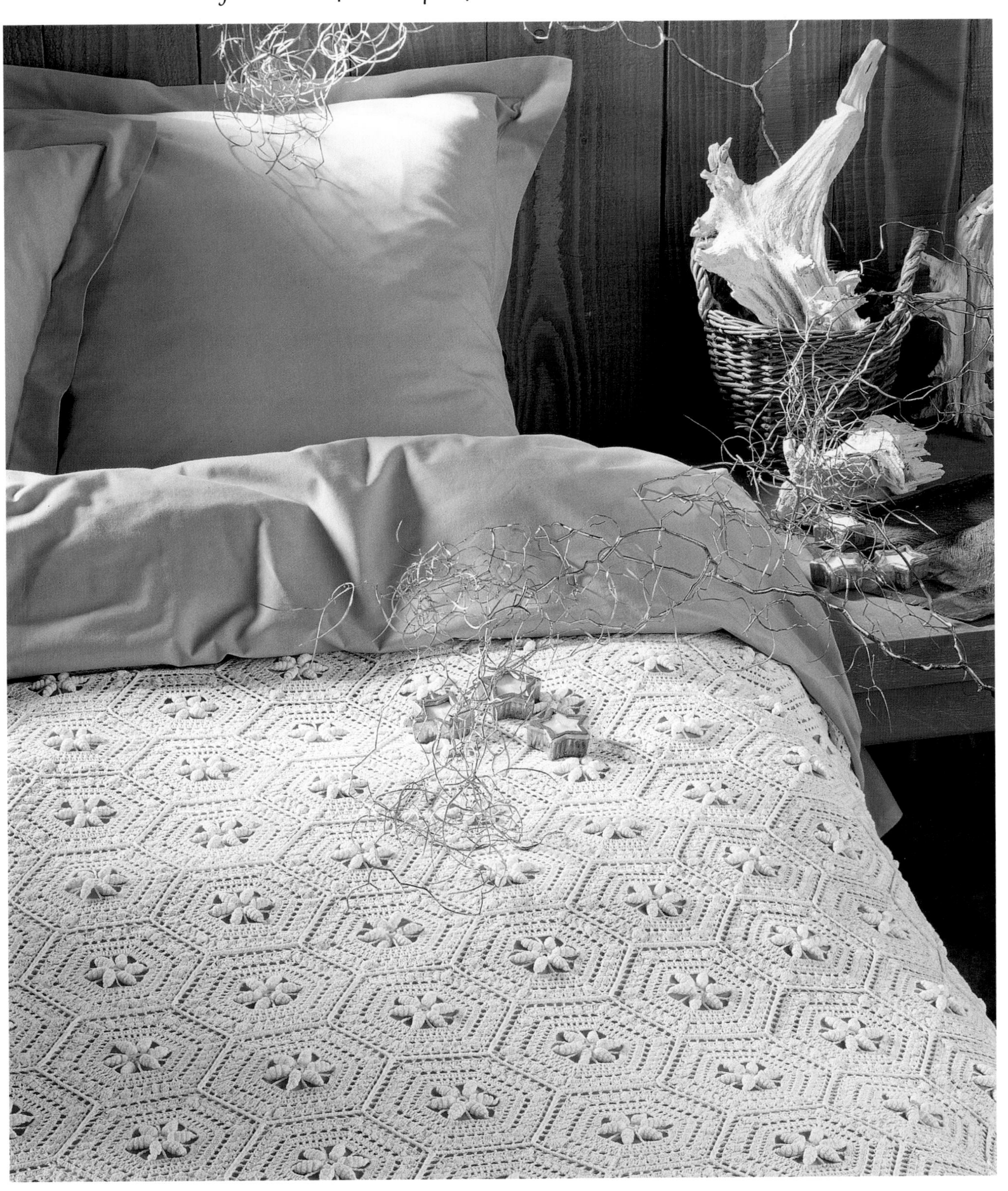

Aubade

Fournitures :

850 g de fil d'Écosse n° 30, blanc ; crochet acier n° 1,25.

Dimensions :

120 x 199,5 cm.

Exécution :

Trav. les 181 hexagones A et les 18 demi-hexagones B séparément.

Motif A : 1er tour : commencer par 1 m. air et 12 m.s. dans un rond de 8 m., 1 m.c. sur la 1re m.s.

2e tour : former chacune des spirales sur une chaîn. de base de 8 m. en piquant 8 groupes de 5 br. tantôt sur l'end., tantôt sur l'env. comme indiqué par le schéma détaillé. Après avoir complété le 8e groupe de 5 br. de chaq. spirale, faire 1 m.c. sur les 2 m. suiv. du 1er t.

3e au 10e tour : sans couper le fil, à la fin du 2e t., trav. 1 t. de sextuples br. (remplacer la 1re par 8 m. air et pour les suiv., faire 6 jetés et les écouler 2 par 2), m.s. et arc. d'après le schéma. Pour les groupes de 4 br. écoulées ens. du 9e t., faire 1 br. incomplète (ne pas écouler la dernière boucle) sur les 4 m. corresp. et écouler les 5 boucles en une seule fs. Fermer chaq. t. par 1 m.c. et avancer en m.c. sur la m. corresp. si nécessaire. Couper le fil à la fin du 10e t.

Motif B : commencer dans un rond de 5 m. et trav. 11 rgs aller-retour d'après le schéma corresp.

Assemblage des motifs : superposer les motifs (voir dessin) end. sur end. et les relier entre eux en m.s. piquées sous le brin arrière des 2 m. corresp. Repasser chaq. rg d'assemblage sur l'end.

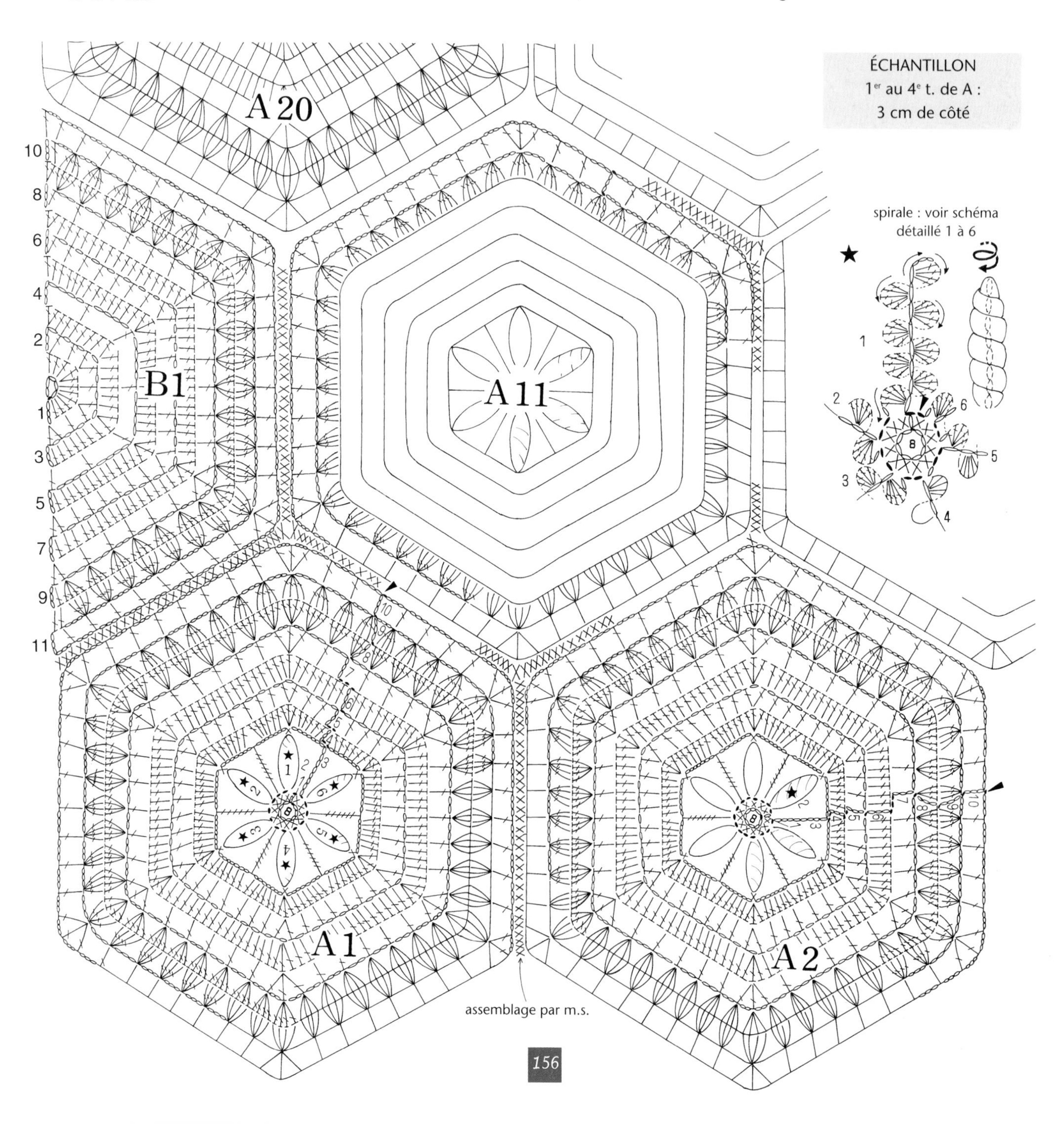

Victoria

Avec ce modèle raffiné que vient animer la pointe rustique du fil écru,
il règne dans la chambre une atmosphère paisible.

Victoria

Fournitures :

2 400 g de Cébélia, Art. 167, n° 20 écru ; crochet acier n° 1,25.

Dimensions :

Voir dessin.

Exécution :

Motif : commencer dans un rond de 8 m. et suivre le schéma. Pour les pts popcorn, faire 5 br. sur la même m. ou dans le même arc., étirer un peu la boucle de la dernière br., retirer le crochet de l'ouvrage, le piquer dans la 1re des 5 br., reprendre la m. lâchée et l'extraire en tirant le fil pour resserrer.

Assemblage des motifs : au cours du 19e t., assembler les motifs entre eux (voir dessin) en remplaçant la m. air centrale des arc. de 3, 5 et 7 m. air par 1 m.c. piquée dans l'arc. corresp. du motif voisin.

Bordure et franges : trav. 1 t. sur le pourtour des 70 motifs assemblés et nouer les franges comme indiqué sur le dessin.

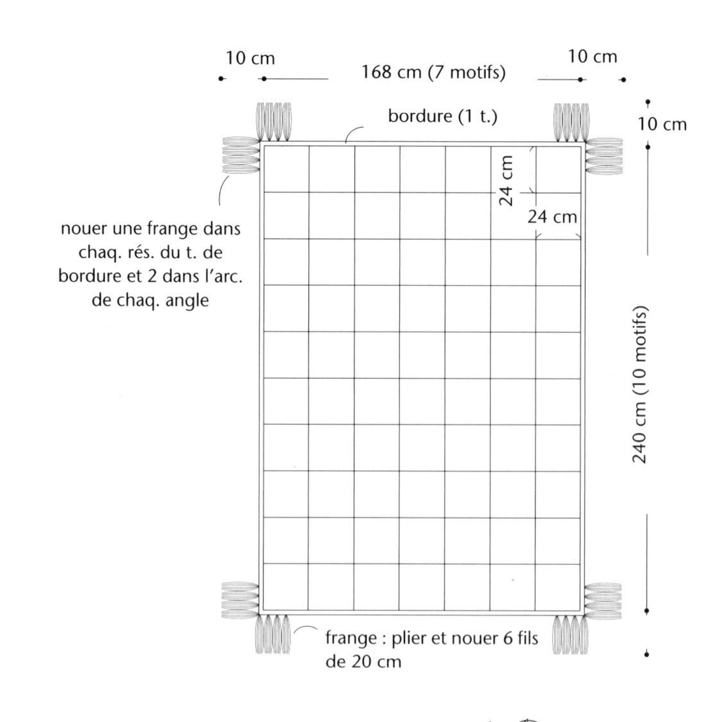

ÉCHANTILLON
1er et 2e t. : 2,5 x 2,5 cm

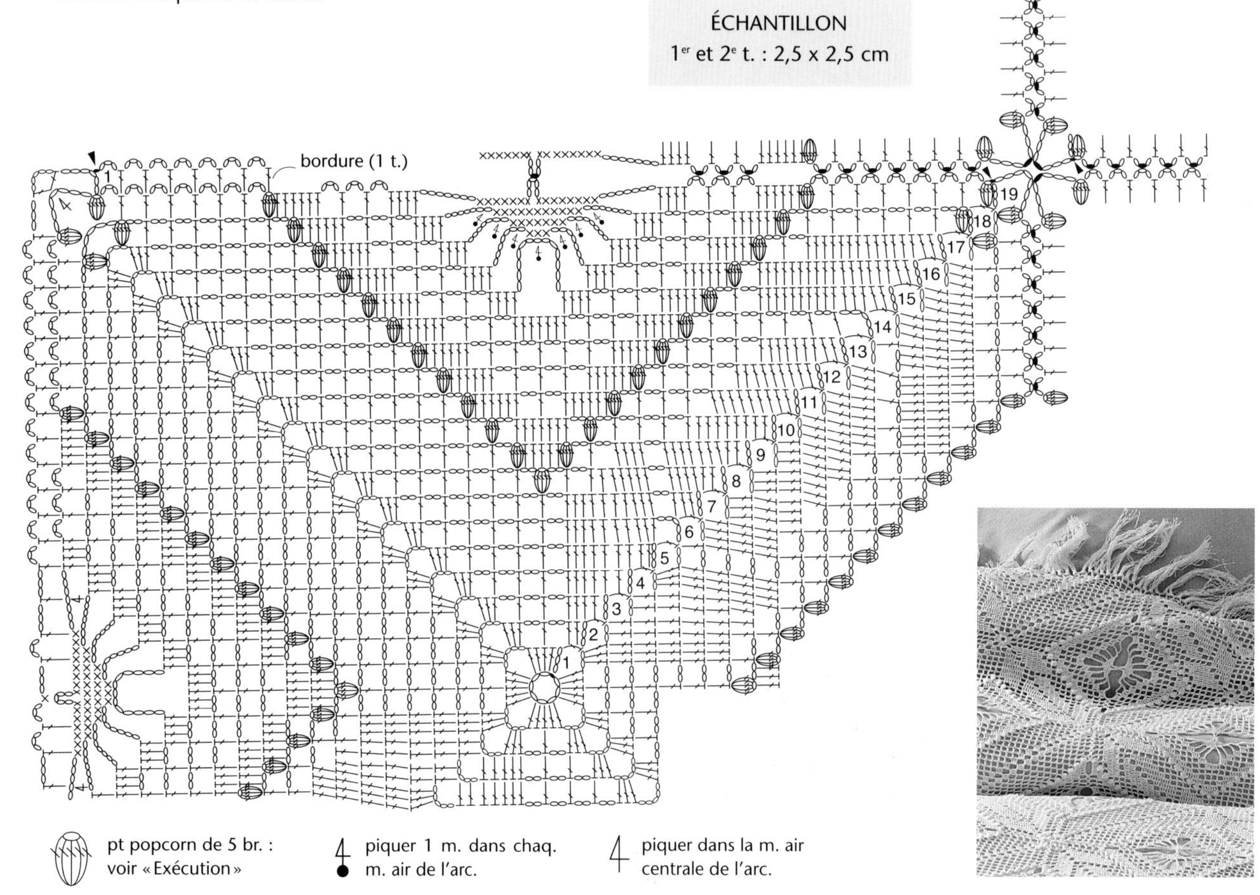

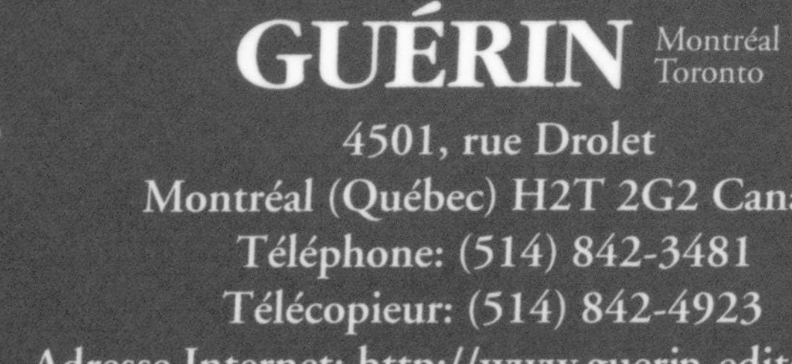

GUÉRIN Montréal Toronto

4501, rue Drolet
Montréal (Québec) H2T 2G2 Canada
Téléphone: (514) 842-3481
Télécopieur: (514) 842-4923
Adresse Internet: http://www.guerin-editeur.qc.ca
Courrier électronique: francel@guerin-editeur.qc.ca

Semis de fleurs

Des cortèges de fleurettes viennent souligner avec grâce la rencontre des modules qui séduisent par la pureté de leurs lignes.

Semis de fleurs

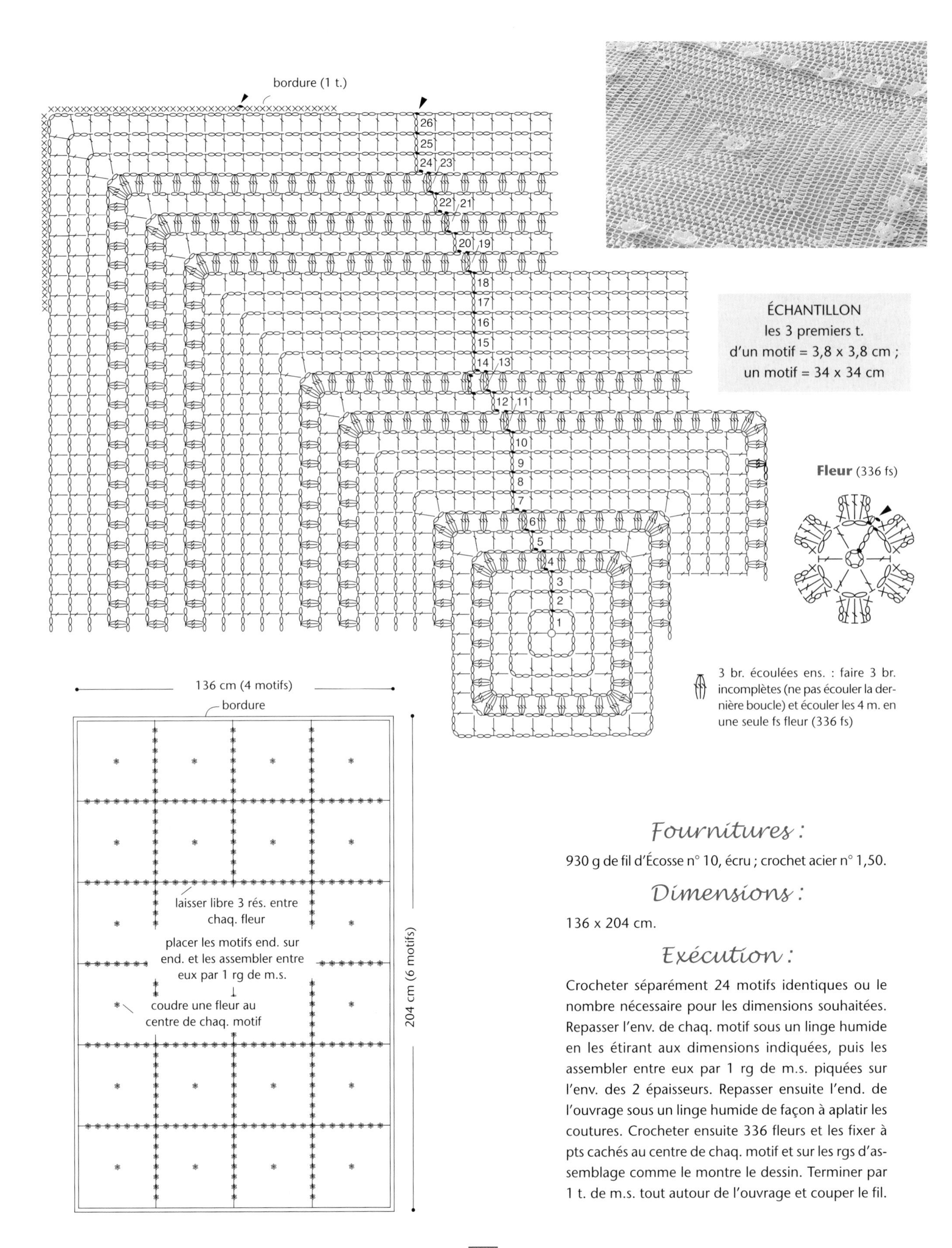

Fournitures :

930 g de fil d'Écosse n° 10, écru ; crochet acier n° 1,50.

Dimensions :

136 x 204 cm.

Exécution :

Crocheter séparément 24 motifs identiques ou le nombre nécessaire pour les dimensions souhaitées. Repasser l'env. de chaq. motif sous un linge humide en les étirant aux dimensions indiquées, puis les assembler entre eux par 1 rg de m.s. piquées sur l'env. des 2 épaisseurs. Repasser ensuite l'end. de l'ouvrage sous un linge humide de façon à aplatir les coutures. Crocheter ensuite 336 fleurs et les fixer à pts cachés au centre de chaq. motif et sur les rgs d'assemblage comme le montre le dessin. Terminer par 1 t. de m.s. tout autour de l'ouvrage et couper le fil.

Noirmoutier I

Des couronnes de fleurs composent cette petite nappe raffinée et légère qui se marie au bleu vif pour encore plus d'éclat.

Noirmoutier I

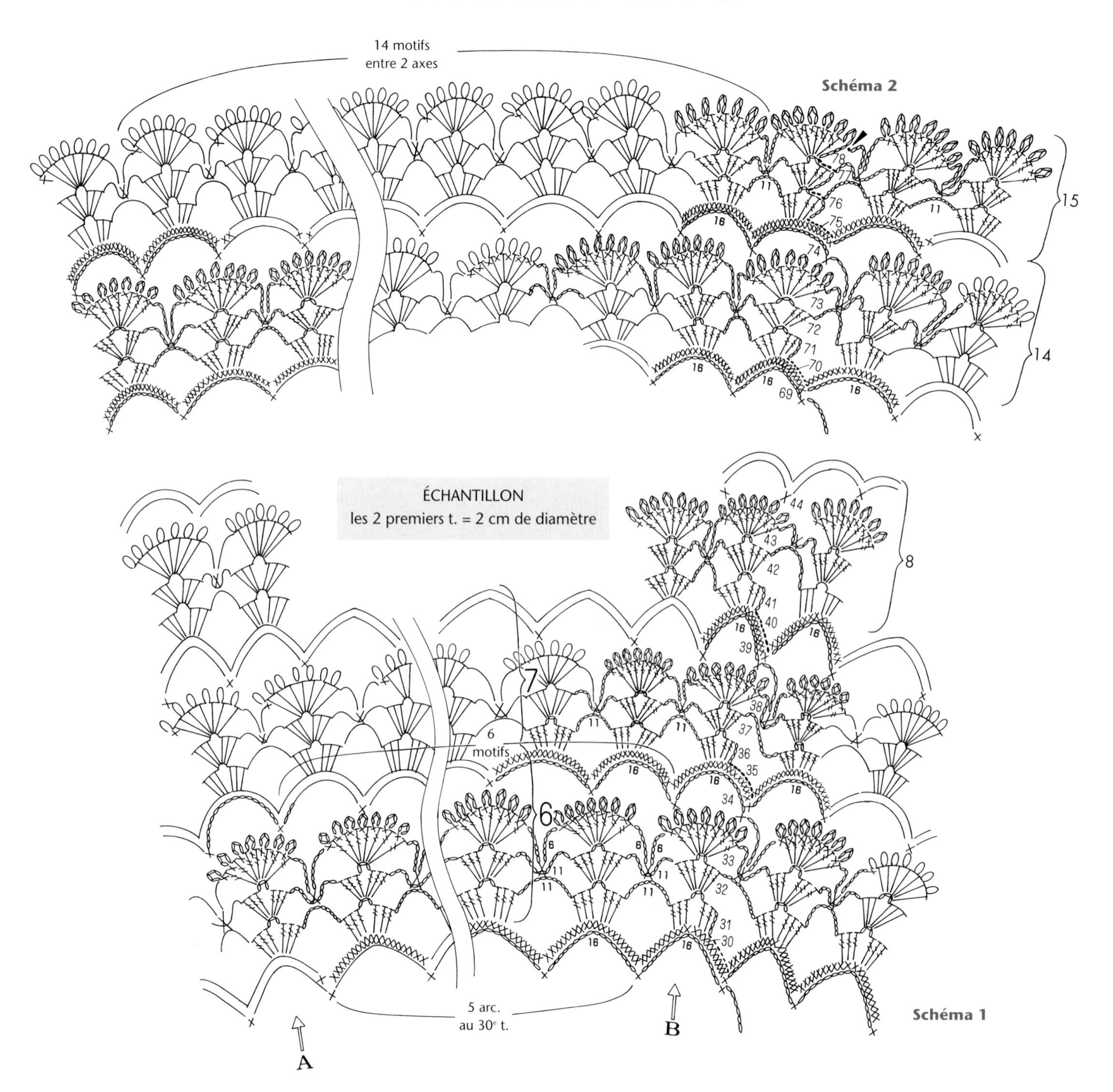

Fournitures :

200 g de Babylo, Art. 147, n° 40, blanc; crochet acier n° 0,60.

Dimensions :

82 cm de diamètre.

Exécution :

1er au 5e tour : commencer par 20 br. dans un rond de 12 m. et compléter la fleur centrale d'après le schéma de manière à obtenir 10 pétales identiques (voir p. 164).

6e au 8e tour : former la 1re couronne de 10 motifs en spirale (= sans fermer les t.) comme le montre le schéma.

Au cours du 8e t., pour les doubles br. avec picot, faire 1 double br. dans l'arc. de la coq., 4 m. air et 1 m. s. sous la lisière du corps de la double br. Entre les motifs, piquer les m.s. sous les arc. des 2 t. précéd. en même temps (voir p. 164).

9e au 30e tour : augm. 1 arc. sur chaq. motif au cours du 9e t. et marquer ces arc. augm. formant les 10 axes de l'ouvrage. Cont. en formant les corolles 2 à 5 d'après le schéma 1 (voir p. 164), en augm. progressivement le nombre de motifs pour chaq. pétale et en rép. toujours le même trav. entre chaq. axe indiqué par A et B sur le schéma.

31e au 78e tour : former les couronnes 6 à 15 d'après le schéma 2 sachant que le 30e t. est représenté une 2e fs pour la coupure du schéma.

Noirmoutier II

C'est sur l'harmonieuse récurrence des fleurettes à picots que repose le charme de ce modèle.

Noirmoutier II

couronne	nombre de motifs entre A et B
15	14
14	13
13	12
12	11
11	10
10	9
9	8
8	7

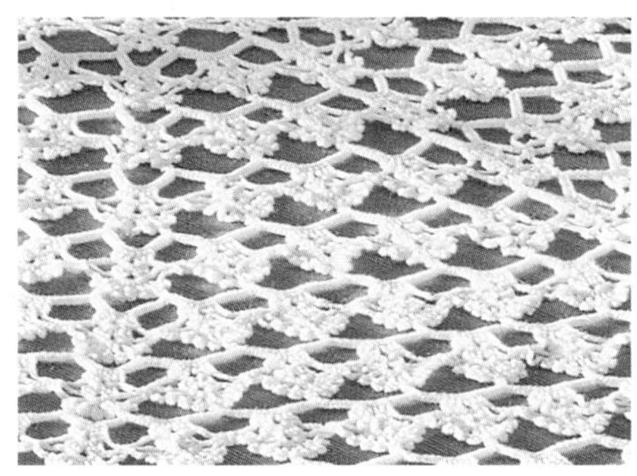

Escapade

Équilibre et harmonie règnent sur cette composition où un motif de fleurs et feuilles stylisées se répète dans une parfaite symétrie.

Escapade

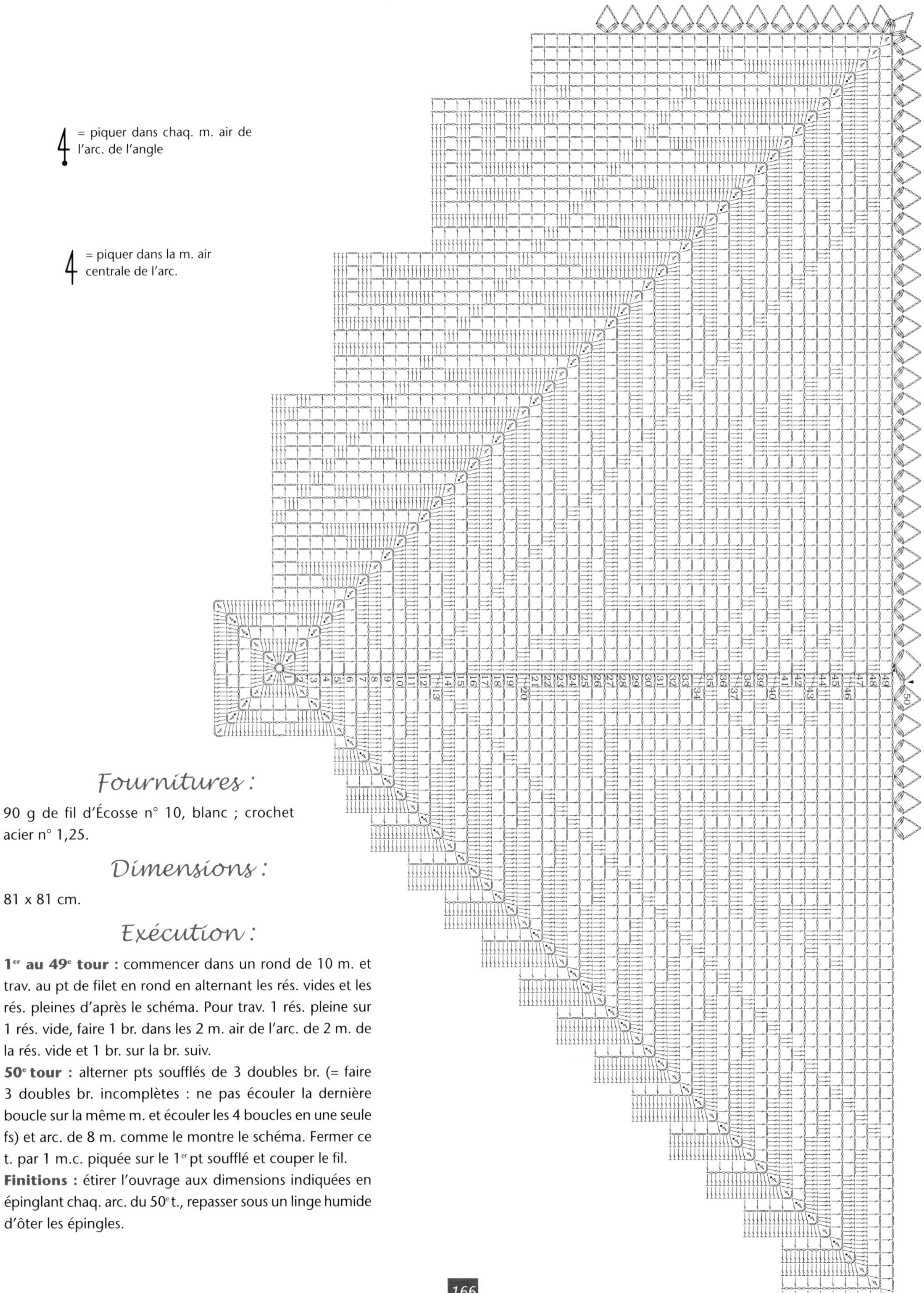

Fournitures :

90 g de fil d'Écosse n° 10, blanc ; crochet acier n° 1,25.

Dimensions :

81 x 81 cm.

Exécution :

1er au 49e tour : commencer dans un rond de 10 m. et trav. au pt de filet en rond en alternant les rés. vides et les rés. pleines d'après le schéma. Pour trav. 1 rés. pleine sur 1 rés. vide, faire 1 br. dans les 2 m. air de l'arc. de 2 m. de la rés. vide et 1 br. sur la br. suiv.

50e tour : alterner pts soufflés de 3 doubles br. (= faire 3 doubles br. incomplètes : ne pas écouler la dernière boucle sur la même m. et écouler les 4 boucles en une seule fs) et arc. de 8 m. comme le montre le schéma. Fermer ce t. par 1 m.c. piquée sur le 1er pt soufflé et couper le fil.

Finitions : étirer l'ouvrage aux dimensions indiquées en épinglant chaq. arc. du 50e t., repasser sous un linge humide d'ôter les épingles.

Féerie I

À l'heure des douceurs, la table s'habille d'une nappe légère que borde allégrement une ribambelle de franges.

Féerie I

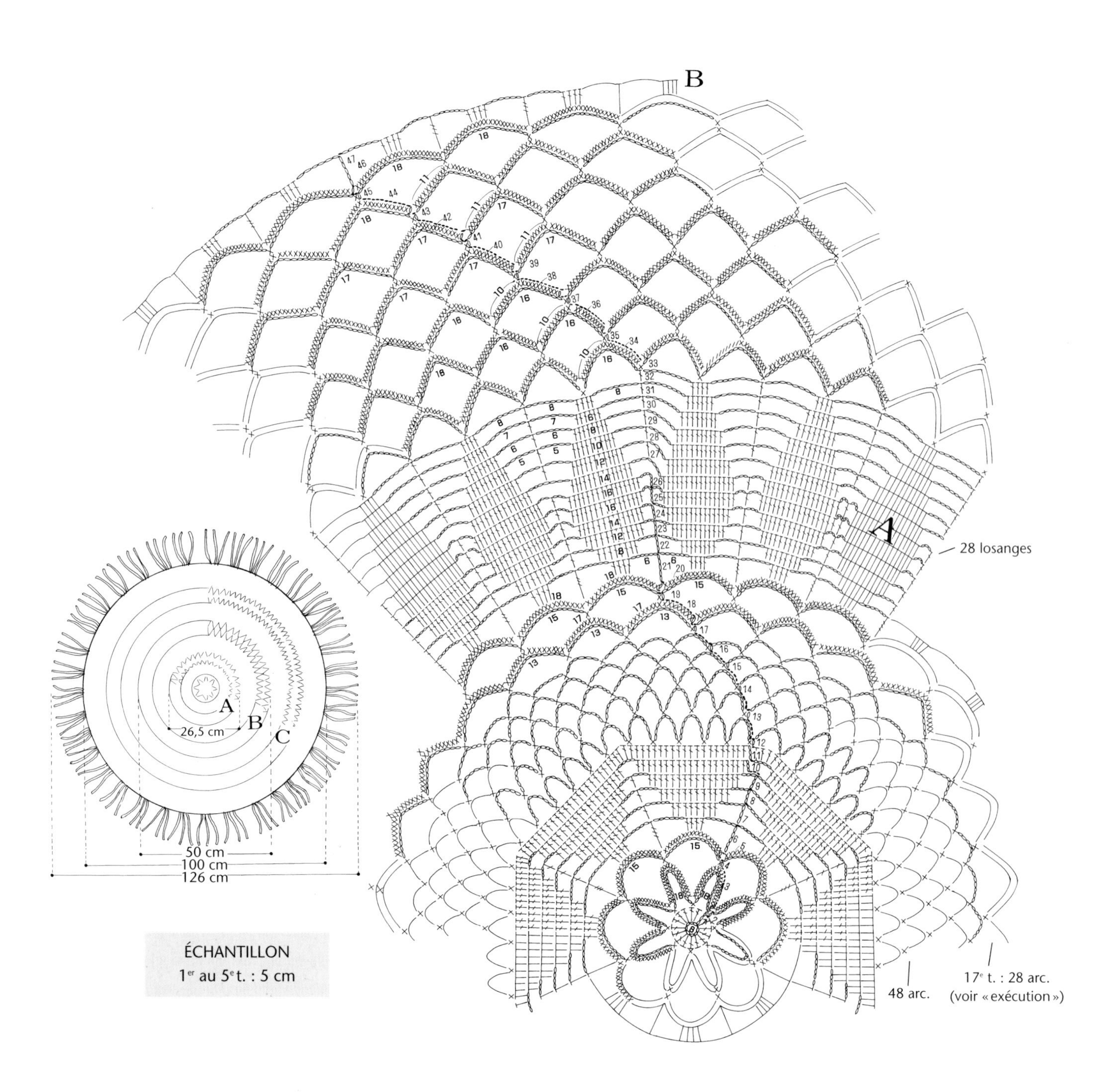

ÉCHANTILLON
1er au 5e t. : 5 cm

Fournitures :

160 g de fil d'Écosse n° 40, blanc ; crochet acier n° 0,75.

Dimensions :

126 cm avec les franges (voir dessin).

Exécution :

1er au 11e tour : commencer dans un rond de 8 m. et suiv. le schéma. Fermer les t. de br. par 1 m.c. piquée dans la 3e des 3 m. air qui remplacent la 1re br., les t. d'arc. et de m.s. par 1 m.c. sur la 1re m.s. et avancer en m.c. sur la m. corresp. si nécessaire. Au 11e t., on obtient 192 br. au total.

12e au 16e tour : trav. 48 arc. à chaq. t. Pour cela, au 12e t., rép. * 1 m.s. sur la br. du 11e t., 10 m. air, sauter 3 m. *.

17e tour : pour obtenir 28 arc. sur les 48 du 16e t., rép. 8 fs * 1 m.s., 13 m. air, 1 m.s. dans le 2e arc. suiv., 13 m. air, 1 m.s. dans l'arc. suiv., 13 m. air, sauter 1 arc. * ; sur les 8 arc. restants du 16e t., compléter avec 4 arc. en sautant toujours 1 arc.

18e au 47e tour : cont. d'après le schéma en trav. les t. 26 à 33 en spirale (ne pas fermer les t.).

48e au 98e tour : suiv. la 2e partie du schéma en notant que les t. 45 et 46 sont représentés une 2e fs (voir p. 170).

Franges : les confectionner comme le montrent les dessins corresp. (voir p. 170). Pour répartir les franges entre les 224 arc. du 98e t., rép. 35 fs * 3 arc. avec une frange, 3 arc. libres * mais en intercalant entre 2 groupes * 3 arc. avec franges, 4 arc. libres *.

Féerie II

Frises de feuilles et de festons se succèdent avec une grâce enlevée pour composer une œuvre où l'harmonie s'accompagne d'un petit grain de folie.

Féerie II

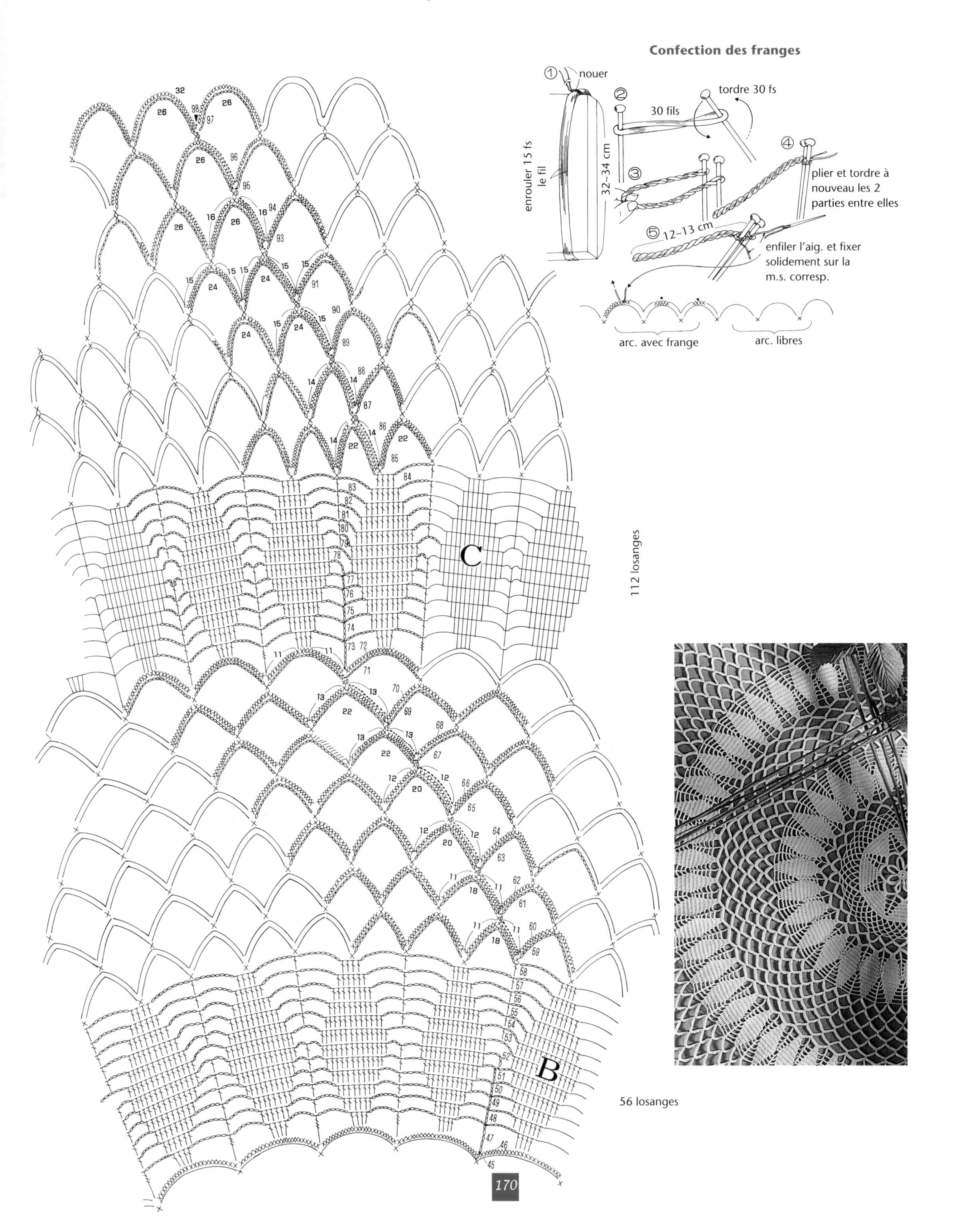
Confection des franges
① nouer
enrouler 15 fs le fil
32~34 cm
② 30 fils
tordre 30 fs
③
④
plier et tordre à nouveau les 2 parties entre elles
⑤ 12~13 cm
enfiler l'aig. et fixer solidement sur la m.s. corresp.
arc. avec frange
arc. libres
C
B
112 losanges
56 losanges

Bon appétit !

Les fleurs s'épanouissent délicatement sur un parterre de mailles que met en valeur la couleur de la table.

Bon appétit !

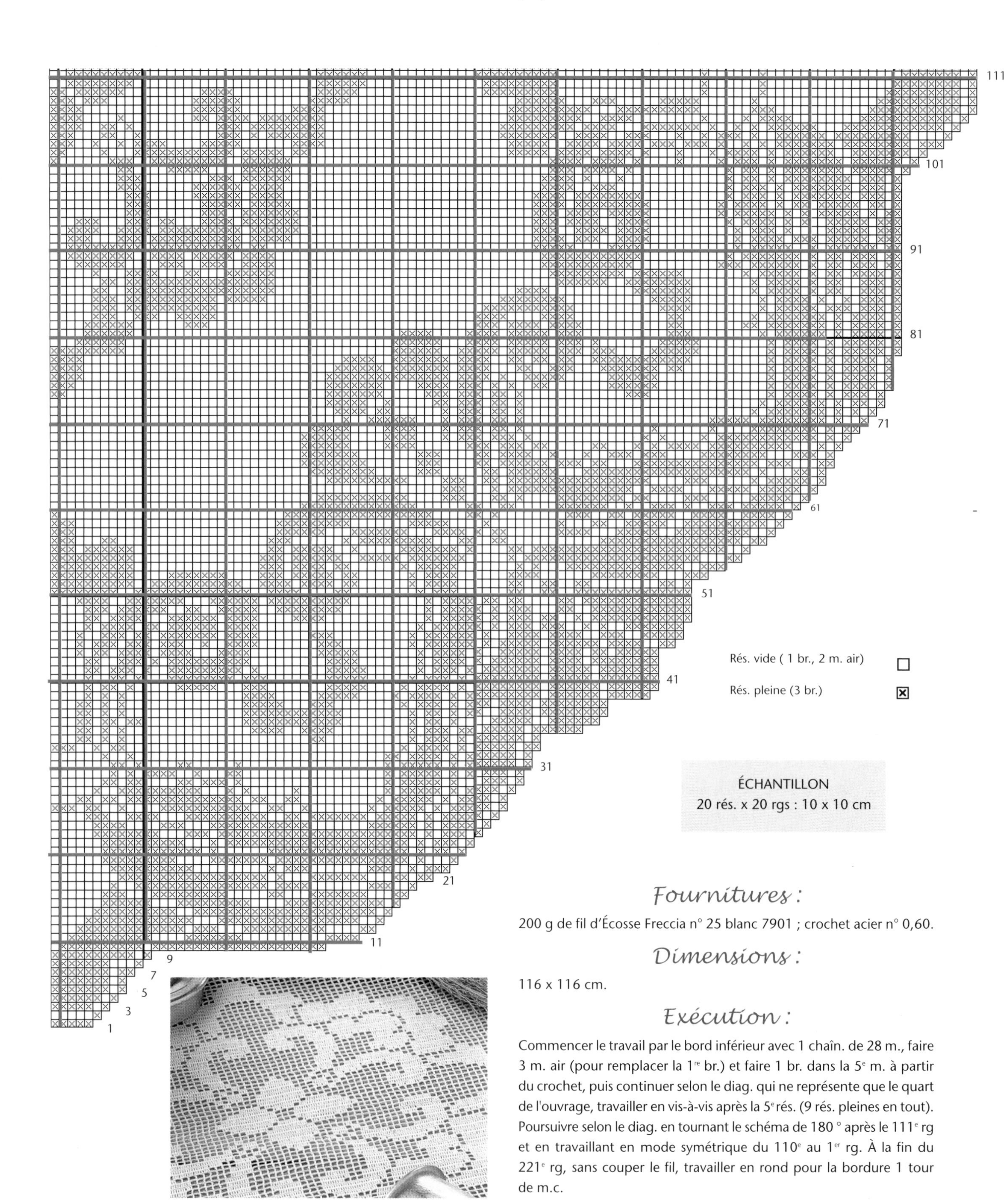

ÉCHANTILLON
20 rés. x 20 rgs : 10 x 10 cm

Fournitures :

200 g de fil d'Écosse Freccia n° 25 blanc 7901 ; crochet acier n° 0,60.

Dimensions :

116 x 116 cm.

Exécution :

Commencer le travail par le bord inférieur avec 1 chaîn. de 28 m., faire 3 m. air (pour remplacer la 1re br.) et faire 1 br. dans la 5e m. à partir du crochet, puis continuer selon le diag. qui ne représente que le quart de l'ouvrage, travailler en vis-à-vis après la 5e rés. (9 rés. pleines en tout). Poursuivre selon le diag. en tournant le schéma de 180 ° après le 111e rg et en travaillant en mode symétrique du 110e au 1er rg. À la fin du 221e rg, sans couper le fil, travailler en rond pour la bordure 1 tour de m.c.

Effet de jour

Hymne à la lumière et aux fleurs messagères de joie, cet ouvrage éclaire la maison en toute saison.

Effet de jour

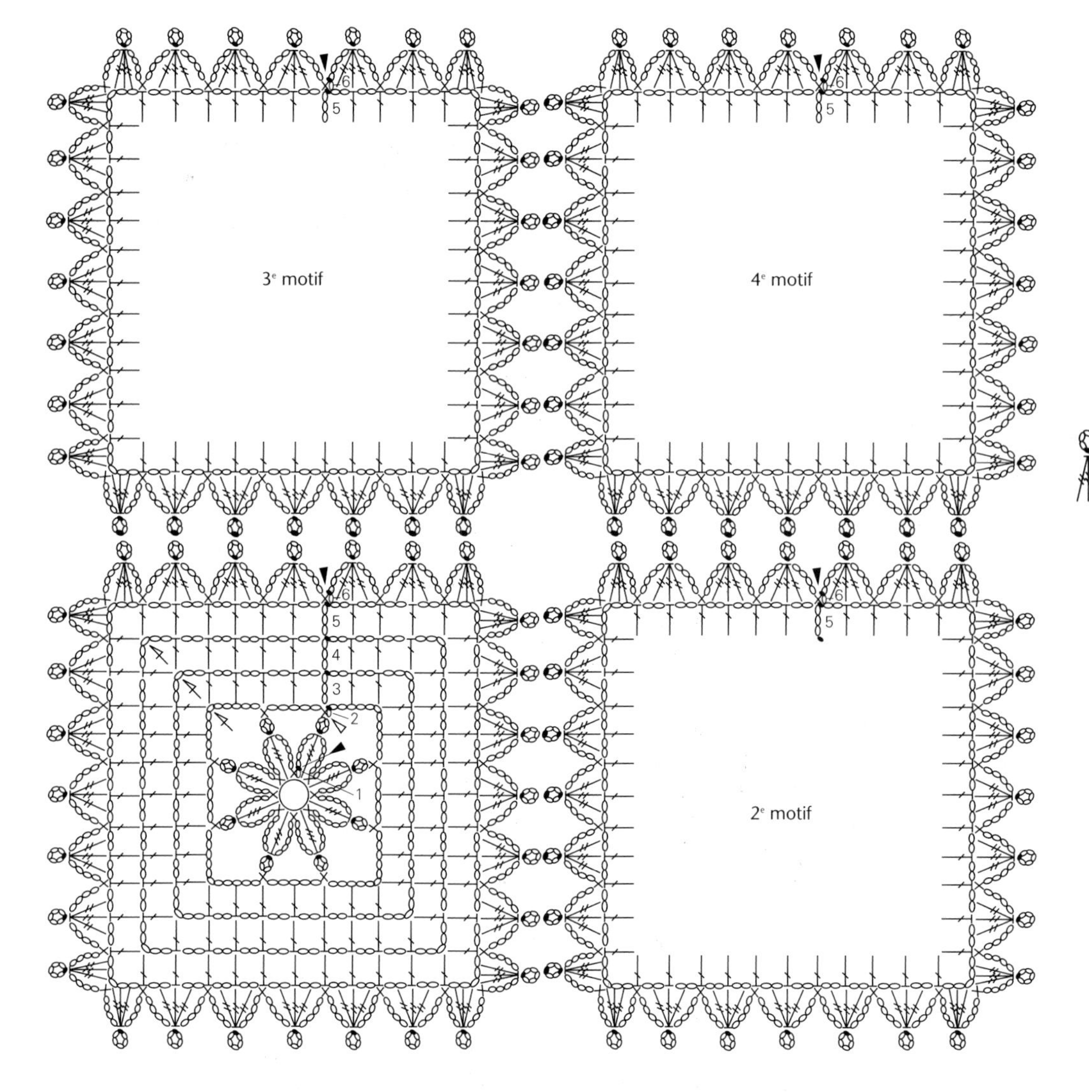

Fournitures :

400 g de Cébélia, Art. 167, n° 10, blanc ; crochet acier n° 1,50.

Dimensions :

120 x 120 cm.

3 doubles br. écoulées ens. avec picot : faire 1 double br. incomplète (ne pas écouler la dernière boucle) sur les 3 m. corresp., écouler les 4 boucles en une seule fs et pour le picot, faire 5 m. air et 1 m.c. dans la 1re de ces 5 m.

ÉCHANTILLON
le 1er t. d'un motif = 4 cm de diamètre

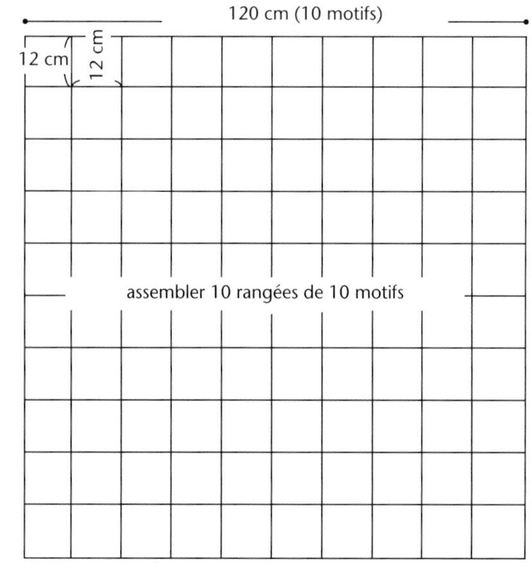

Exécution :

Motif : 1er tour : commencer dans une boucle formée avec l'extrémité du fil, faire 1 m. air et rép. 8 fs *1 m.s. dans la boucle, 5 m. air, 1 triple br. dans la boucle, 1 picot (= 4 m. air et 1 m.c. sur la tête de la triple br.), 5 m. air*, fermer par 1 m.c. sur la 1re m.s. et couper le fil pour le rattacher dans le picot du 1er pétale (voir triangle blanc).

2e au 6e tour : suivre le schéma et les indications qui l'accompagnent.

Assemblage des motifs : au cours du 6e t., assembler 10 rangées de 10 motifs entre eux en remplaçant la m. air centrale des 7 picots de chaq. côté par 1 m.c. piquée dans le picot corresp. du motif voisin.

Chassé-croisé

Sur un damier délicatement ajouré se posent de petits carrés gracieusement mis en relief par le point popcorn qui les dessine.

Chassé-croisé

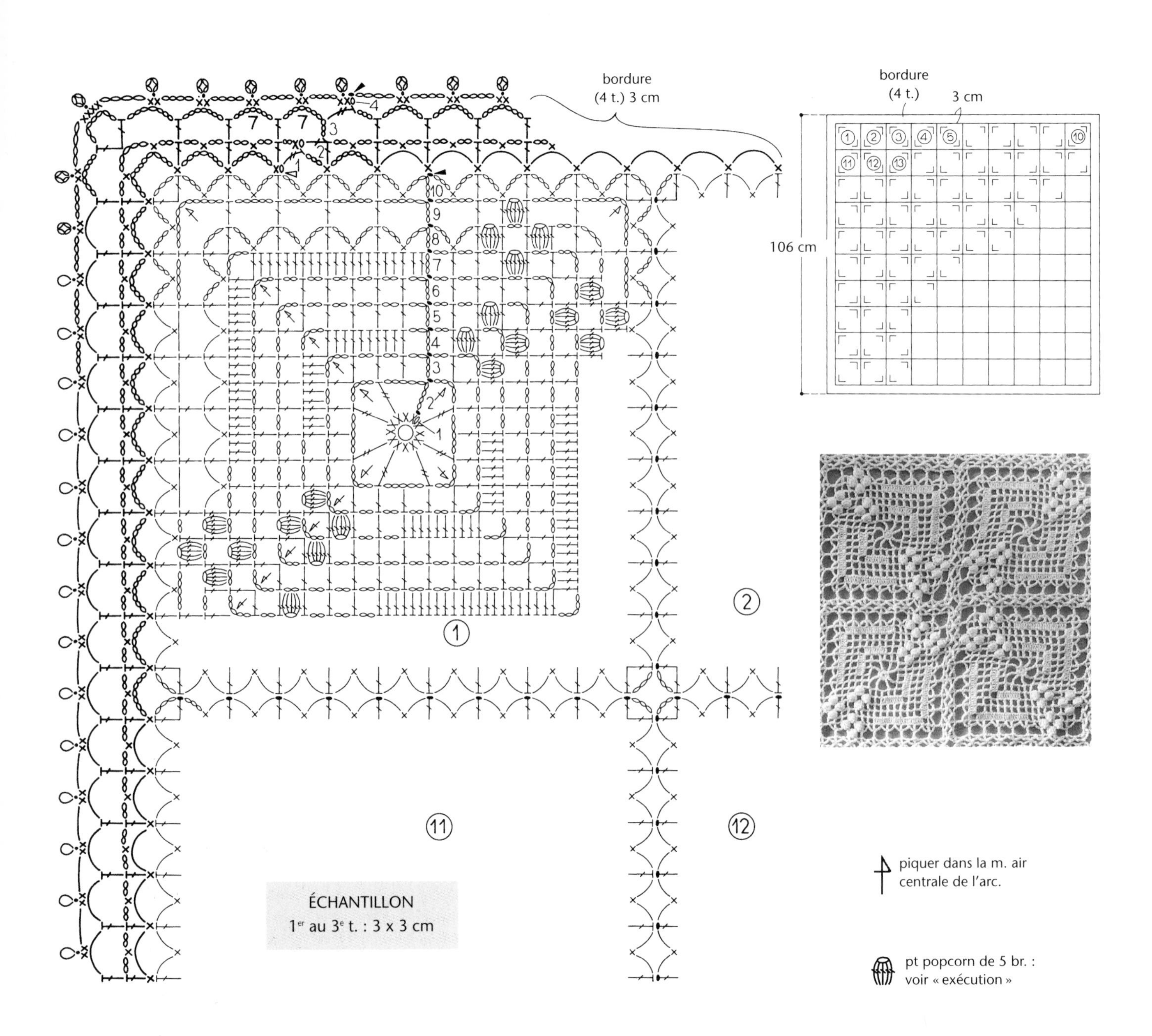

Fournitures :

375 g de fil d'Écosse n° 20, blanc ; crochet acier n° 1,00.

Dimensions :

106 x 106 cm.

Exécution :

Motif : commencer dans une boucle formée avec l'extrémité du fil et trav. 10 t. d'après le schéma. À partir du 4e t., trav. 2 pts popcorn de 5 br. à chaq. angle comme suit : faire 5 br. dans l'arc. de l'angle, étirer un peu la boucle de la dernière br., retirer le crochet de l'ouvrage, le piquer de l'end. vers l'env. dans la 1re des 5 br., reprendre la m. lâchée et l'extraire en tirant le fil pour resserrer de façon à former le relief du pt popcorn sur l'end. de l'ouvrage.

Assemblage des motifs : au cours du 10e t. (à partir du 2e motif), relier 10 rangées de 10 motifs entre eux (voir dessin) en m.c. par les br. de la façon suiv. : trav. la br. à assembler, étirer un peu la boucle du crochet, le retirer de l'ouvrage, le piquer de l'end. vers l'env. dans la tête de la br. corresp. du motif précéd., reprendre la m. lâchée et l'extraire en tirant le fil pour resserrer puis trav. les arc. suiv. du 10e t. avant de relier la br. suiv.

Bordure : trav. 4 t. sur le pourtour des 100 motifs assemblés d'après le schéma détaillé et couper le fil.

Berlingot I

Une tenue au charme exotique à offrir à une demoiselle qui aime les couleurs, mais aussi la fantaisie et la douceur.

Berlingot I

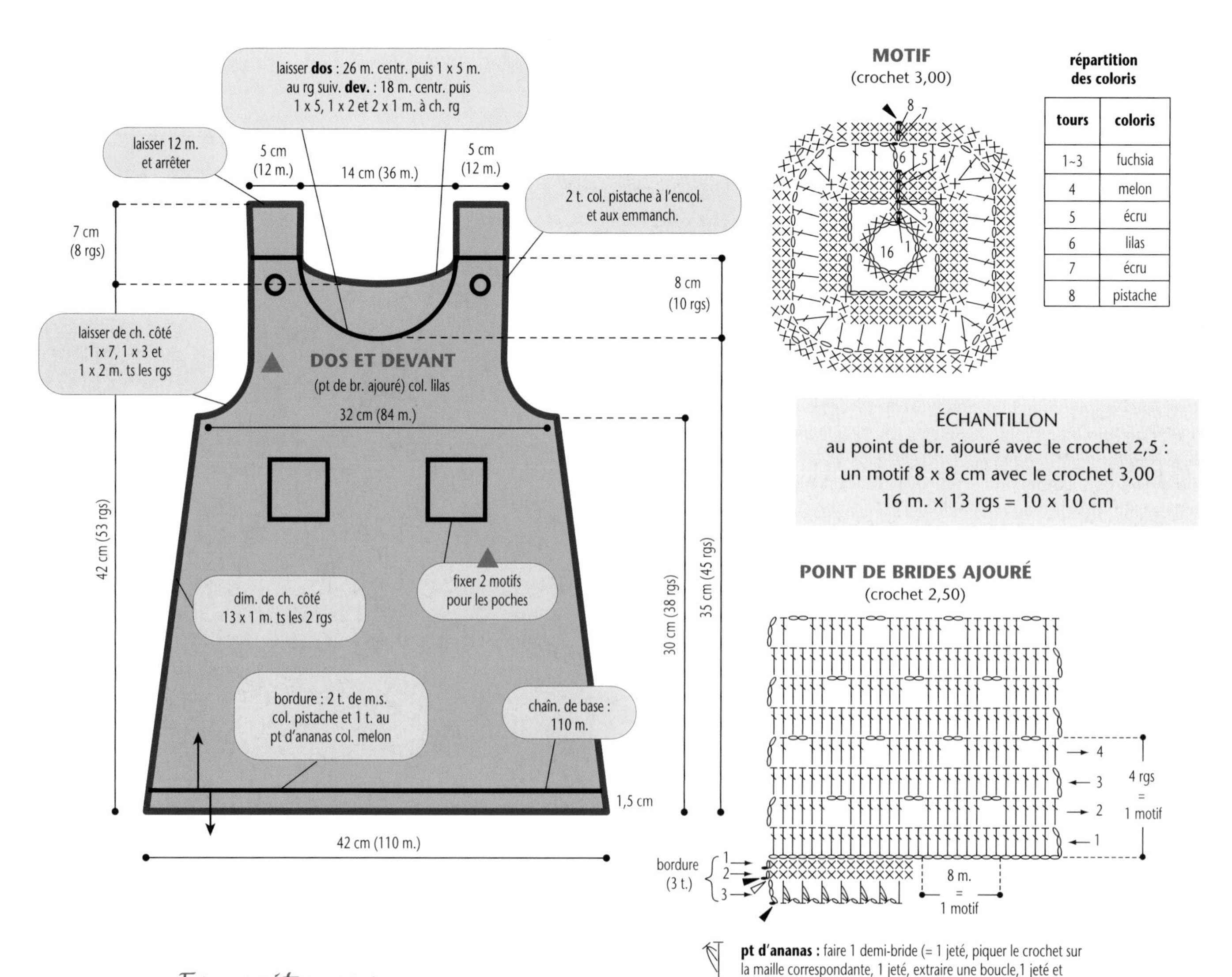

répartition des coloris

tours	coloris
1~3	fuchsia
4	melon
5	écru
6	lilas
7	écru
8	pistache

pt d'ananas : faire 1 demi-bride (= 1 jeté, piquer le crochet sur la maille correspondante, 1 jeté, extraire une boucle,1 jeté et écouler les 3 boucles du crochet en une fois), répéter 3 fois *1 jeté, piquer sous la lisière du corps de la demi-bride précédente, 1 jeté, extraire une boucle*, 1 jeté et écouler toutes les boucles du crochet en une seule fois

Fournitures :

Laine à tricoter assez fine, 300 g coloris lilas pour la robe, les motifs et les bordures ; 250 g coloris melon pour le cardigan, les motifs et les bordures ; 50 g en coloris fuchsia, écru, pistache pour les motifs et les bordures ; crochets métalliques n° 2,5 et 3,00. 5 boutons couleur lilas.

Taille :

18-24 mois.

Exécution :

ROBE

Dos : avec le fil lilas et le crochet 2,5, commencer par une chaîn. de base de 110 m., puis faire la 1re br. dans la 5e m. à partir du crochet et continuer au point de br. ajouré en diminuant de chaque côté 13 fois 1 m. tous les 2 rgs. Pour obtenir des lisières nettes, diminuer en écoulant ensemble les 3e et 4e br. au début des rgs, et les 2 m. précédant les 2 dernières en fin de rg. Pour cela, faire 2 br. incomplètes, ne pas écouler la dernière boucle, et les fermer ensemble. Travailler ainsi pendant 35 rgs, puis faire les diminutions d'emmanchure de chaque côté comme suit : diminuer 1 fois 7 m., 1 fois 3 m. et 1 fois 2 m. tous les 2 rgs, puis continuer droit. Au cours du 51e rg, pour l'encolure, arrêter les 26 m. centrales et terminer les deux côtés séparément pour les bretelles en diminuant du côté encolure encore 1 fois 5 m., puis continuer droit. À la fin du 58e rg, arrêter et couper le fil.

Devant : travailler comme le dos jusqu'au 42e rg ; au cours du 43e rg, pour l'encolure, arrêter les 18 m. centrales, puis travailler chaque côté séparément ainsi : diminuer du côté encolure tous les 2 rgs, 1 fois 5 m., 1 fois 2 m. et 2 fois 1 m. Ce sont les jours qui feront office de boutonnières.

Montage et finitions : faire les coutures des côtés. Travailler 3 t. de bordure au bas de la robe comme indiqué sur le schéma : 2 t. de m.s. avec le coloris pistache et 1 t. au pt d'ananas avec le coloris melon. Coudre les motifs (voir ci-dessous) sur la robe comme des poches. Coudre les boutons sur les bretelles du dos.Faire autour des emmanchures et de l'encolure, 2 t.de m.s. avec le coloris pistache.

Motif : avec le crochet n° 3,00, faire 10 motifs identiques (2 pour la robe, 8 pour le cardigan) en travaillant en rond comme indiqué sur le schéma et en suivant la répartition des couleurs au cours des 8 t. : t. de 1 à 3 fuchsia, t. 4 melon, t. 5 écru, t. 6 lilas, t. 7 écru, t. 8 pistache.

Berlingot II

Les motifs qui singularisent cet ensemble sont à la base du cardigan alors que pour la robe, ils se posent simplement une fois l'ouvrage terminé.

Berlingot II

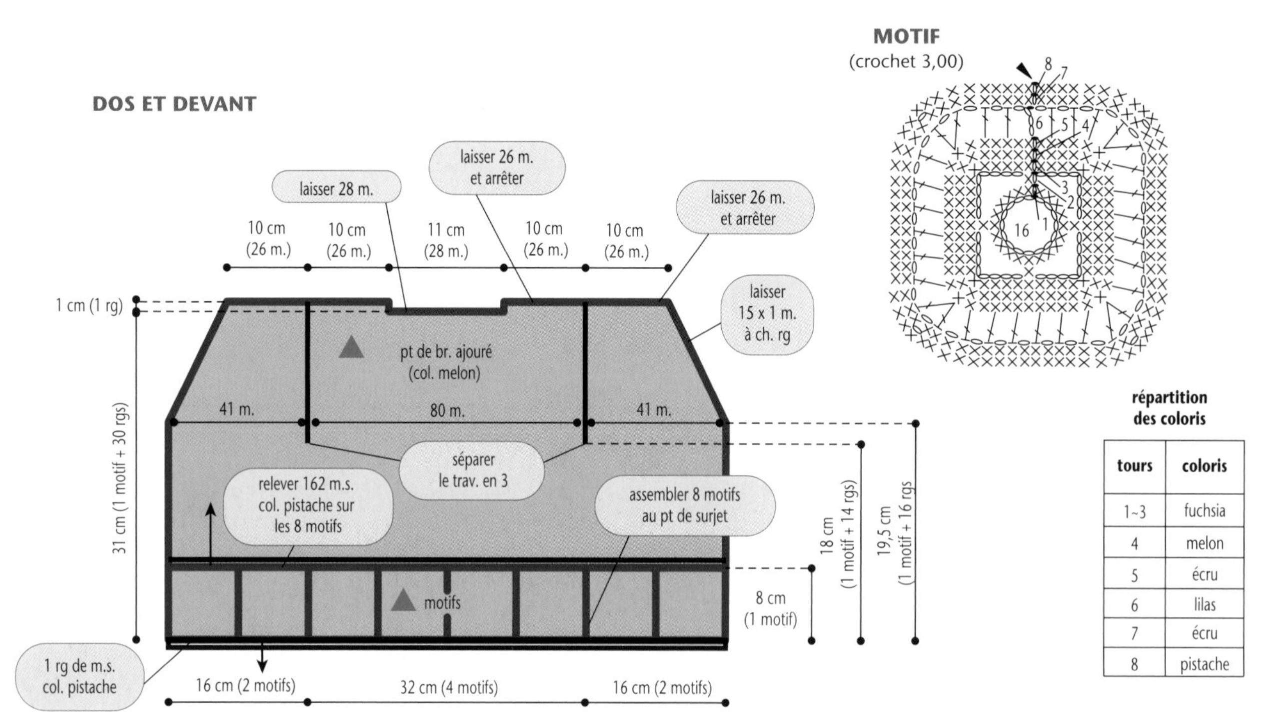

répartition des coloris

tours	coloris
1-3	fuchsia
4	melon
5	écru
6	lilas
7	écru
8	pistache

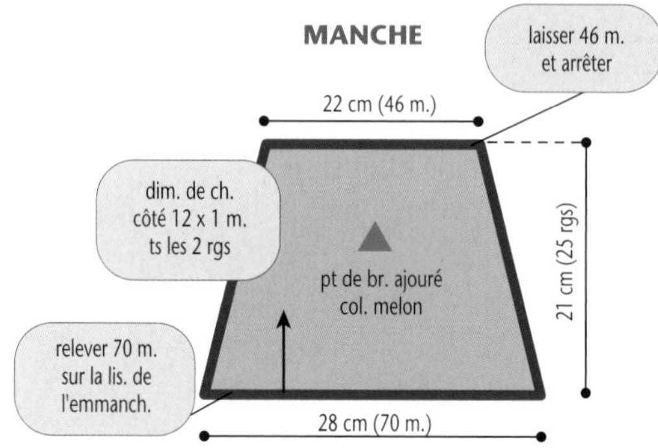

Exécution :

CARDIGAN

Commencer le cardigan en assemblant les 8 motifs du bas, puis, avec le crochet n° 2,5, relever 162 m.s. sur la lisière supérieure de la bande de motifs avec le fil melon et continuer droit au point de br. ajouré pendant 14 rgs. Au cours du 15e rg, séparer le travail en trois pour les emmanchures et travailler chaque partie séparément, soit : 41 m. (un devant), 80 m. (dos), 41 m. (2e devant).

Dos : continuer droit pendant 16 rgs, laisser les 28 m. centrales, puis faire encore 1 rg de chaque côté séparément.

Devant droit : faire 2 rgs, puis commencer les diminutions d'encolure en diminuant à droite tous les rgs 15 fois 1 m. comme expliqué pour la robe, puis arrêter et couper le fil.

Devant gauche : comme le droit, mais en vis-à-vis.

Manche : avec le crochet n° 2,5 et le fil melon, relever 70 m. sur la lisière de l'emmanchure et faire 25 rgs au point de br. ajouré en diminuant de chaque côté 12 fois 1 m. tous les 2 rgs, puis arrêter et couper le fil.

Montage et finitions : faire les coutures de côté et de dessous de manche. Faire 3 rgs de bordure (2 rgs de m.s. pistache et 1 rg de point d'ananas fuchsia au bas des manches et tout autour de l'encolure et du bord des devants. Sur le devant droit, répartir 5 boutonnières (= 2 m. air, sauter 2 m. au cours du 2e rg de m.s. : placer la 1re boutonnière à 5 m. du bas et espacer les suivantes de 8 m. Terminer par 1 rg de m.s. coloris pistache au bas de la veste et coudre les boutons.

POINT DE BRIDES AJOURÉ
(crochet 2,50)

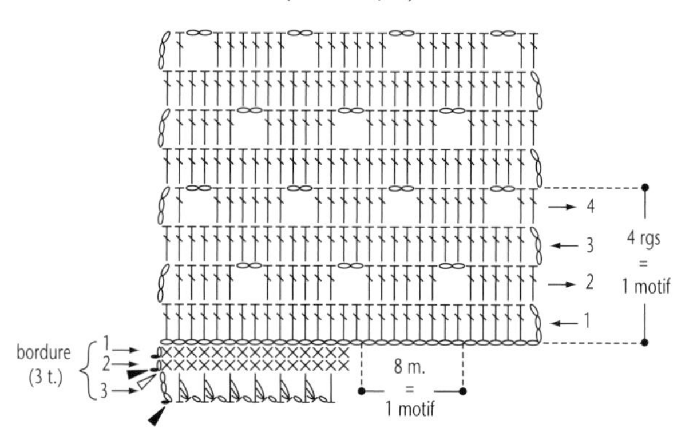

pt d'ananas : faire 1 demi-bride (= 1 jeté, piquer le crochet sur la maille correspondante, 1 jeté, extraire une boucle, 1 jeté et écouler les 3 boucles du crochet en une fois), répéter 3 fois *1 jeté, piquer sous la lisière du corps de la demi-bride précédente, 1 jeté, extraire une boucle*, 1 jeté et écouler toutes les boucles du crochet en une seule fois

Petit mousse I

Bien à l'aise dans son beau costume marin où les rayures se déclinent dans une tendre fantaisie, bébé se laissera bercer par le doux roulis du landeau.

Petit mousse I

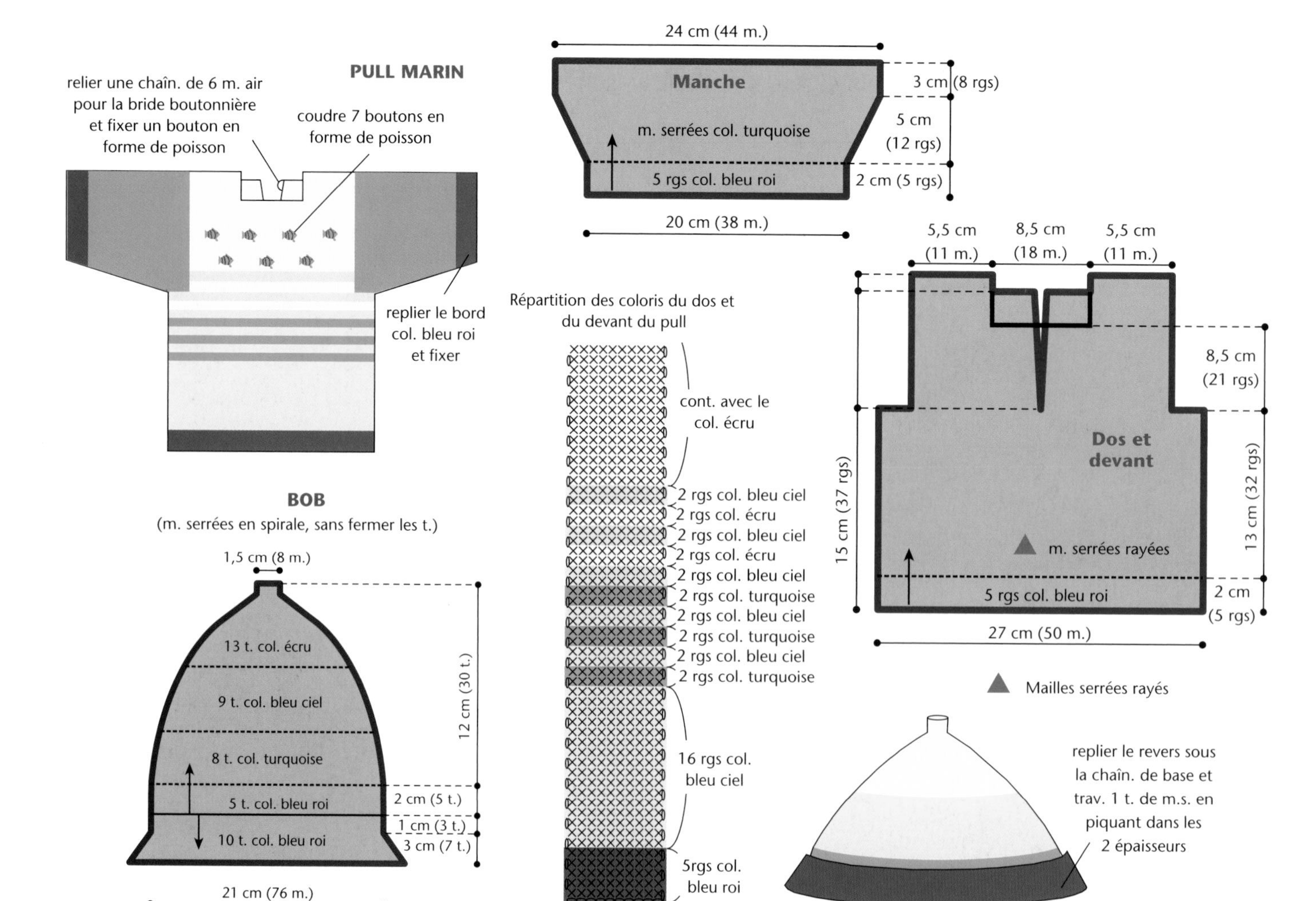

Fournitures :

Fil à tricoter moyen : 1 pelote de chacun des coloris suivants écru, bleu ciel, turquoise et bleu roi pour l'ensemble. Un crochet n° 3,00 ; du ruban élastique, 10 boutons en forme de poisson.

Taille :

3 mois

Exécution :

PULL MARIN

Dos : commencer avec le fil bleu roi et faire une chaîn. de base de 50 m., 1 m. air pour tourner, puis continuer en m.s. pendant 5 rgs dans la même couleur. Travailler ensuite toujours en m.s. en répartissant les couleurs comme indiqué sur le schéma. Après 37 rgs, séparer le travail en deux pour laisser l'ouverture du dos et continuer de chaque côté séparément (voir schéma). Simultanément, diminuer de 5 m. de chaque côté pour les manches. Faire encore 28 rgs, puis diminuer de 9 m. du côté de l'ouverture du dos, faire encore 2 rgs, puis arrêter et couper le fil.

Devant : se travaille comme le dos sans séparer le travail après 37 rgs. En revanche, les diminutions d'encolure se font 21 rgs après les diminutions d'emmanchure. Pour cela laisser les 18 m. centrales en attente et continuer chaque côté séparément (voir schéma).

Manches : commencer avec le fil bleu roi et faire une chaîn. de base de 38 m., puis continuer en m.s. pendant 5 rgs dans la même couleur. Continuer avec le coloris turquoise en augmentant 3 fs 1 m. tous les 4 rgs, puis continuer droit pendant 5 rgs avant d'arrêter et couper le fil. Faire la deuxième manche à l'identique.

Montage et finitions : faire les coutures d'épaule et de côté. Fermer les manches et les monter. En haut d'un des côtés de l'ouverture du dos, fixer une chaîn. de 6 m. air pour la bride de boutonnière. Coudre un bouton en vis-à-vis. Sur le devant coudre les 7 boutons en forme de poisson.

BOB

Le bob se travaille en rond et en spirale (sans fermer les tours). Commencer par un anneau de 76 m. air avec le fil bleu roi. Travailler 5 t. droits, puis continuer avec le fil turquoise en répartissant 4 diminutions (soit 2 m.s. écoulées ensemble) toutes les 17 m. Faire 8 t. turquoise, puis 9 t. bleu ciel. À partir du 23e t. prendre le fil écru et superposer 4 diminutions 2 fs tous les 5 t., puis 14 fs tous les t. À la fin du 45e t., arrêter et couper le fil. Sur le bs du bob, relever 76 m. sur l'envers avec le coloris bleu roi et travailler 10 t. en répartissant 4 augmentations, les superposer 1 fois tous les 3 t., puis au t. suivant augmenter une fs de 11 m. À la fin du 10e t., travailler 1 t. en piquant de l'envers vers l'endroit sous la lisière du corps des m.s. du t. précédent pour « l'ourlet » et arrêter.

Finitions : replier le revers et le maintenir par un tour de m.s. piquées dans les deux épaisseurs

Petit mousse II

Avec sa tunique large et son bloomer bien arrondi, cet ensemble prend soin du confort de bébé que les chaussons et le bonnet rendent irrésistible.

Petit mousse II

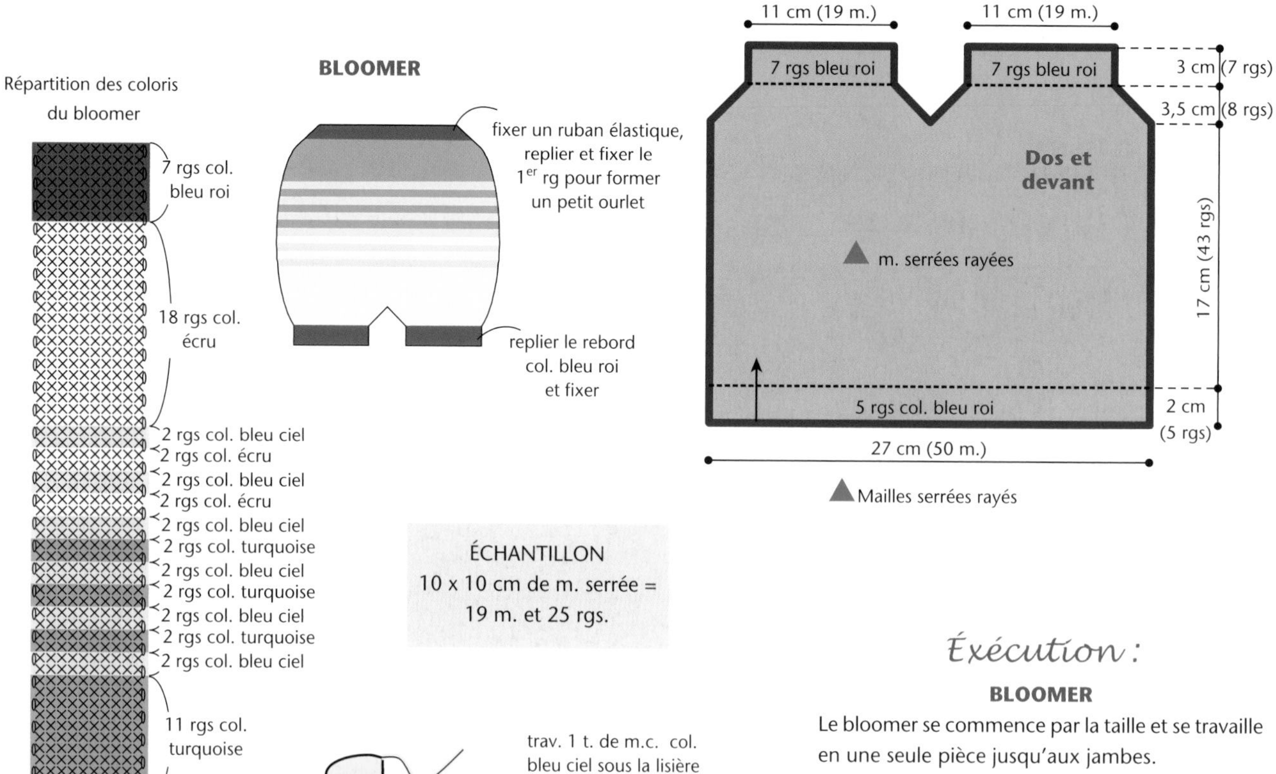

ÉCHANTILLON
10 x 10 cm de m. serrée = 19 m. et 25 rgs.

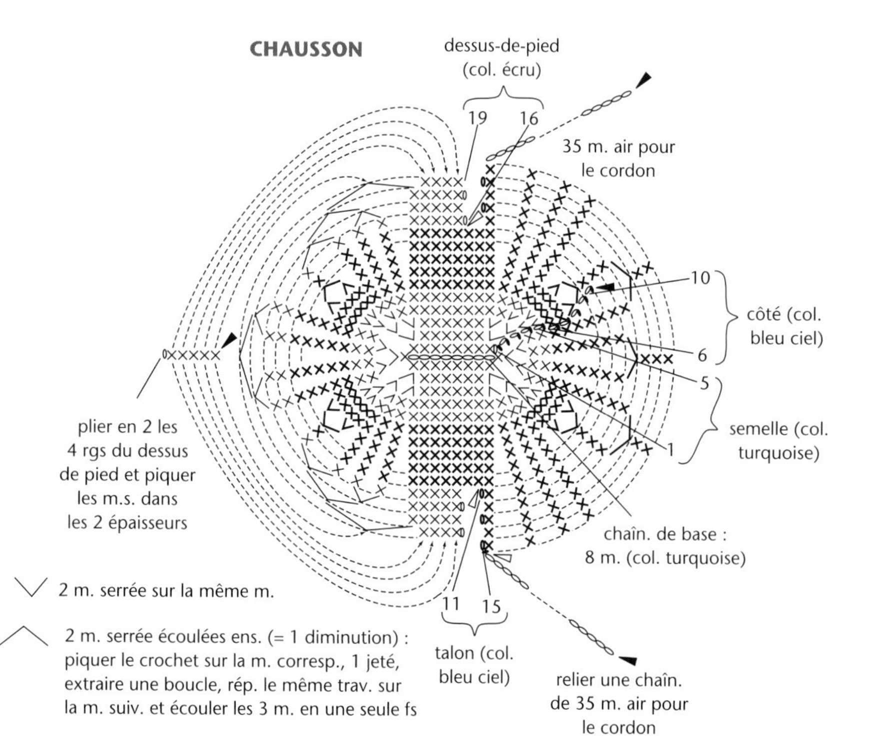

Éxécution :

BLOOMER

Le bloomer se commence par la taille et se travaille en une seule pièce jusqu'aux jambes.

Commencer avec le fil bleu roi et faire une chaîn. de base de 50 m., 1 m. air pour tourner, puis continuer en m.s. pendant 5 rgs dans la même couleur. Travailler ensuite toujours en m.s. en répartissant les couleurs comme indiqué sur le schéma. Après 48 rgs, séparer l'ouvrage en deux et travailler chaque jambe séparément. Diminuer de chaque côté 3 fs 1 m. tous les deux rgs, puis faire encore 7 rgs avant d'arrêter et couper le fil.

Montage et finitions : faire les coutures d'entrejambe et de dos, coudre le ruban élastique à la taille, former l'ourlet du bas des jambes en retournant sur l'endroit les rgs de couleur bleu roi.

CHAUSSON

Commencer par 1 chaîn. de coloris turquoise et travailler en rond pour la semelle autour de celle-ci comme indiqué sur le schéma pendant 5 rgs. Poursuivre en mode tubulaire pour les côtés en coloris bleu ciel en suivant le schéma ds rgs 6 à 10. Travailler ensuite en rgs aller-retour des rgs 11 à 15 pour le talon toujours en coloris bleu ciel. Faire ensuite le dessus de pied en coloris écru en suivant le schéma des rgs 16 à 19. Plier les 4 rgs du dessus de pied et piquer les m.s. dans les deux épaisseurs pour fermer. Faire les cordons de serrage avec une chaîn. de 35 m. air fixés de part et d'autre du rg 15 comme indiqué sur le schéma. Faire le deuxième chausson à l'identique.

Finitions : souligner le pourtour de la semelle et du dessus de pied par 1 t de m.c. en turquoise pour la semelle et en bleu ciel sur le dessus. Coudre le bouton.

Un ange passe I

À la fois gai, décoratif et pratique, le range-pyjama prend des airs de lutin pour accueillir les tenues de lit de bébé.

Un ange passe I

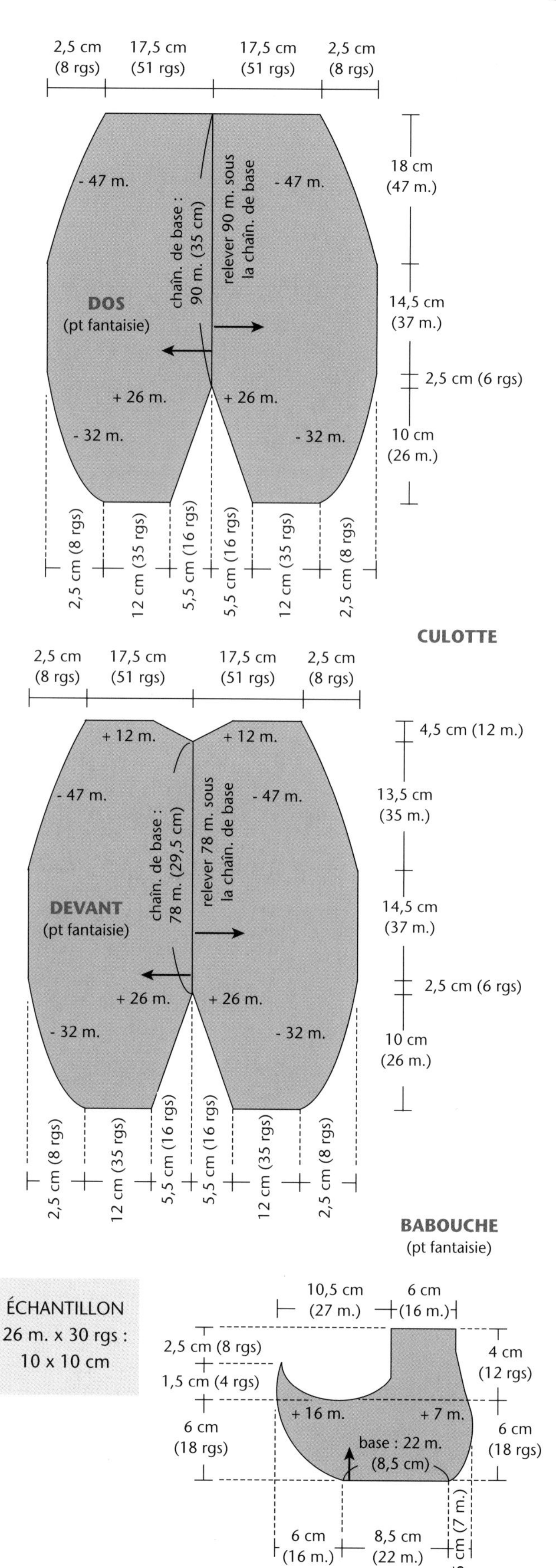

Fournitures :

300 g de fil à tric. layette, dont 130 g blanc, 80 g bleu et 80 g rose ; un peu de fil d'Écosse n° 10, bleu foncé ; crochet métallique n° 3,00 ; 65 x 4 cm de gros grain élastique ; du fil élastique ; une tringle en bois de 40 cm de long et de 1 cm de diamètre avec 2 embouts ; du coton.

Dimensions :

Voir dessins.

Exécution :

CULOTTE

Dos : commencer par le milieu vertical avec le fil blanc sur une chaîn. de base de 90 m. et trav. au pt fantaisie en alternant les col. d'après la grille (voir p. 188). À partir du 2e rg, augm. à gauche 13 fs 2 m. tous les rgs. On obtient 116 m. au 14e rg puis cont. droit jusqu'au 51e rg. À 17,5 cm de hauteur totale (à partir du 52e rg), dim. à droite tous les 2 rgs 1 fs 20 m., 1 fs 6 m., 3 fs 4 m., 3 fs 3 m. et simultanément, dim. à gauche 8 fs 2 m. tous les rgs. Couper le fil à 20 cm de hauteur totale, il reste 37 m. Attacher le 2e fil couleur sous la chaîn. de base et rép. le même trav. de façon à former la 2e moitié du dos.

Devant : procéder comme pour le dos en commençant avec le fil blanc sur une chaîn. de base de 78 m. À partir du 2e rg, augm. à gauche 13 fs 2 m. tous les rgs et simultanément, augm. à droite 12 fs 1 m. tous les rgs pour la taille de façon à obtenir 116 m. au 14e rg. Cont. droit jusqu'au 51e rg, puis dim. comme au dos avant de couper le fil. Rép. le même trav. sous la chaîn. de base.

BABOUCHE

Commencer sur une chaîn. de base de 22 m. avec le fil corresp. et trav. au pt fantaisie d'après le schéma détaillé et l'explication des symboles qui l'accompagnent (voir p. 188). Crocheter ainsi 2 côtés de chaq. col. Avec le fil blanc, assembler ens. les 2 côtés d'un même col. par 1 t. de m.s. sur l'end. de l'ouvrage et simultanément, garnir de coton de façon à donner du volume. Fermer ce t. d'assemblage par 1 m.c. sur la 1re m.s. et couper le fil.

ÉTIQUETTE

Commencer avec le fil blanc sur une chaîn. de base de 38 m. et trav. en m.s. jacquard d'après la grille corresp. (voir p. 188) en utilisant le fil d'Écosse bleu foncé pris en double. À partir du 3e rg, pour les changements de col. du jacquard, trav. la dernière m.s. du fil en cours incomplète (= piquer le crochet dans la m. suiv., 1 jeté et extraire une boucle) et la terminer avec le 2e fil. Former ainsi les lettres en coupant les fils à la fin de chaq. rg de façon que les m.s. paraissent toujours sur l'end. en donnant l'impression d'une écriture en italique. Terminer par 1 rg de m.s. sur l'env. et trav. 2 t. de bordure sur le pourtour du rectangle obtenu comme indiqué.

Montage et finitions : fermer les côtés et les jambes de la culotte puis repasser légèrement les coutures. Avec le fil blanc et le fil couleur corresp. pris ens., trav. 1 t. au pt d'écrevisse (= m.s. de gauche à droite) au bas de chaq. jambe et à la taille. Faire l'ourlet du haut, glisser un fil élastique au bas de chaq. jambe pour resserrer et fixer les babouches d'après le dessin. Crocheter les bretelles et les passants de ceinture comme indiqué sur le schéma (voir p. 188), puis les coudre à pts cachés. Fixer l'étiquette sur la jambe rose et orner les babouches d'un petit pompon de 3 cm de diamètre.

Un ange passe II

Dans l'harmonie et la douceur, les couleurs layette traditionnelles s'associent ici avec un brin de malice.

Un ange passe II

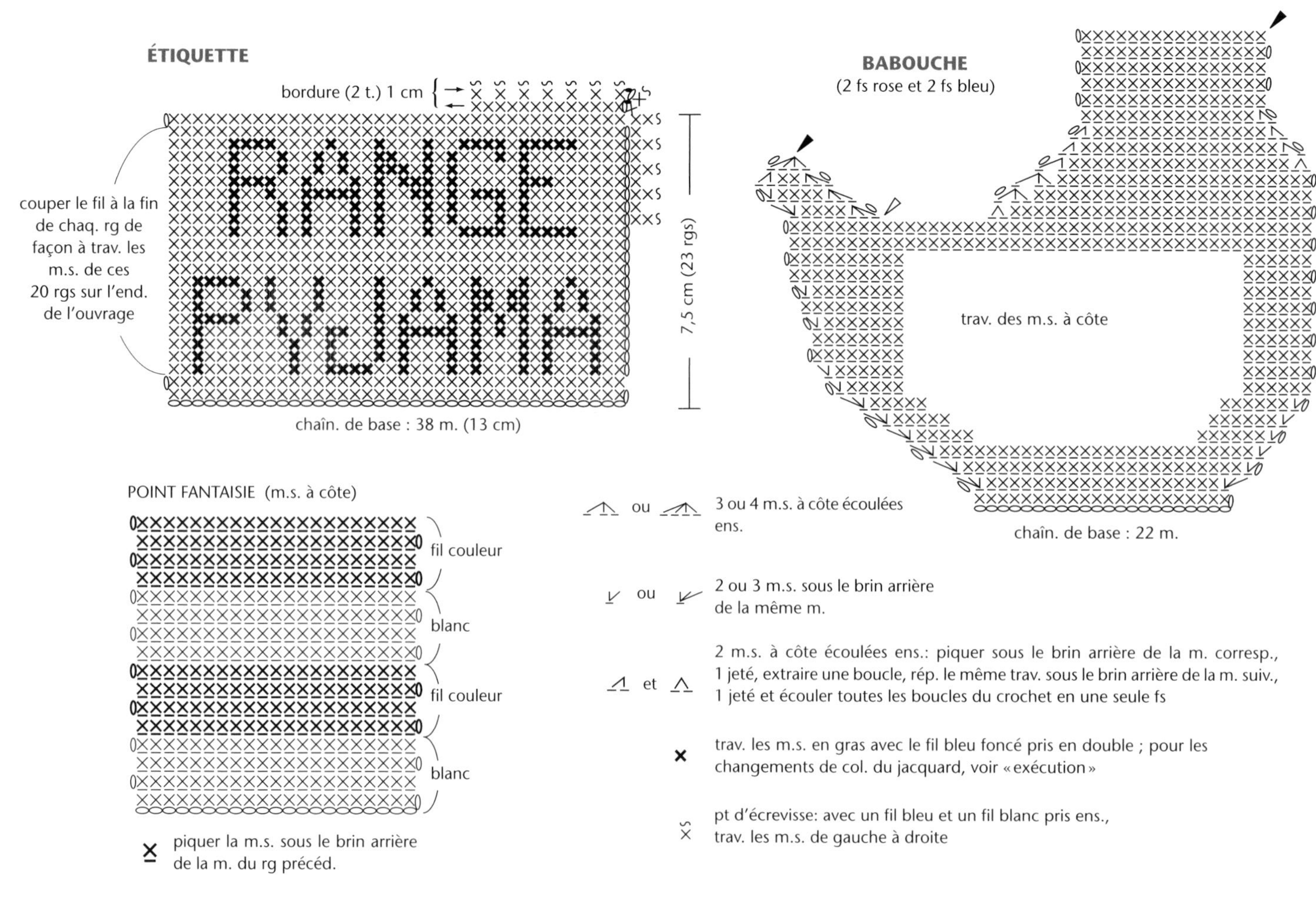

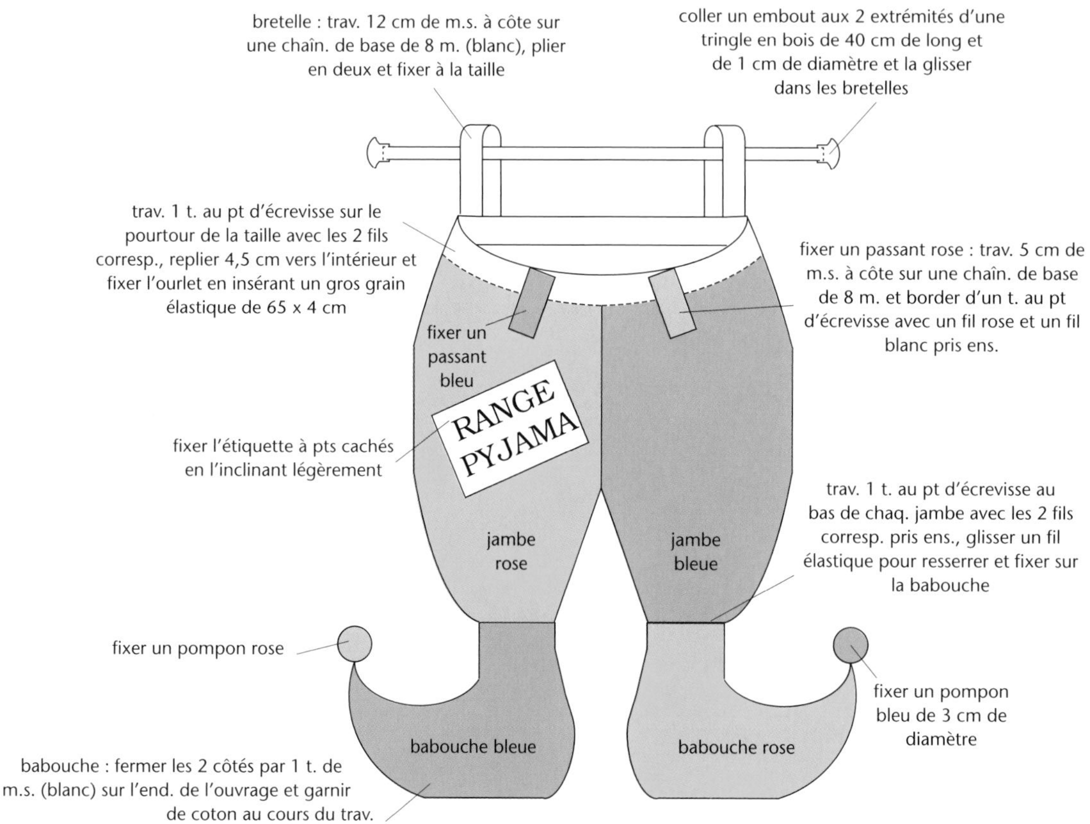

Napperons

Jour de fête I

Sublimes, les marguerites se laissent bercer sur un maillage raffiné tandis que de beaux ananas orchestrent le tout avec juste ce qu'il faut de fantaisie.

Jour de fête I

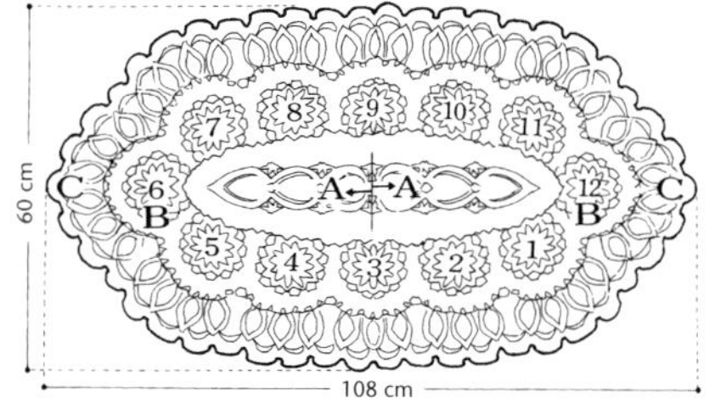

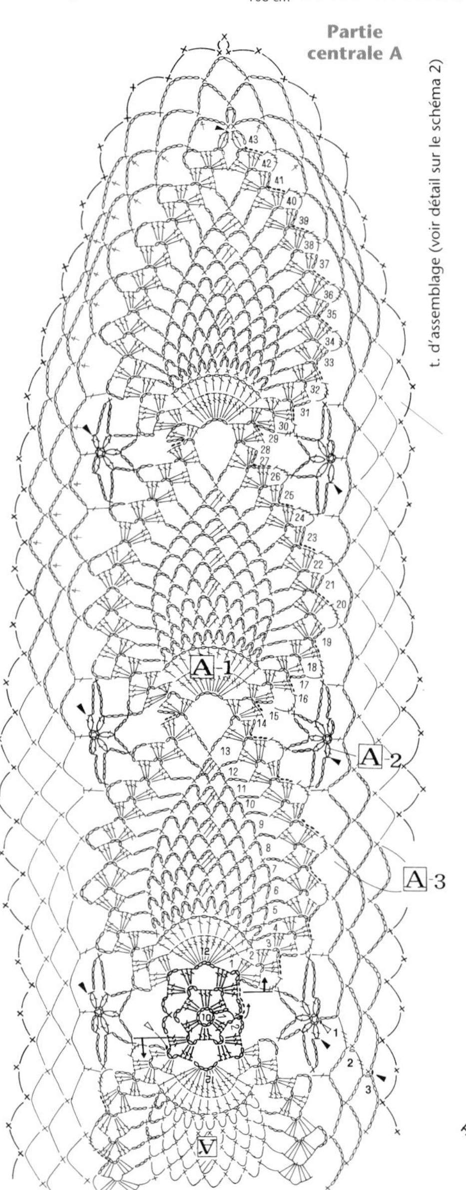

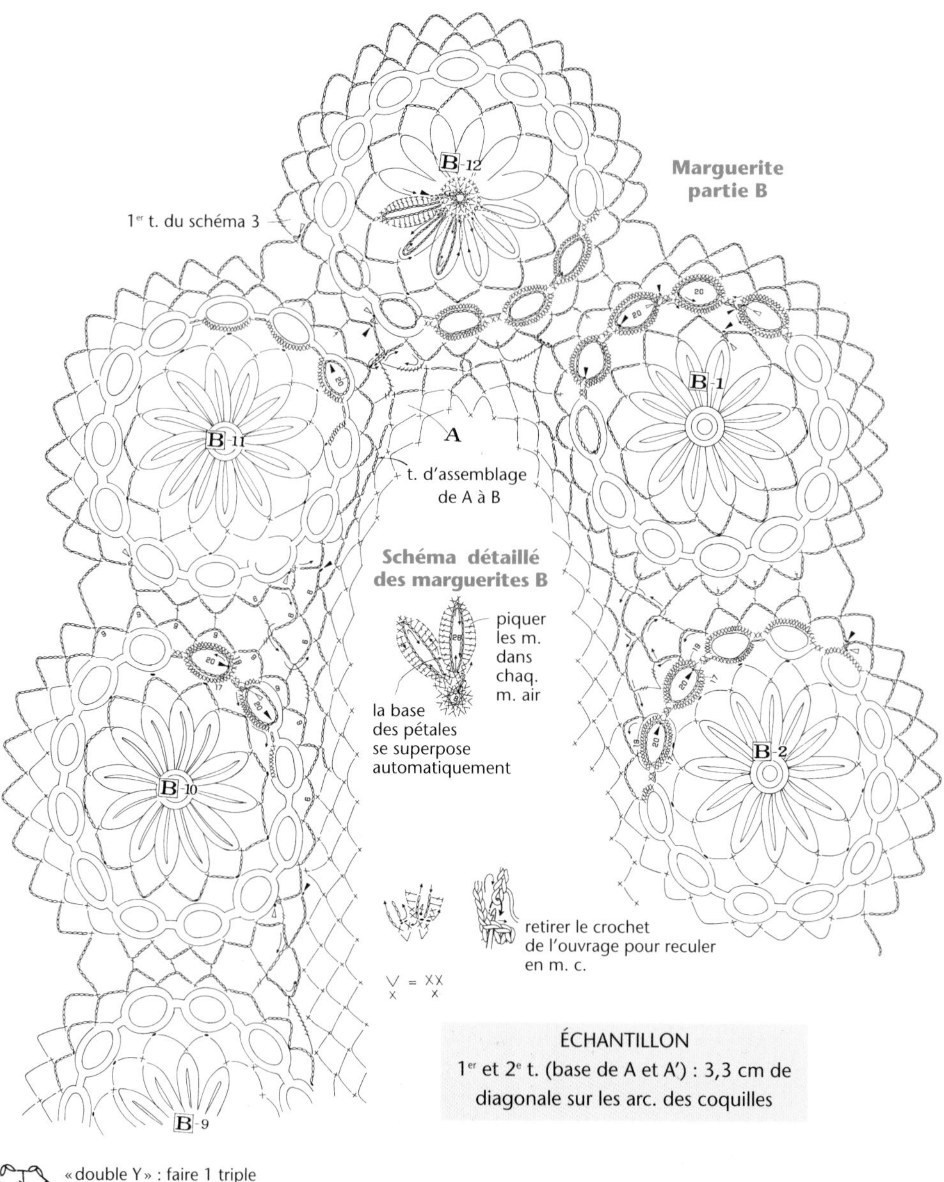

«double Y» : faire 1 triple br. sur la m. corresp. et rép. 2 fs *2 m. air, 1 br. sous le 2e brin oblique de la triple br. précéd.*

ÉCHANTILLON

1er et 2e t. (base de A et A') : 3,3 cm de diagonale sur les arc. des coquilles

Fournitures :

140 g de fil d'Écosse n° 20, blanc ; crochet acier n° 1,25.

Dimensions :

60 x 108 cm.

Exécution :

Partie centrale A : de chaq. côté des 2 t. de la base, trav. 43 rgs aller retour d'après le schéma 1. Entre les ananas, former les motifs de remplissage A2 et compléter les 2 moitiés de la partie centrale par 3 t. d'arc. sur le pourtour entier (voir A3). Laisser cette 1re partie en attente.

Marguerites partie B : crocheter chacune des 12 fleurs séparément en suiv. les croquis détaillés du schéma 2. Former ensuite séparément 12 anneaux de 20 m. pour chaq. marguerite et les relier en corolle en trav. 1 t. de m. s. sur la partie intérieure, puis un 2e t. sur la partie supérieure en suiv. les flèches du schéma corresp. Relier ensuite chaq. pétale à la m.s. corresp. de chaq. anneau par 1 t. d'arc. Compléter chaq. fleur par un autre t. d'arc. sur le pourtour extérieur et simultanément, assembler les marguerites entre elles en br. par 3 arc. consécutifs sans oublier de faire 1 t. d'arc. supplémentaire sur le pourtour intérieur comme indiqué par les flèches. Pour terminer, assembler A et B par 1 t. d'arc.

Jour de fête II

C'est en trois étapes que vous créerez cette merveille. Après le rang d'ananas au centre, viennent les marguerites et pour terminer la bordure de dentelle.

Jour de fête II

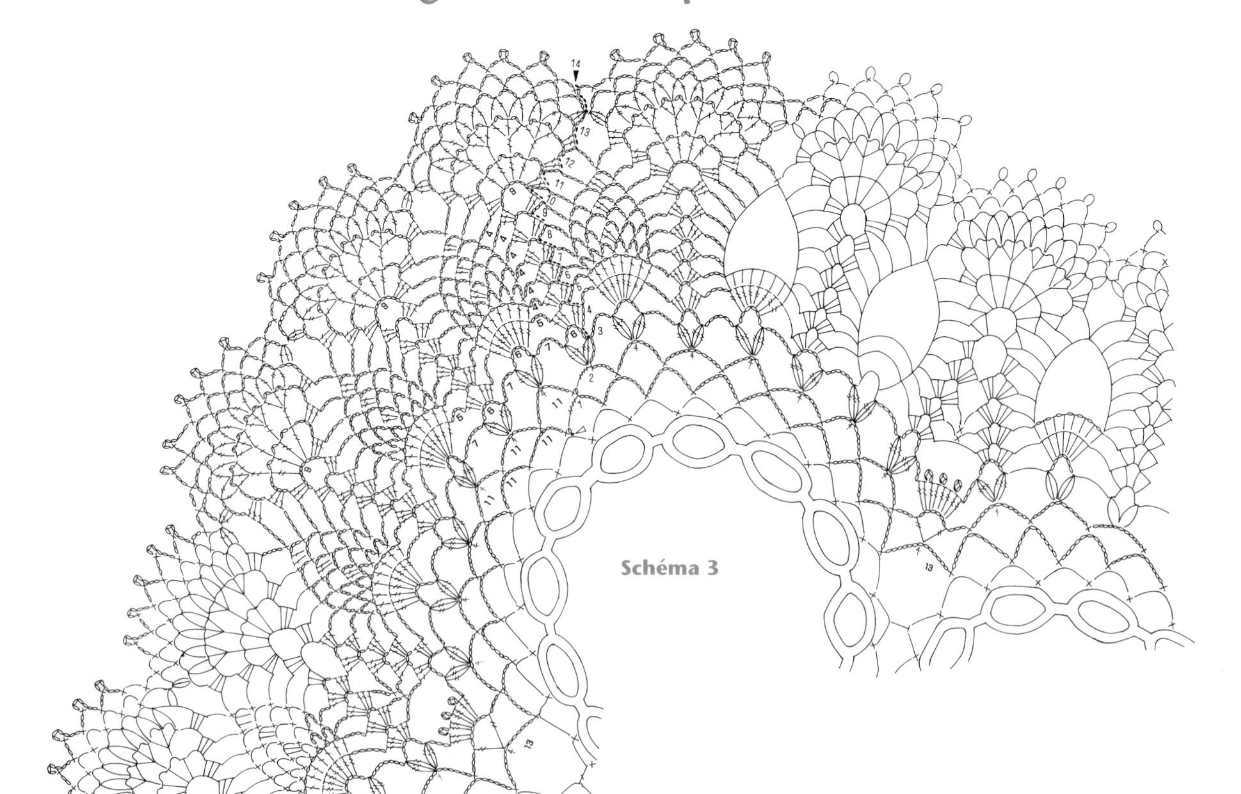

Schéma 3

C

Fournitures :

140 g de fil d'Écosse n° 20, blanc ; crochet acier n° 1,25.

Dimensions :

60 x 108 cm.

Exécution :

Bordure C : crocheter 14 t. sur le pourtour des fleurs d'après le schéma 3 et couper le fil.

Des flocons à la pelle

Ce chemin de table, rappelant de gros cristaux de givre, ornera une longue table de bois ciré au lendemain des fêtes de Noël.

IDÉE

Vous pouvez, en multipliant ce motif, réaliser une très jolie nappe.

Des flocons à la pelle

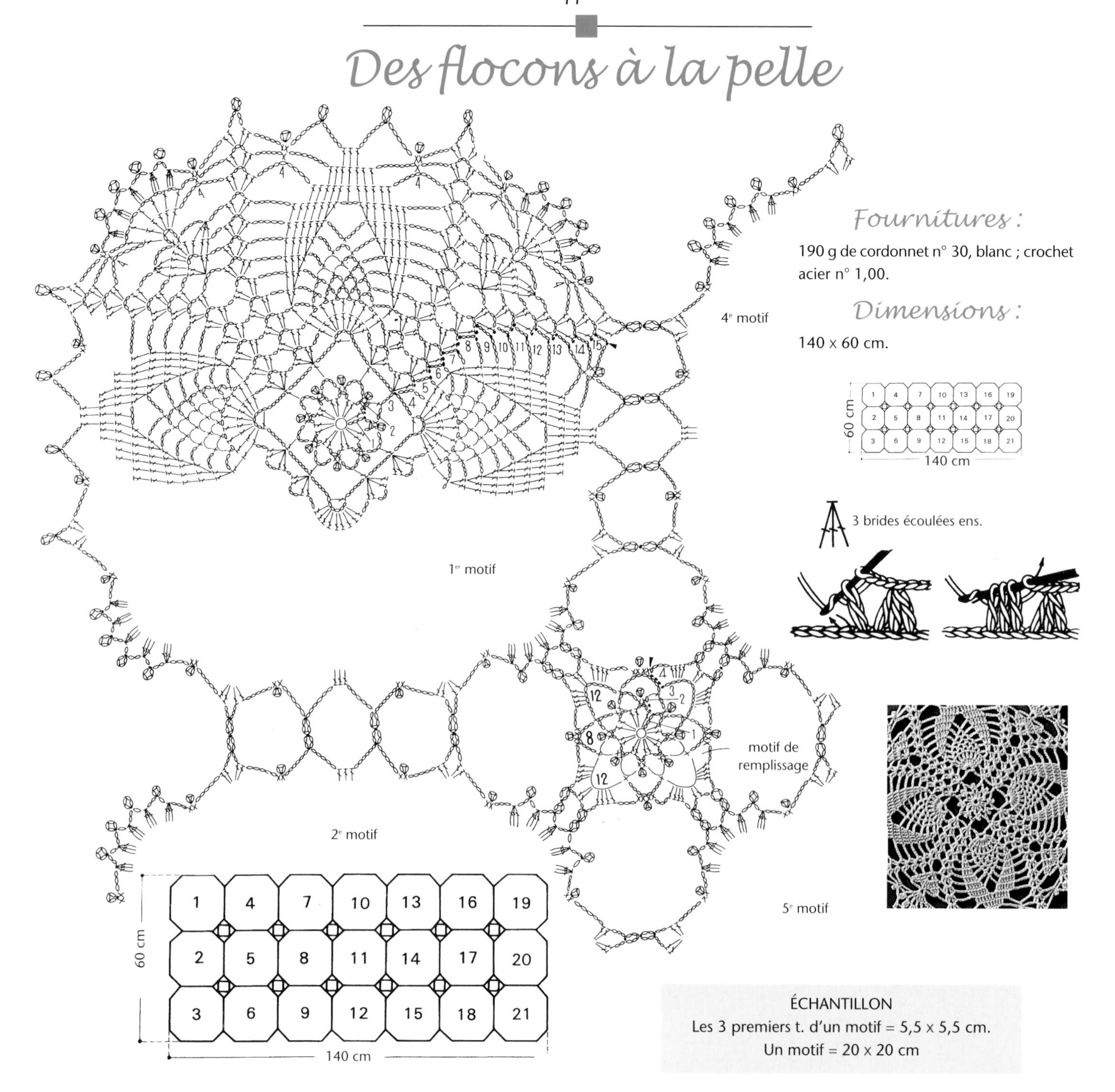

Fournitures :

190 g de cordonnet n° 30, blanc ; crochet acier n° 1,00.

Dimensions :

140 x 60 cm.

ÉCHANTILLON

Les 3 premiers t. d'un motif = 5,5 x 5,5 cm.
Un motif = 20 x 20 cm

Exécution :

Motif : 1er tour : dans une boucle formée avec l'extrémité du fil rép. 8 fs * 2 br., 3 m. air *, 1 m.c. dans la 3e des 3 m. air qui remplacent la 1re br. et avancer en m.c. dans le 1er arc.

2e tour : 1 m. air et dans chaq. arc., trav. * 1 m.s., 1 picot de 3 m. (= 3 m. air, 1 m.c. sur la tête de la m.s. précéd.), 1 m.s., 5 m. air *, remplacer les 3 dernières m. air par 1 br. sur la 1re m.s.

3e tour : piquer dans la 3e des 5 m. air de chaq. arc. et rép. 4 fs * 1 br., 6 m. air, 1 br., 11 m. air, 1 br. piquée dans la 6e m. à partir du crochet, 5 m. air *, fermer comme le 1er t.

4e au 15e tour : suivre le schéma. Fermer tous les t. par 1 m.c. et à partir du 5e t., avancer en m.c. dans l'arc. de la 1re coq. Au 15e t., former l'arc des coq. avec 2 m. air, 1 picot de 5 m. et 3 m. air ; entre les 5 groupes de 3 br. écoulées ens., faire 1 m. air, 1 picot de 4 m. et 2 m. air ; de chaq. côté des ananas, faire 5 m. air, 1 picot de 5 m. et 6 m. air. Au cours de ce t., assembler 21 motifs entre eux en remplaçant la m. air centrale de 4 picots consécutifs par 1 m.c. piquée dans le picot corresp. du motif voisin.

Motif de remplissage : trav. les 2 premiers t. comme les motifs précéd. Remplacer la 1re m.s. du 3e t. par 1 m. air et cont. d'après le schéma. Assembler aux 4 grands motifs au cours du 4e t.

CONSEIL

Pour réaliser une nappe, calculez le nombre de motifs à répéter pour obtenir les dimensions voulues.

Orient

Raffinement de l'Asie pour une composition tout en harmonie et en préciosité ponctuée de petites boules comme des éclats de perles.

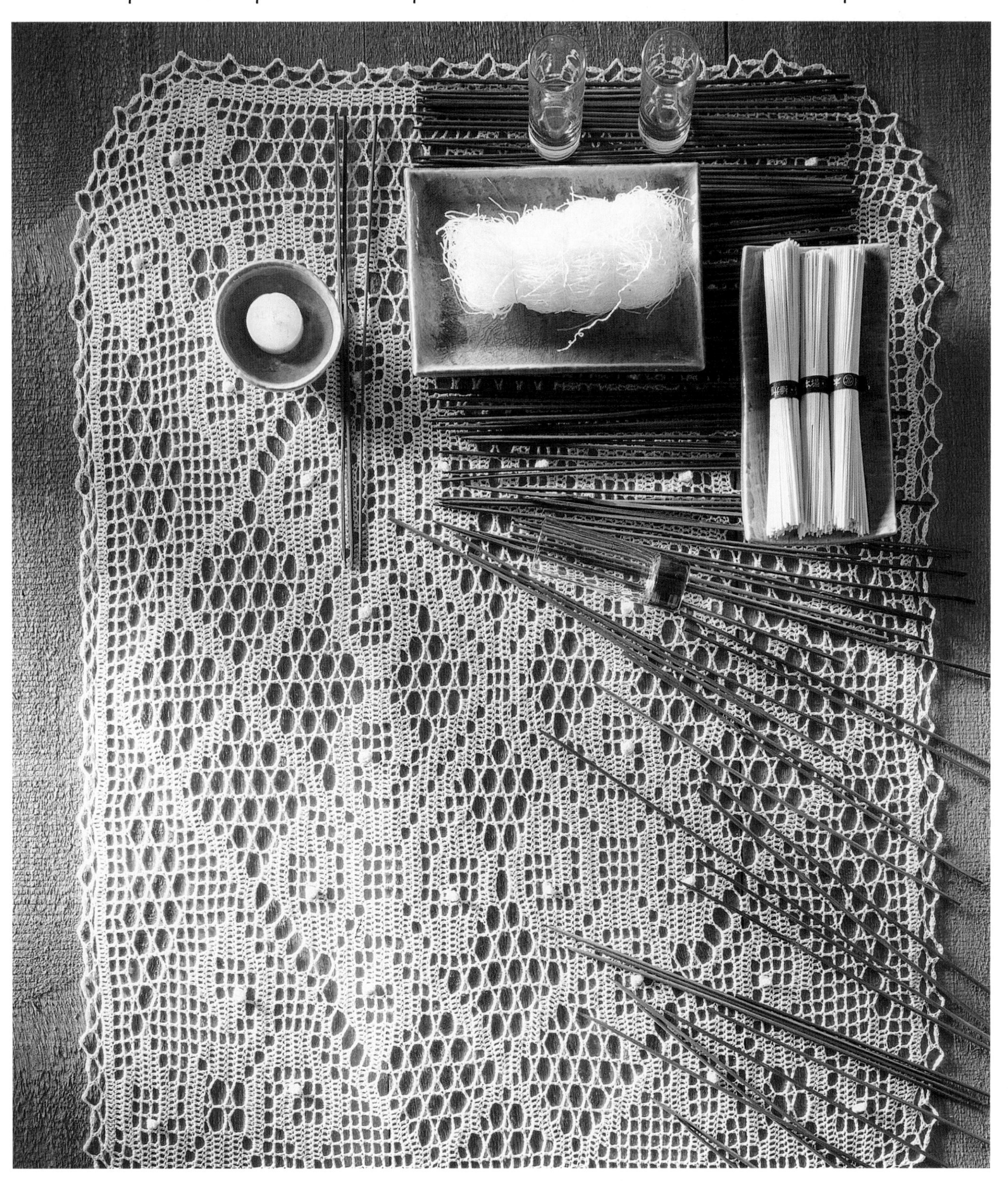

Orient

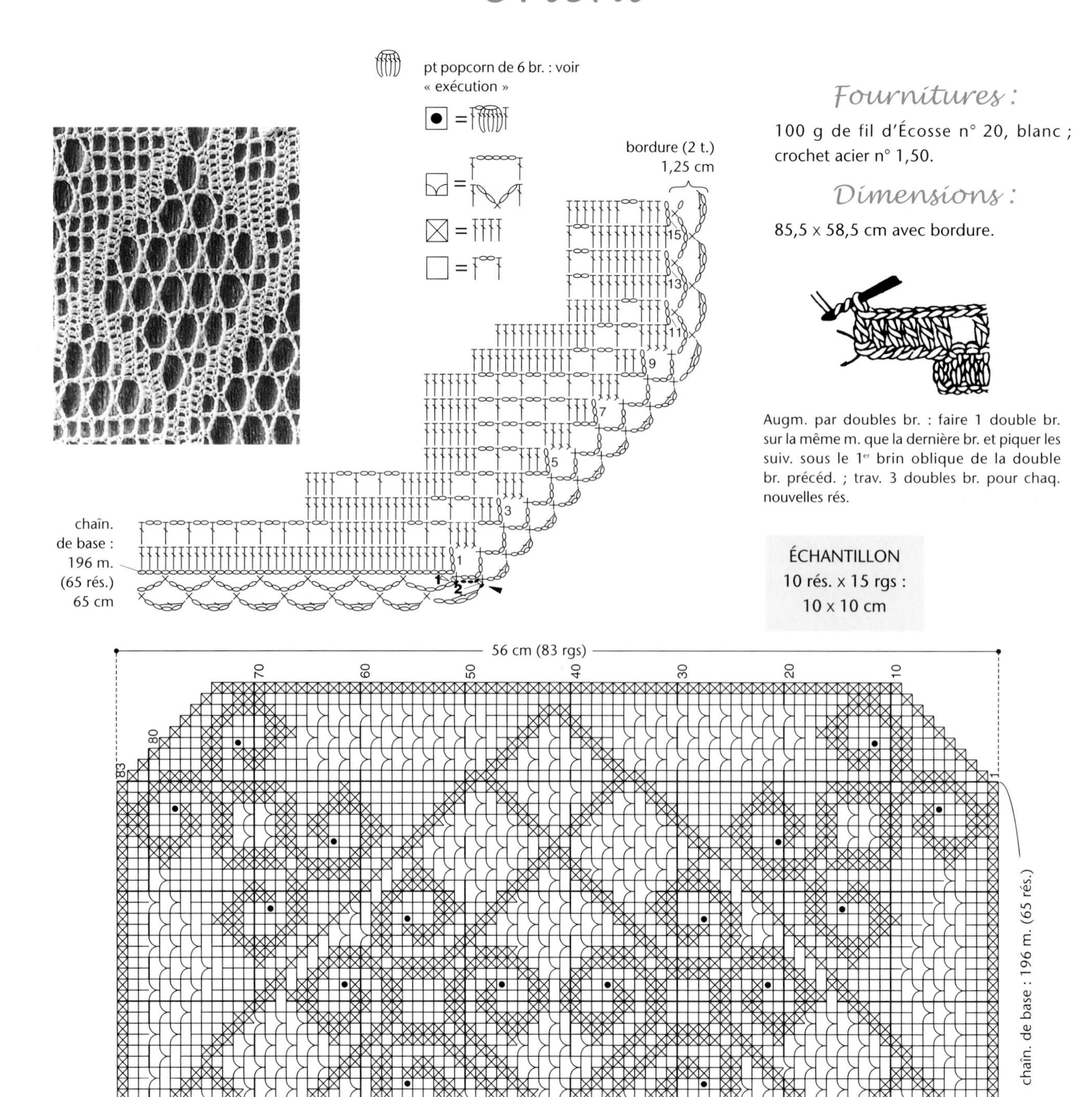

Fournitures :

100 g de fil d'Écosse n° 20, blanc ; crochet acier n° 1,50.

Dimensions :

85,5 x 58,5 cm avec bordure.

Augm. par doubles br. : faire 1 double br. sur la même m. que la dernière br. et piquer les suiv. sous le 1er brin oblique de la double br. précéd. ; trav. 3 doubles br. pour chaq. nouvelles rés.

ÉCHANTILLON
10 rés. x 15 rgs :
10 x 10 cm

Exécution :

Commencer sur une chaîn. de base de 196 m. et trav. au pt de filet en rgs aller-retour en augm. le nombre de rés. symétriquement par rapport au milieu jusqu'au 10e rg. Pour augm. 1 rés. au début du rg, faire 6 m. air au lieu de 3 pour tourner, piquer la 1re br. dans la 5e m. à partir du crochet, la 2e dans la m. air suiv. et cont. sur les m. du rg précéd. Pour augm. à la fin du rg, trav. 3 doubles br. comme le montre le dessin et l'explication qui l'accompagne. À partir du 6e rg, pour les pts popcorn, faire 6 br., étirer un peu la boucle de la dernière br., retirer le crochet de l'ouvrage, le piquer de l'env. vers l'end. (pour les rgs pairs) ou de l'end. vers l'env. (pour les rgs impairs) dans la 1re de ces 6 br., reprendre la m. lâchée et l'extraire en tirant le fil pour resserrer ; suivre respectivement la manière de piquer le crochet de façon que le relief des pts popcorn paraisse toujours sur l'end. de l'ouvrage. Cont. ensuite droit jusqu'au 74e rg puis dim. le nombre de rés. jusqu'au 83e rg et terminer par 2 t. de bordure autour de l'ouvrage d'après le schéma avant de couper le fil. Étirer l'ouvrage avec des épingles aux dimensions indiquées, vaporiser avec une solution d'amidon et laisser sécher avant d'ôter les épingles.

Les floralies

De motif en motif, de petites fleurs charnues se laissent doucement bercer dans leur joli filet au maillage délicat.

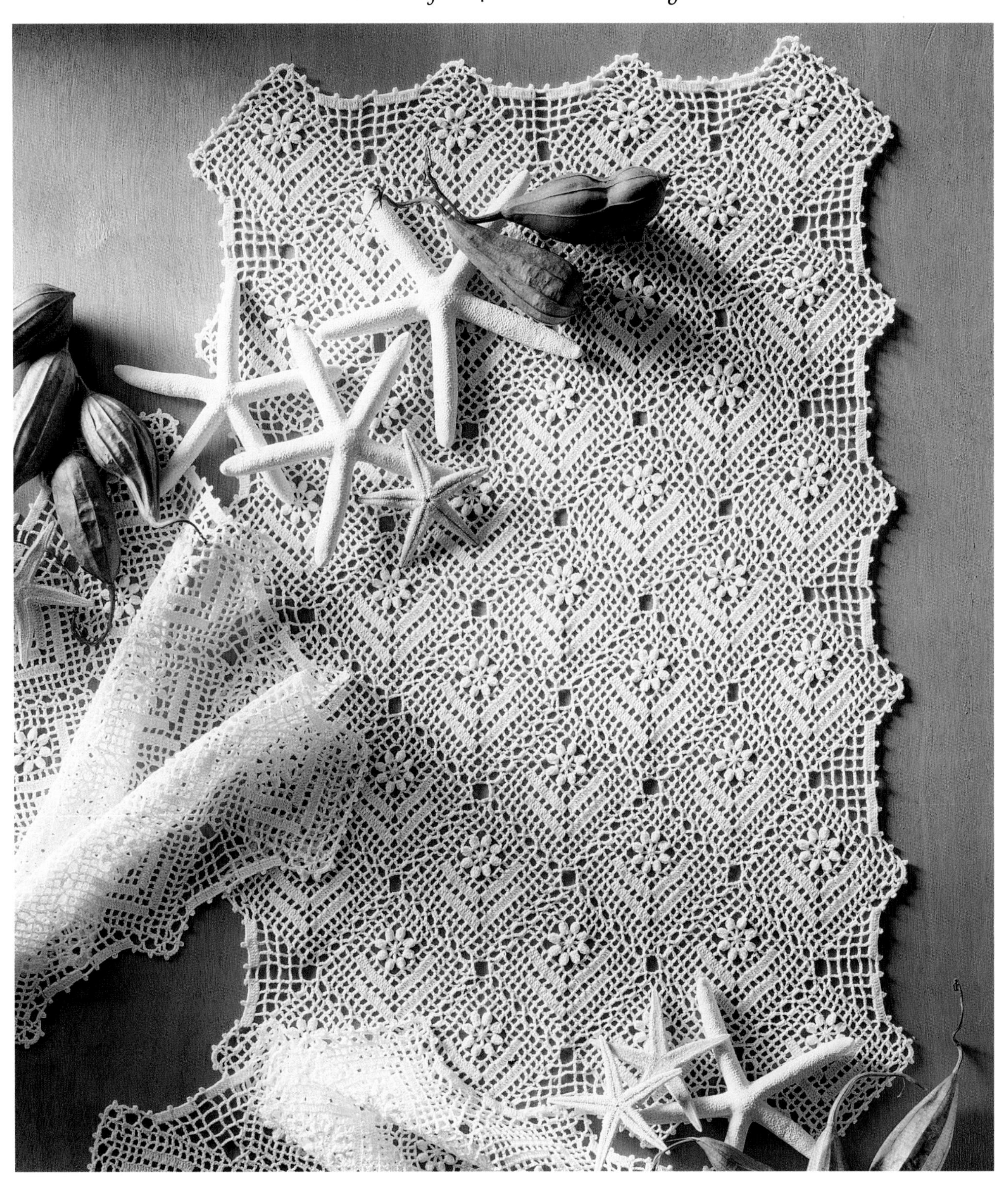

Les floralies

Fournitures :

90 g pour le grand napperon et 40 g pour chaq. petit de Babylo, Art. 147, n° 40, blanc ; crochet acier n° 1,00.

Dimensions :

Voir dessin.

Exécution :

Motif : commencer dans une boucle formée avec l'extrémité du fil, trav. 4 t. en rond puis cont. en rgs aller-retour sur 2 côtés du carré obtenu jusqu'au 8e rg et terminer par le 9e t. formé de m.s. et arc. de 5 m. air sur le pourtour du motif comme le montre le schéma.

Assemblage : au cours du 9e t. (à partir du 2e motif), assembler les motifs entre eux (voir dessin) en remplaçant la m. air centrale des 7 arc. des côtés par 1 m.c. piquée dans l'arc. corresp. du motif voisin. Assembler ainsi 39 motifs pour le grand napperon et 18 pour chaq. petit en plaçant les 4 t. du début de chaq. motif toujours dans le même sens.

Bordure : au cours du 1er t., « remplir » les espaces triangulaires formés entre les motifs en rgs aller-retour en suiv. les flèches sur le schéma pour le sens du trav. Terminer par le 2e t. formé de doubles br. et picots (= 3 m. air et 1 m.c. sur la tête de la double br. ou m.s. précéd.) entre les motifs et de m.s., arc. et picots sur chacun d'eux. Fermer ce t. par 1 m.c. sur la 1re m.s. et couper le fil.

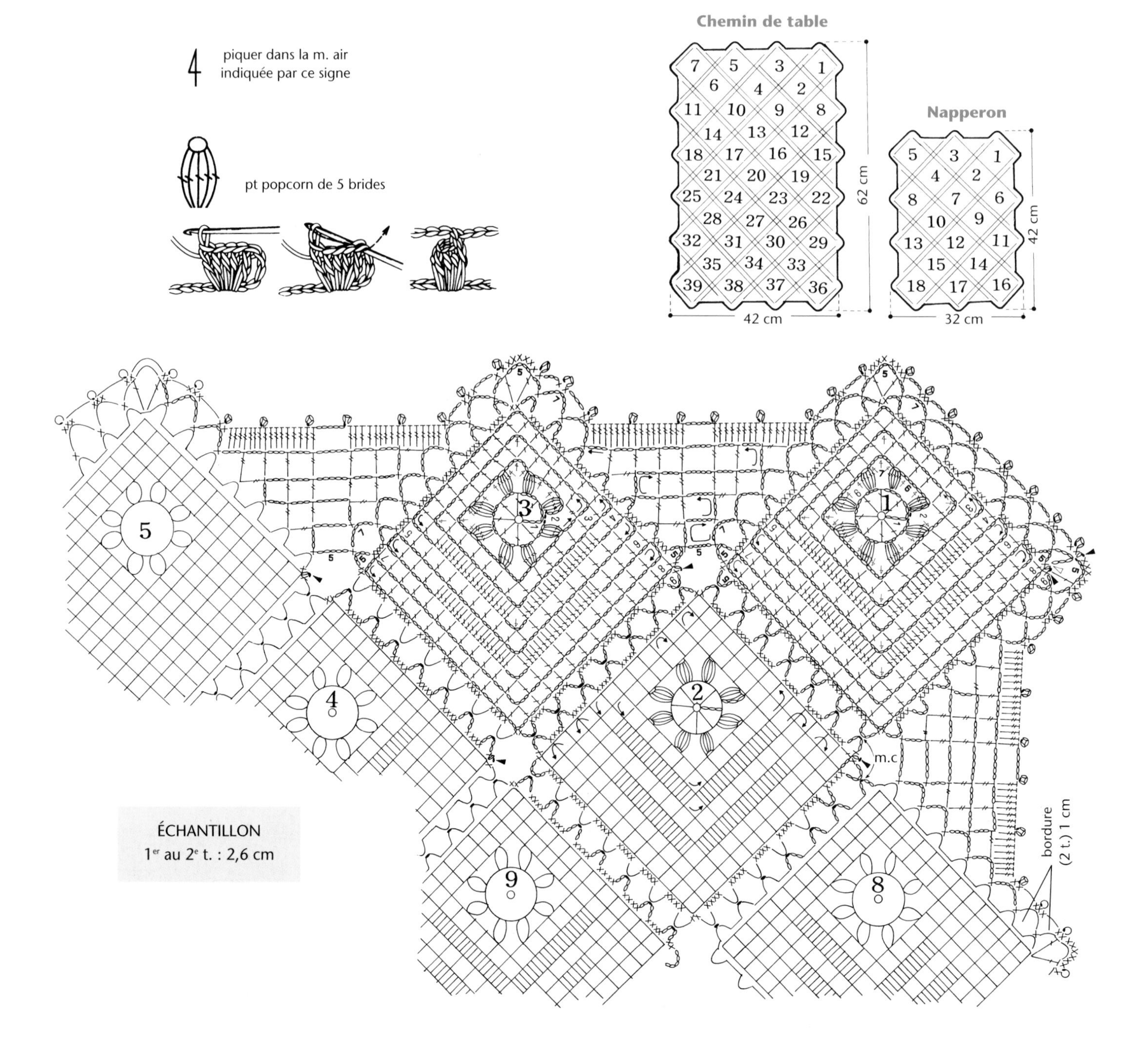

ÉCHANTILLON
1er au 2e t. : 2,6 cm

Perrette

Un chemin qui sent bon les champs avec ses motifs à pétales que des fleurettes réunissent dans un rythme vif et léger.

Perrette

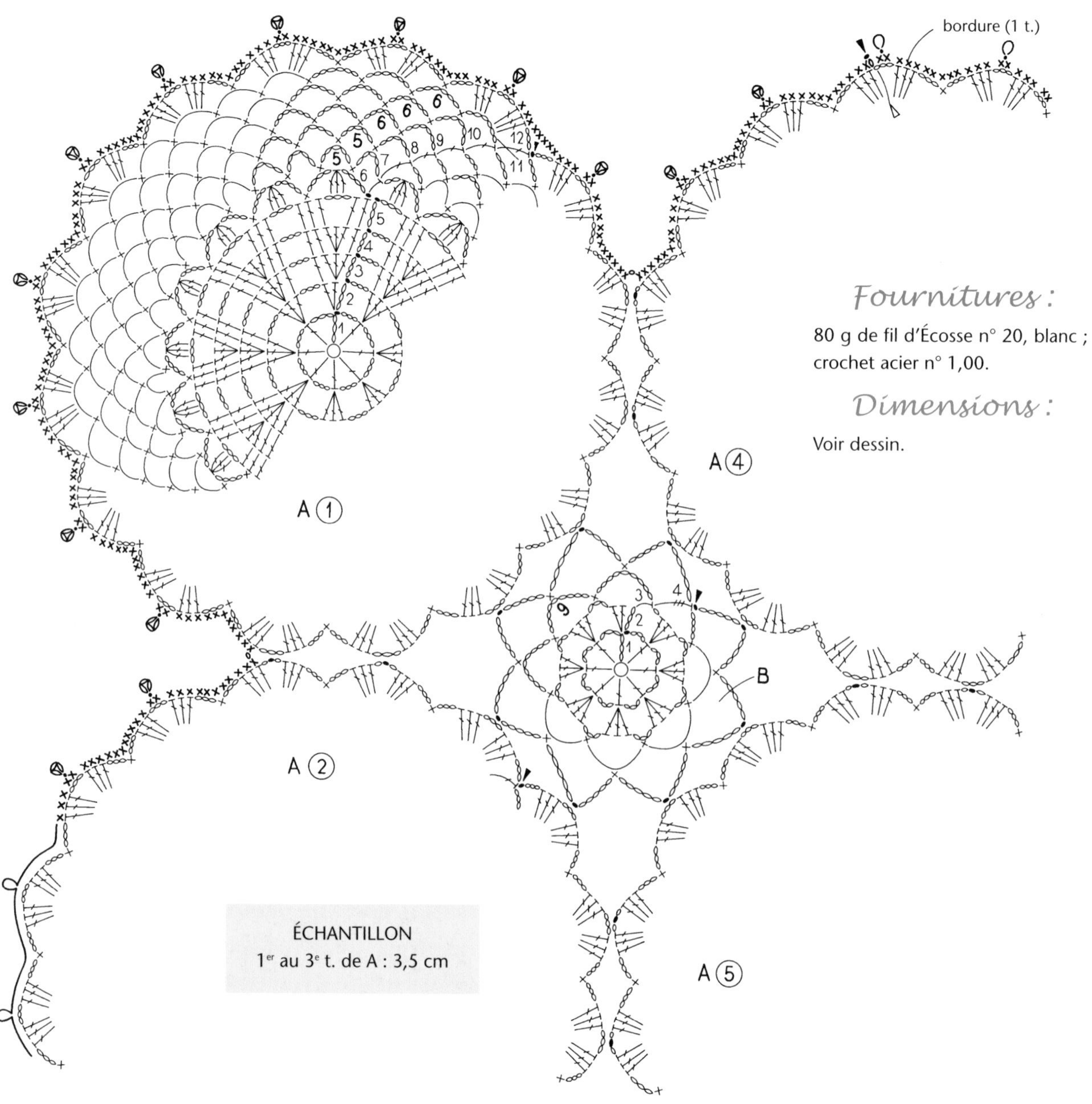

Fournitures :

80 g de fil d'Écosse n° 20, blanc ; crochet acier n° 1,00.

Dimensions :

Voir dessin.

ÉCHANTILLON
1er au 3e t. de A : 3,5 cm

= 3 br. écoulées ens. : faire 3 br. incomplètes (ne pas écouler la dernière boucle) dans le même arc. et écouler les 4 m. en une seule fs.

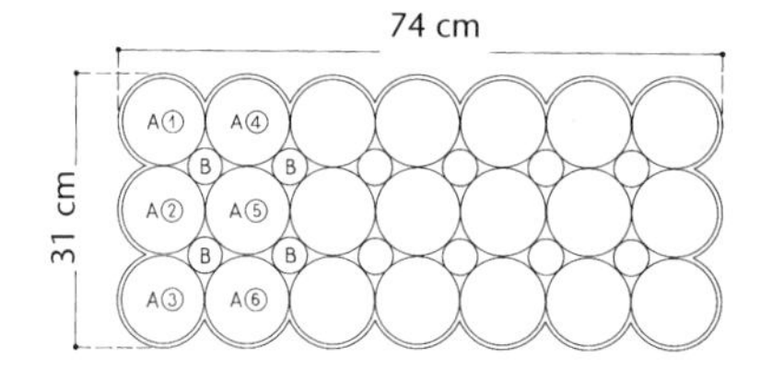

Exécution :

Motif A : commencer chacun d'eux dans une boucle formée avec l'extrémité du fil et trav. 12 t. d'après le schéma. Au cours du 12e t., assembler les motifs entre eux (voir dessin) en remplaçant la m. air centrale de 2 arc. consécutifs par 1 m.c. piquée dans l'arc. corresp. du motif voisin. Former ainsi 3 rangées de 7 motifs A.

Motif B : suiv. le schéma corresp. et au cours du 4e t., assembler les motifs B en m.c. par les arc. entre les motifs A.

Bordure : trav. 1 t. de m.s. et m.s. avec picot sur le pourtour de l'ouvrage comme indiqué en gras.

Grains de café

À l'heure de la pause café, cette composition
d'une belle régularité sera parfaitement dans le ton.

Grains de café

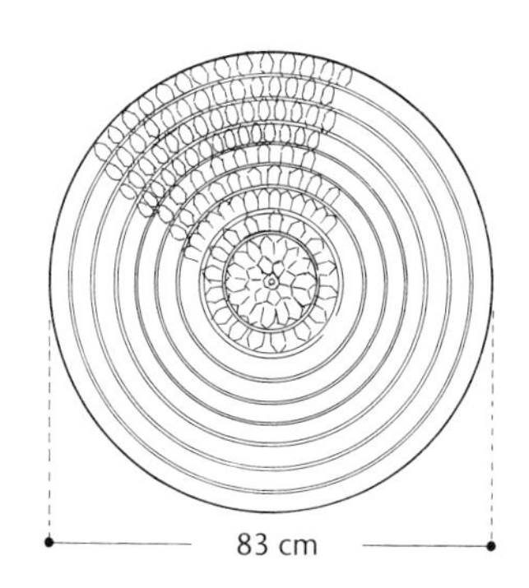

ÉCHANTILLON
1er t. : 3,3 cm

quadruple br. : faire 4 jetés, piquer sur la m. corresp., 1 jeté, extraire une boucle et rép. 5 fs *1 jeté, écouler 2 boucles*

trav. 1 br., 1 quadruple br. et 1 br. incomplètes (ne pas écouler la dernière boucle) sur les 3 m. corresp. et écouler les 4 boucles en une seule fs

piquer dans la m. air indiquée par ce signe

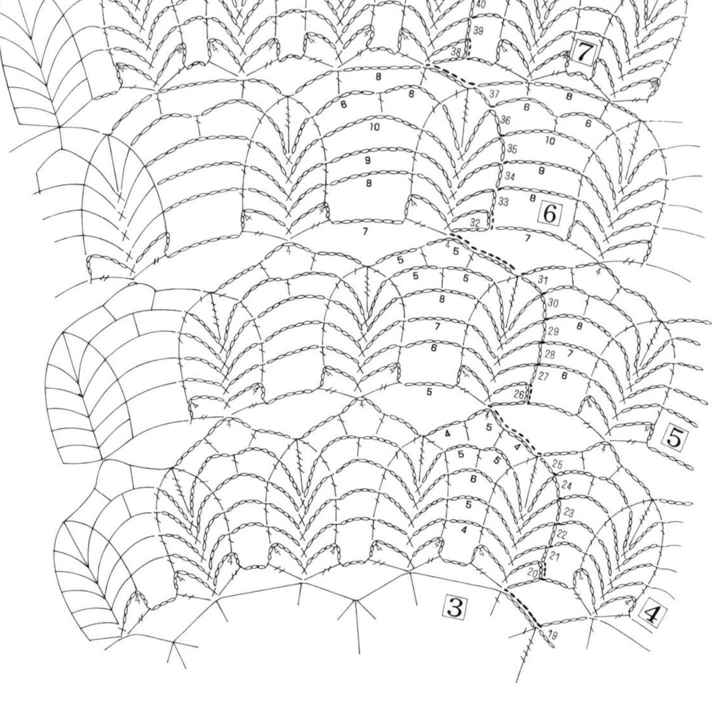

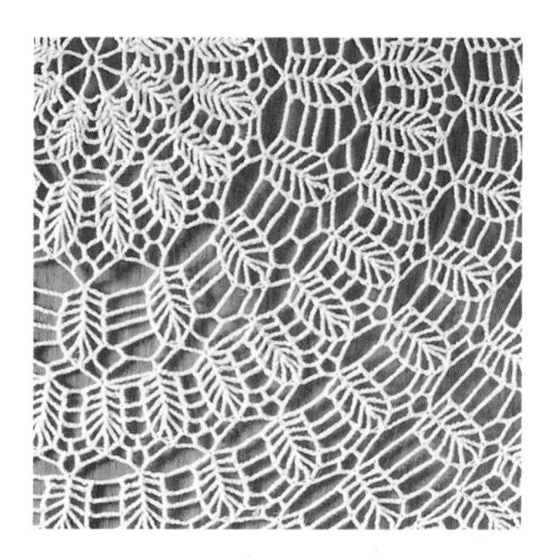

Fournitures :

80 g de fil d'Écosse n° 10, blanc ; crochet acier n° 1,25.

Dimensions :

Voir dessin.

Exécution :

Commencer dans un rond de 10 m. et former 10 couronnes de feuilles successives d'après le schéma en se rappelant que la base de chacune d'elles (= *1 double br., 7 m. air, 1 m.s., 7 m. air et 1 double br.*) se pique toujours sur la même m. qu'elle soit située sur 1 quadruple br., br. ou dans 1 arc. ; dans ce cas, piquer sur la m. air centrale de l'arc. même si le symbole corresp. ne figure pas sur le schéma. De même, piquer les br. des 3e, 9e et 15e t. sur la 3e et 5e m. air des 2 arc. de la base des feuilles de façon à obtenir des motifs réguliers. Une fs l'ouvrage terminé, il est fortement conseillé de l'amidonner pour lui donner de la tenue.

Carré d'étoiles

Ce ballet d'étoiles joue habilement du contraste entre les motifs pleins et ceux finement ajourés. L'éclat est au rendez-vous.

IDÉE

Avec ce type de motif, vous pouvez réaliser une surnappe pour une table ronde ou carrée.

Carré d'étoiles

ÉCHANTILLON
1er et 2e t. : 2,3 cm

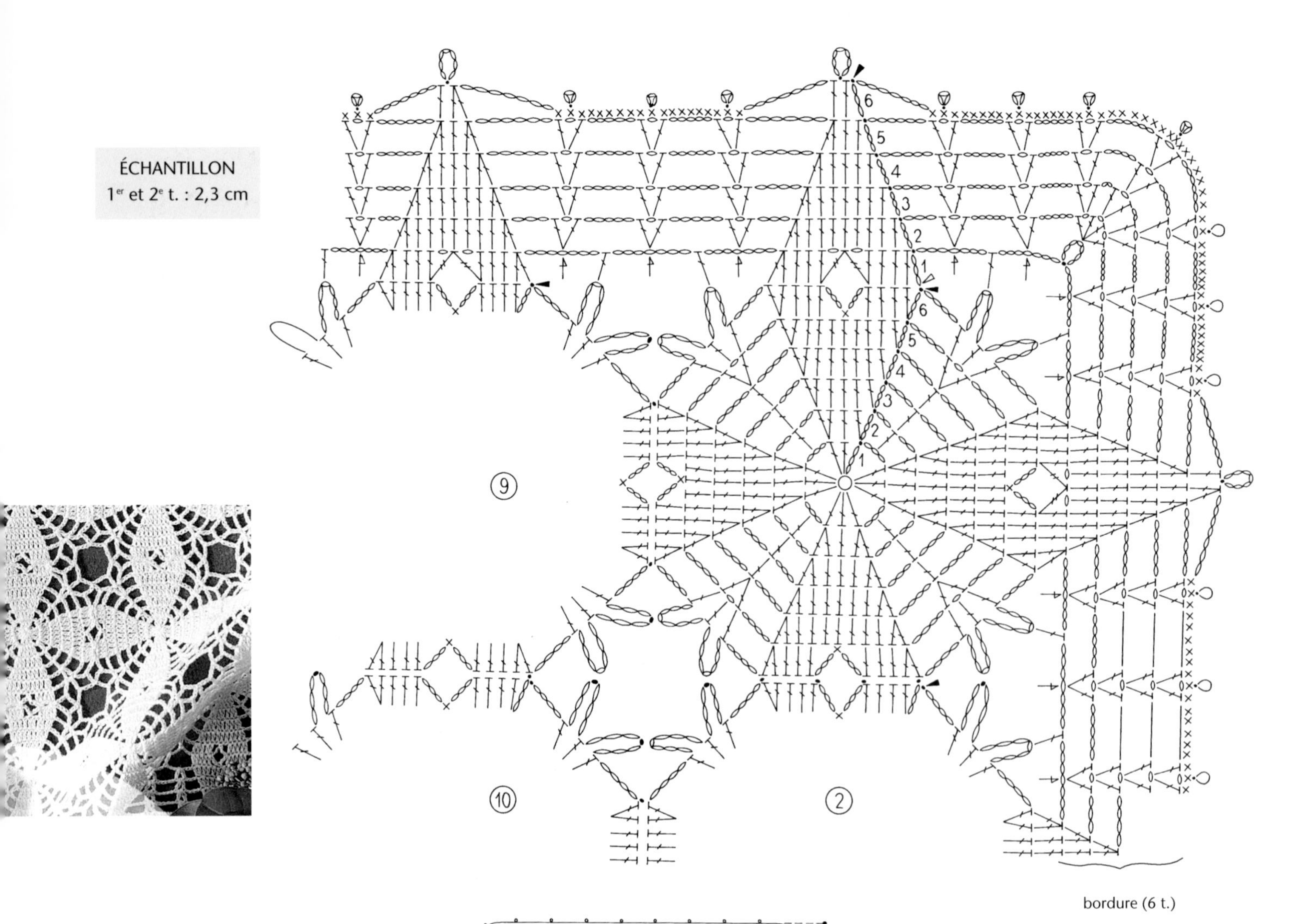

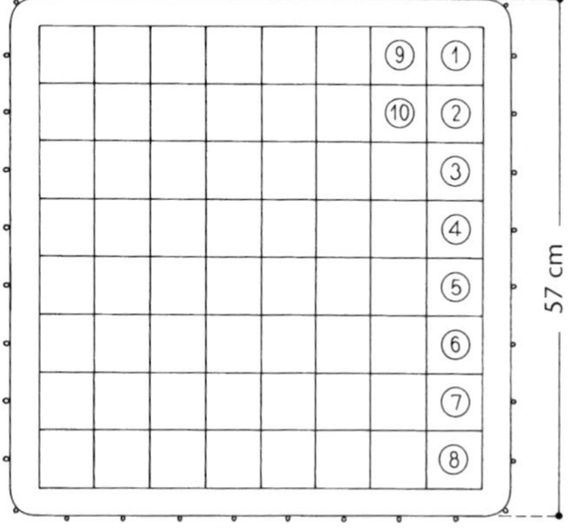

= piquer dans la m. air soulignée par ce symbole

= 2 doubles br. écoulées ens.: faire 1 double br. incomplète (ne pas écouler la dernière boucle) sur les 2 m. corresp. et écouler les 3 boucles en une seule fs

= 2 brides écoulées ens.

CONSEIL

Pour agrandir cet ouvrage, il vous faudra multiplier les motifs en prenant soin de respecter l'ordre d'assemblage.

Fournitures :

110 g de Babylo, Art. 147, n° 40, blanc ; crochet acier n° 1,00.

Dimensions :

57 x 57 cm.

Exécution :

Commencer chaq. motif dans une boucle formée avec l'extrémité du fil et trav. 6 t. d'après le schéma et l'explication des symboles qui l'accompagnent. Au cours de ce dernier, assembler 64 motifs entre eux en m.c. comme le montre le dessin. Terminer par 6 t. de bordure sur le pourtour de l'ouvrage et couper le fil à la fin du 6e t.

Les glaneuses

Des guirlandes de fleurs posées sur des maillages fantaisie prennent le chemin doré d'un joli panier à pain pour rendre l'ambiance encore plus savoureuse.

Les glaneuses

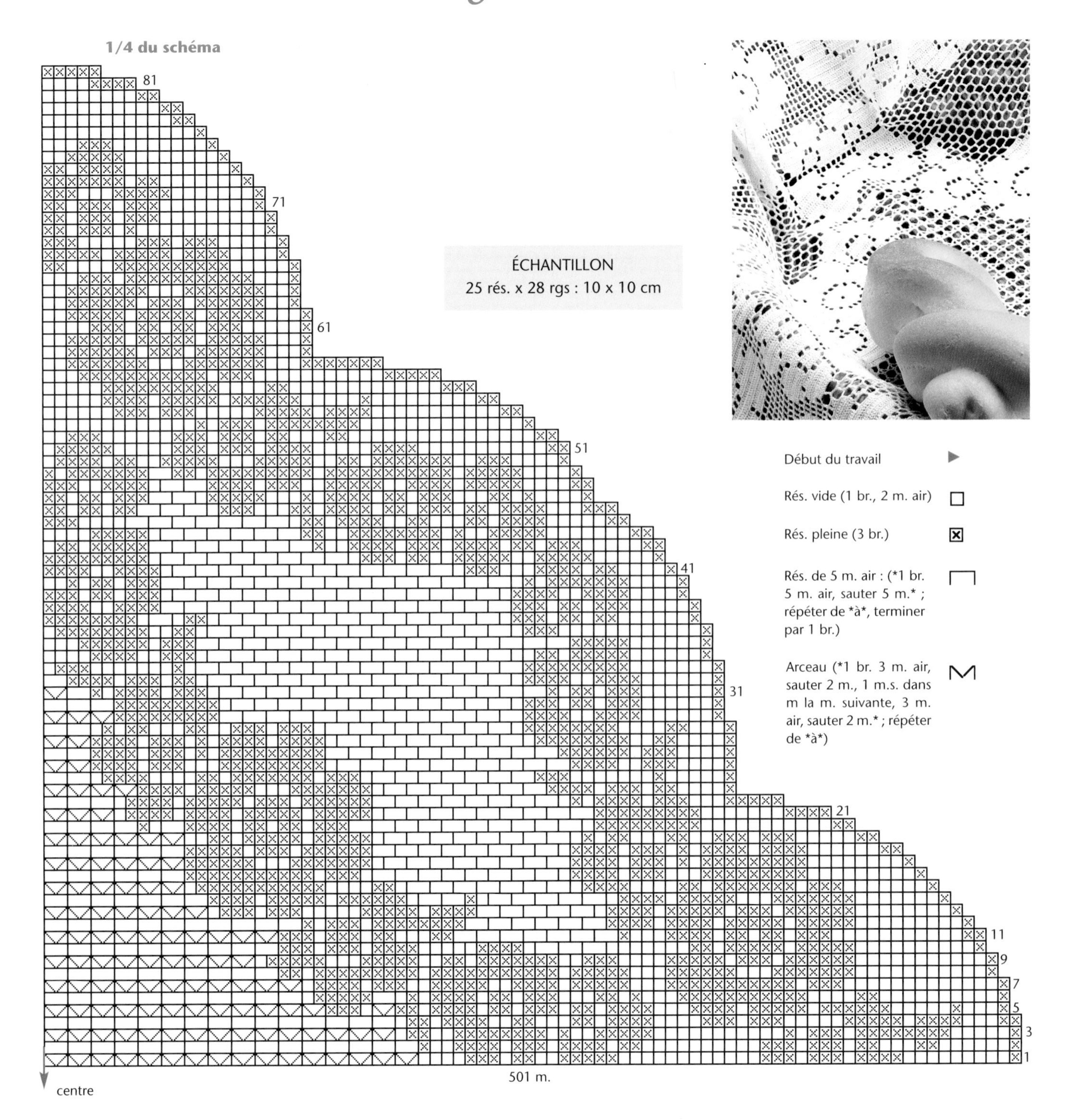

Fournitures :

50 g de fil d'Écosse Freccia n° 25 blanc 7901 ; crochet acier n° 0,60.

Dimensions :

70 x 70 cm.

Exécution :

L'ouvrage se commence par la plus grande largeur en travaillant dans un sens, puis de manière symétrique après avoir tourné l'ouvrage. Faire une chaîn. de 501 m., puis 3 m. air (pour remplacer la 1re br.) et 1 br. dans la 5e m. air à partir du crochet. Poursuivre le rg en se reportant au diag. qui ne représente que 1/4 de l'ouvrage, donc arrivé au centre continuer en travaillant en vis-à-vis. On obtient 51 rés., 32 arc. et 51 rés. Poursuivre en faisant les diminutions comme indiquées sur le diag. À la fin du 82e rg, arrêter et couper le fil. Tourner l'ouvrage de telle sorte que le 1er rg se trouve au-dessous, attacher le fil par 1 m.c. à droite et travailler selon le diag. du 2e au 82e rg. Arrêter et couper le fil.

Perle

Un modèle rayonnant aux lignes pures qui partout dans la maison laissera son empreinte de douceur et d'harmonie.

Perle

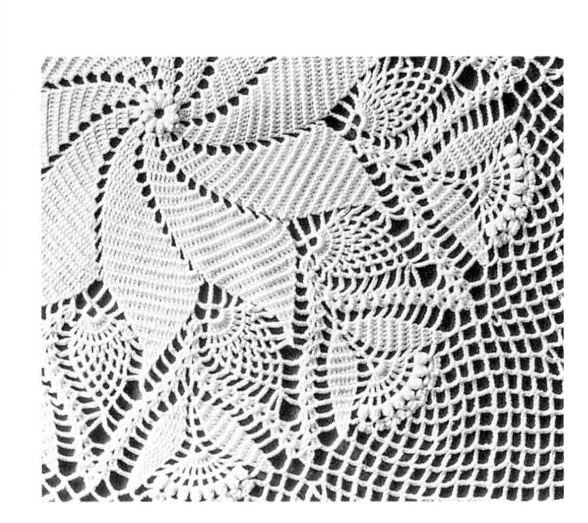

Fournitures :

150 g de cordonnet n° 30, blanc ; crochet acier n° 1,00.

Diamètre :

78 cm.

Exécution :

1er tour : commencer dans une boucle formée avec l'extrémité du fil et en remplaçant la 1re br. par 3 m. air, rép. 10 fs *1 pt popcorn (=faire 4 br., allonger un peu la boucle de la dernière br., retirer le crochet de l'ouvrage, le piquer dans la 1re des 4 br., reprendre la m. lâchée et l'extraire en tirant le fil pour resserrer) 3 m. air* dans la boucle.

2e au 30e tour : former 10 motifs sur le pourtour de l'ouvrage d'après le schéma.

31e au 49e tour : cont. avec des arc. de 7 m. en prêtant attention aux augm. représentées en gras et formant les axes servant de base aux 20 motifs des t. 50 à 62.

63e au 80e rang : compléter l'ouvrage avec des arc. en variant le nbr. de m. air de façon à augm. le diamètre comme indiqué et couper le fil à la fin du 80e rg.

= pt popcorn de 4 br. : voir « exécution »

= piquer dans la m. air centrale de l'arc.

= groupes de 2, 3 et 4 br. écoulées ens. : en piquant sur les m. ou dans les arc. corresp., trav. 2, 3 ou 4 br. incomplètes (ne pas écouler la dernière boucle) et écouler les 3, 4 ou 5 m. en une seule fs

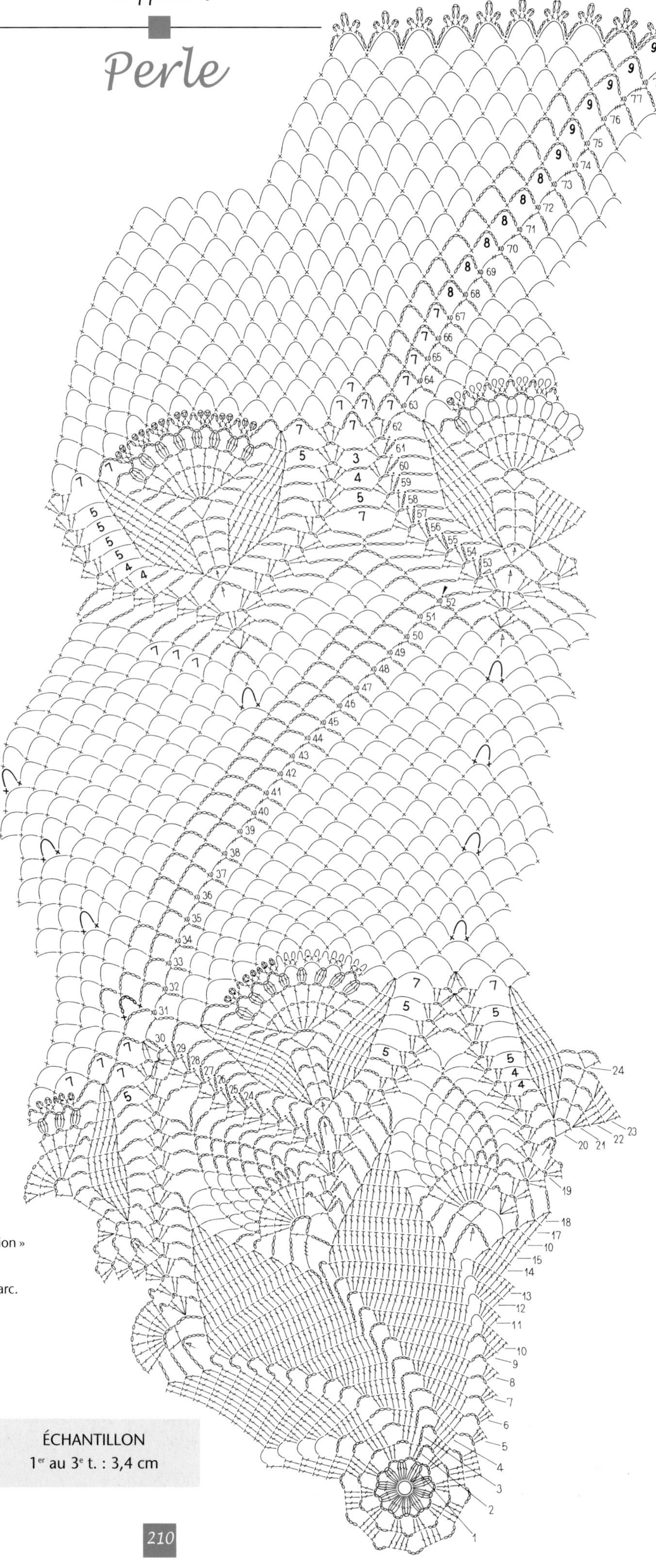

ÉCHANTILLON
1er au 3e t. : 3,4 cm

Accords cuivrés

Pour embellir la maison, un quatuor de modules orné d'ananas qu'encadre joliment une bordure de dentelle.

Accords cuivrés

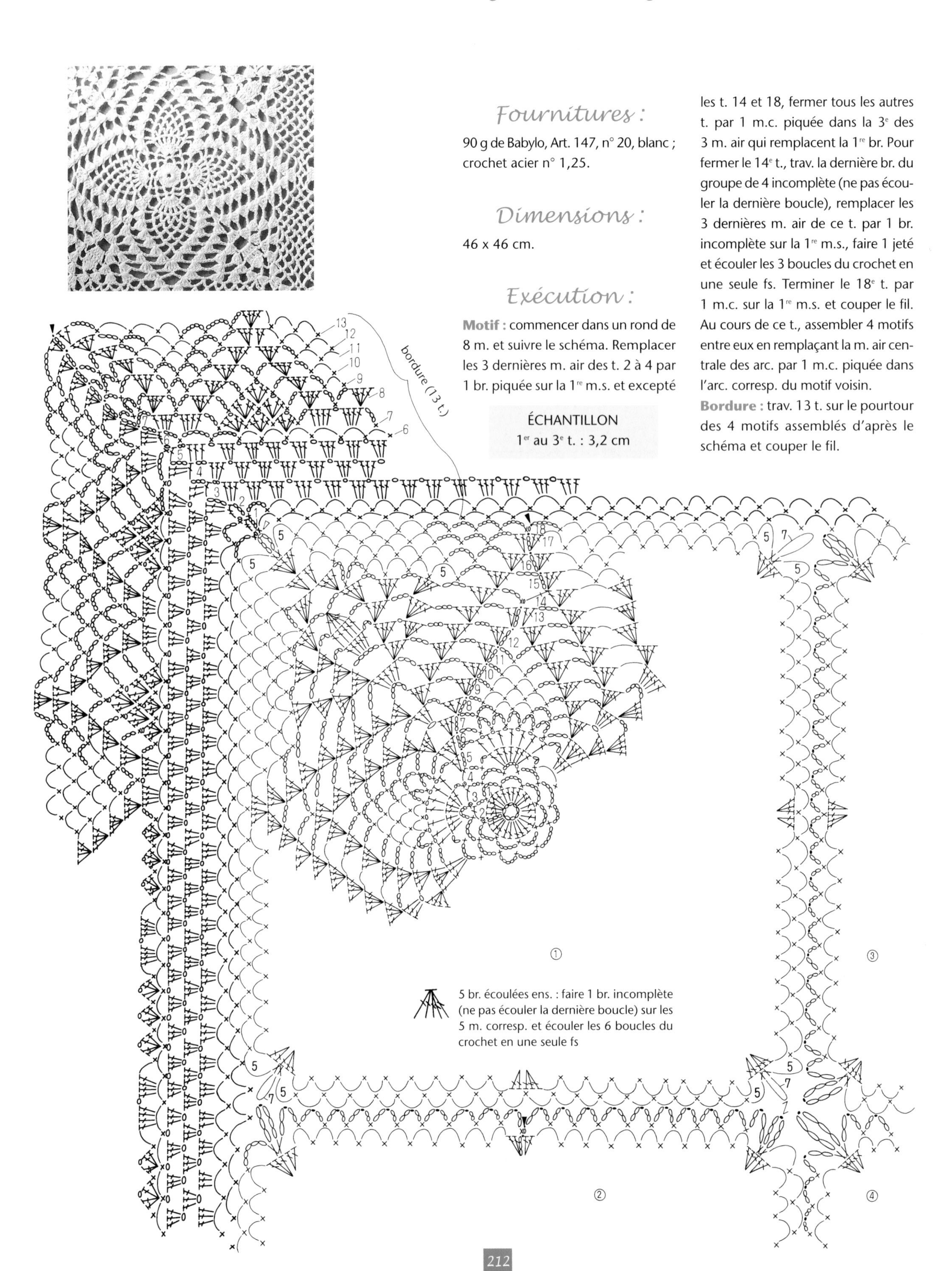

Fournitures :

90 g de Babylo, Art. 147, n° 20, blanc ; crochet acier n° 1,25.

Dimensions :

46 x 46 cm.

Exécution :

Motif : commencer dans un rond de 8 m. et suivre le schéma. Remplacer les 3 dernières m. air des t. 2 à 4 par 1 br. piquée sur la 1re m.s. et excepté les t. 14 et 18, fermer tous les autres t. par 1 m.c. piquée dans la 3e des 3 m. air qui remplacent la 1re br. Pour fermer le 14e t., trav. la dernière br. du groupe de 4 incomplète (ne pas écouler la dernière boucle), remplacer les 3 dernières m. air de ce t. par 1 br. incomplète sur la 1re m.s., faire 1 jeté et écouler les 3 boucles du crochet en une seule fs. Terminer le 18e t. par 1 m.c. sur la 1re m.s. et couper le fil. Au cours de ce t., assembler 4 motifs entre eux en remplaçant la m. air centrale des arc. par 1 m.c. piquée dans l'arc. corresp. du motif voisin.

Bordure : trav. 13 t. sur le pourtour des 4 motifs assemblés d'après le schéma et couper le fil.

ÉCHANTILLON
1er au 3e t. : 3,2 cm

Zéphyr

À une douce envie de dentelle, cette composition apporte une réponse légère et délicate avec ses petits carrés finement ciselés.

Zéphyr

Fournitures :

50 g de Babylo, Art. 147, n° 40, blanc ; crochet acier n° 0,60.

Dimensions :

47 x 47 cm.

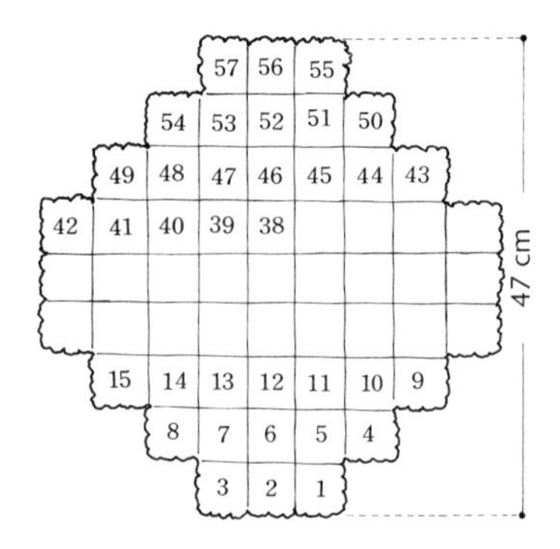

Exécution :

Motif : 1er rang : pour la base, commencer par 24 m. air, 1 m.s. dans la 14e m. à partir du crochet de façon à former une boucle, compléter la base par 10 m. air et trav. 5 rés. vides sur la base obtenue comme le montre le schéma. **2e au 5e rang :** cont. en trav. 4 rgs de rés. vides et simultanément, former une boucle au début et à la fin du 3e rg comme suit : à la fin du 2e rg, faire 16 m. air pour tourner, 1 m.s. dans la 14e m. à partir du crochet, puis faire 4 m. air et 1 double br. sur la double br. pour compléter la 1re rés., trav. 3 rés., puis faire 5 m. air, 1 demi-br. dans la 4e des 7 m. air du début du 2e rg, 14 m. air, tourner, 1 m.c. dans la 5e, puis dans la 4e des 5 m. air du début et faire 7 m. air pour le début du 4e rg. Au cours du 5e rg, former une boucle au niveau de la 3e rés. de la même manière qu'au début du 3e rg. À la fin du 5e rg, trav. 3 t. de m.s., picot et arc. sur le pourtour du carré obtenu d'après le schéma. **Assemblage des motifs :** au cours du 3e t., relier 57 motifs entre eux (voir dessin) en remplaçant la m. air centrale de 4 picots par côté (voir schéma) par 1 m.c. piquée dans le picot corresp. du motif voisin.

ÉCHANTILLON
Un motif : 5,2 x 5,2 cm

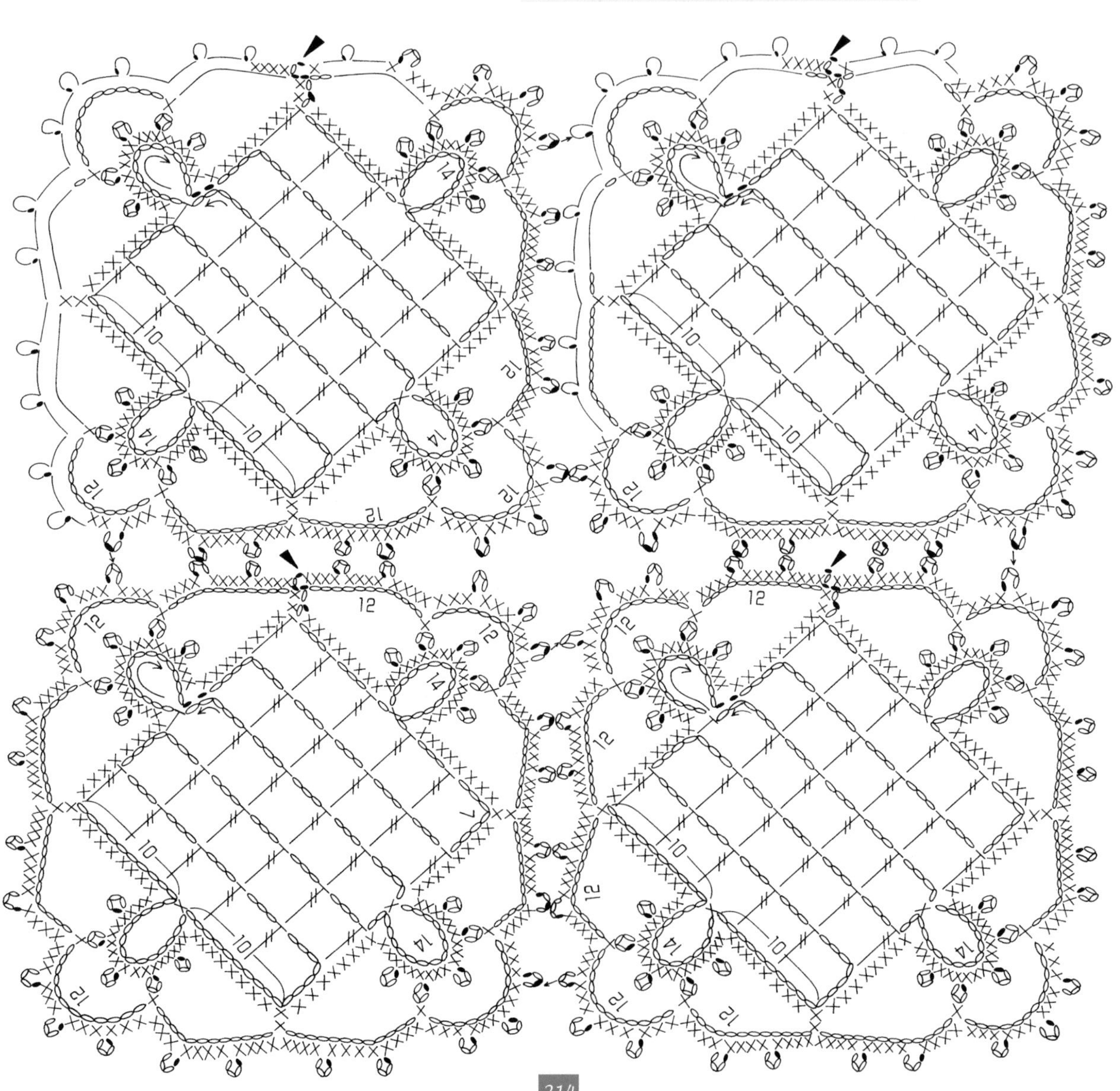

Figure de style

Des cercles de points délicats se répondent en s'éloignant du cœur étoilé et créent un ensemble d'une indéniable attraction.

Figure de style

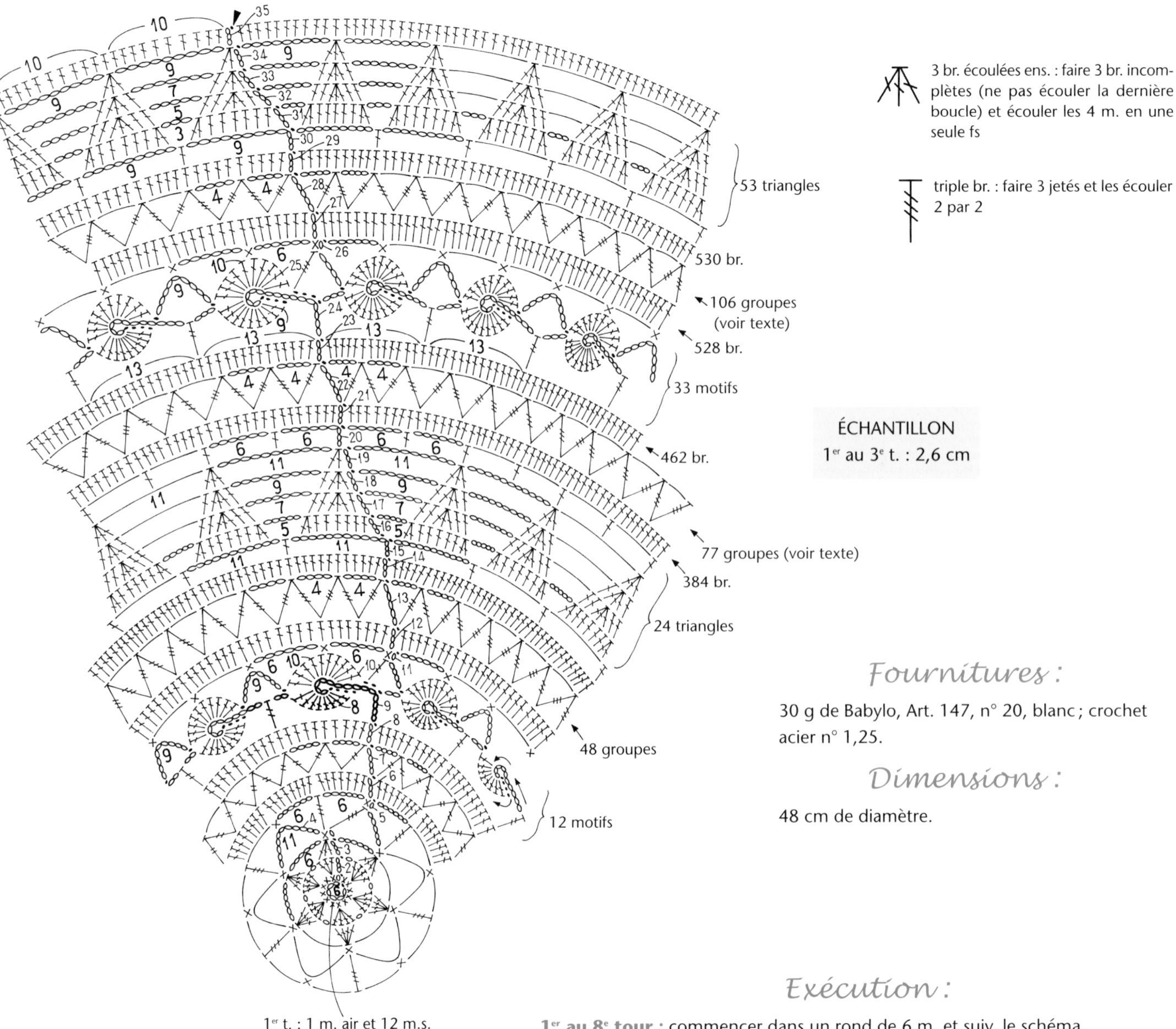

3 br. écoulées ens. : faire 3 br. incomplètes (ne pas écouler la dernière boucle) et écouler les 4 m. en une seule fs

triple br. : faire 3 jetés et les écouler 2 par 2

ÉCHANTILLON
1er au 3e t. : 2,6 cm

Fournitures :

30 g de Babylo, Art. 147, n° 20, blanc ; crochet acier n° 1,25.

Dimensions :

48 cm de diamètre.

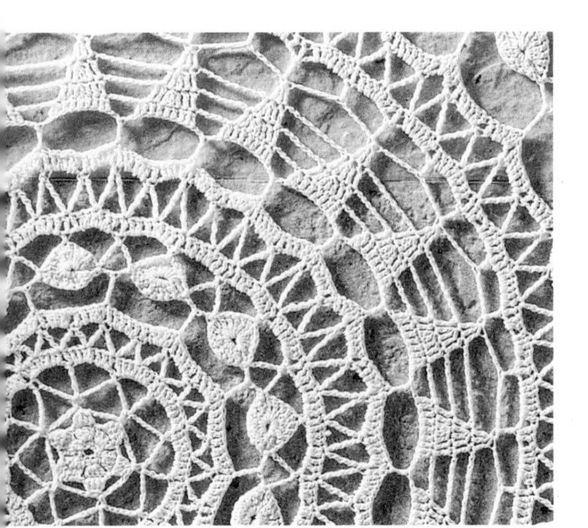

Exécution :

1er au 8e tour : commencer dans un rond de 6 m. et suiv. le schéma.
9e tour : former la partie inférieure de chaq. motif comme suit : après la double br. piquée sur la m. corresp. du 8e t., faire 10 m. air, former un rond en piquant 1 m.c. dans la 5e m. air à partir du crochet, 1 m.c. sur la 3 m. air suiv. et trav. 8 br. dans le rond obtenu (mettre l'ouvrage sur l'env. de façon que les 8 br. apparaissent dans le bas du rond puis remettre sur l'end.) et compléter le motif par 2 m. air.
10e tour : former la partie supérieure de chaq. motif en faisant 1 m.c. dans la 3e des 10 m. air à partir de la double br. du 9e t., 10 br. dans le rond (laisser sur l'end.), terminer par 1 m.c. piquée sur la 1re des 2 m. air suiv. et faire 1 arc. de 9 m. air.
11e au 21e tour : suiv. le schéma.
22e tour : pour obtenir 77 groupes de 2 triples br. écoulées ens. sur les 384 br. du 21e t., sauter 3 m. au lieu de 4 entre les 2 triples br. du 77e groupe comme le montre le schéma.
23e au 27e tour : voir schéma.
28e tour : pour obtenir 106 groupes de 2 triples br. écoulées ens. sur les 528 br. du 27e t., former 104 d'entre eux en sautant 4 m. entre les 2 triples br. et sauter 3 m. entre les 2 triples br. des 2 autres groupes.
29e au 35e tour : cont. d'après le schéma et couper le fil à la fin du 35e t.

Petit-déjeuner

Dans ce modèle délicat, la frise richement fleurie contraste avec la transparence des arceaux au cœur de l'ouvrage.

Petit-déjeuner

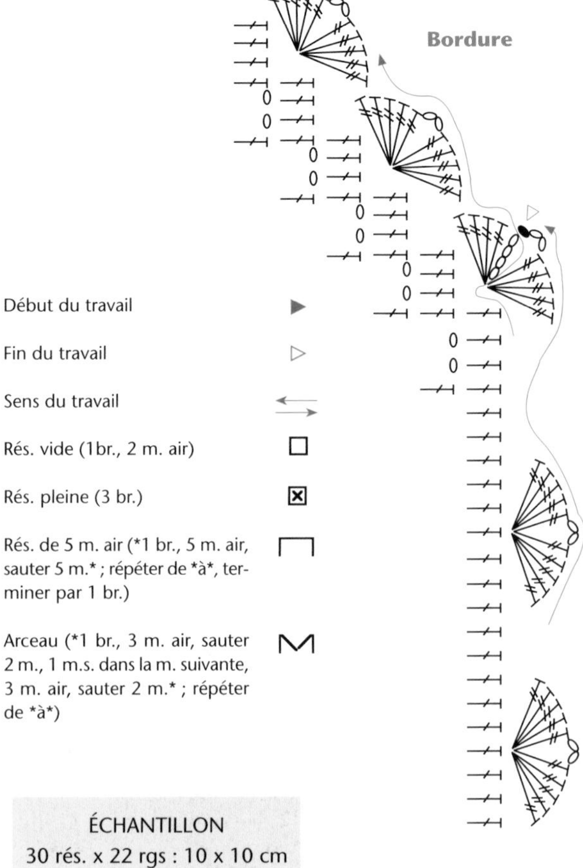

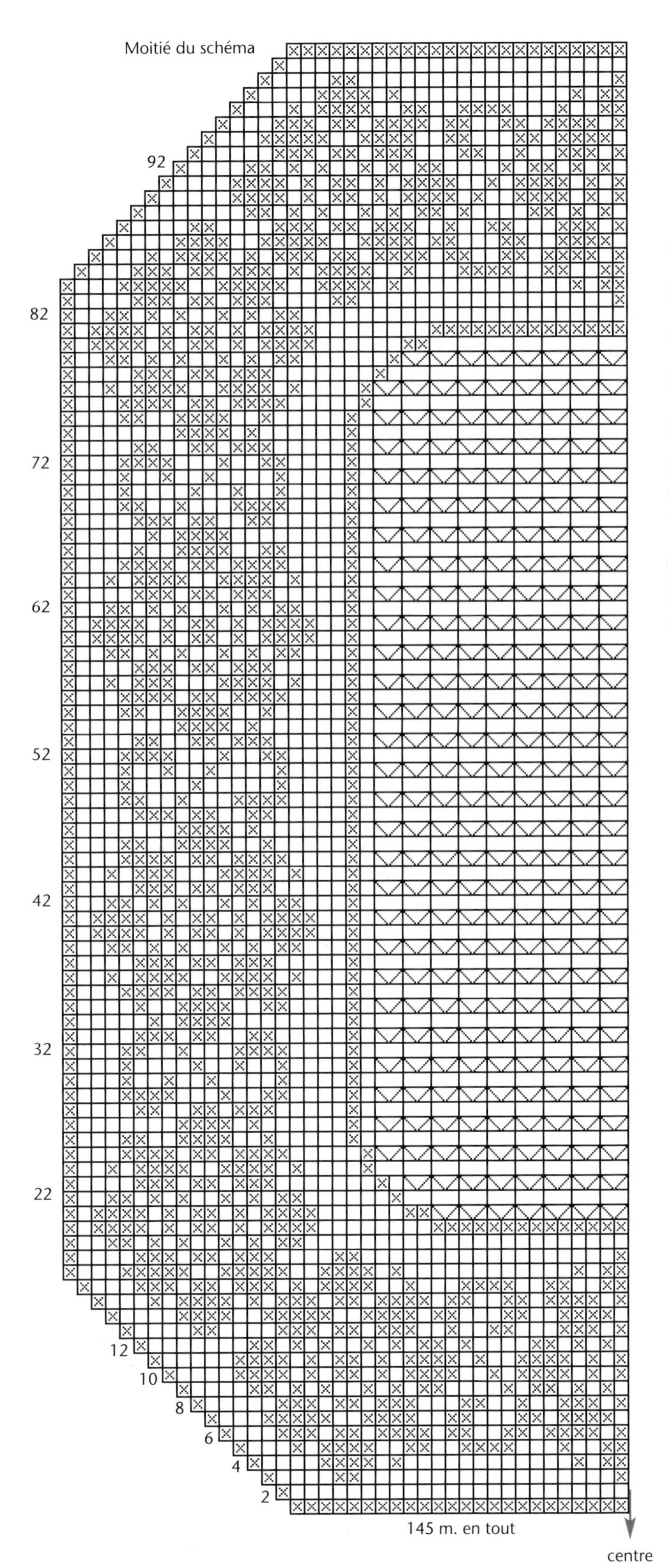

ÉCHANTILLON
30 rés. x 22 rgs : 10 x 10 cm

Fournitures :

100 g de fil d'Écosse Freccia n° 25 blanc 7901 ; crochet acier n° 0,60.

Dimensions :

26 x 46 cm.

Exécution :

Commencer par une chaîn. de 145 m., 3 m. air (pour remplacer la 1re br.), 1 br. dans la 5e m. à partir du crochet. Continuer le rg selon le diag. qui ne représente que la moitié de l'ouvrage, en travaillant en vis-à-vis après les 24 premières rés. (48 rés. pleines en tout). Poursuivre selon le diag. et à la fin du 100e rg, sans couper le fil, commencer la bordure.

Bordure : 4 m. air, 4 doubles br. sous la br. qui termine le dernier rang. Faire un tour d'éventails (voir schéma) : 5 double br., 2 m. air, 5 doubles br. Dans les angles, faire un éventail sous le corps de la br. qui termine les rgs pairs ; sur les côtés à br. horizontales, sauter 2 rés. entre chaque éventail ; sur les côtés à br. verticales, sauter 8 br. entre chaque éventail. Terminer en remplaçant 2 m. air, 5 doubles br. et 1 m.c. dans la 4e m. air du début du tour.

Faveur

De jolis contours dessinent cette composition délicate où fleurs stylisées et arabesques forment une couronne.

Faveur

ÉCHANTILLON
29 rés. x 27 rgs : 10 x 10 cm

Fournitures :

50 g de fil d'Écosse Freccia n° 25, blanc 7901 ; un crochet acier n° 0,60.

Dimensions :

38,5 x 39 cm.

Début du travail ▶

Rés. vide (1 br., 2 m. air) ☐

Rés. pleine (3 br.) ☒

Exécution :

Commencer par une chaîn. de 40 m., 3 m. air (pour remplacer la 1re br.) et 1 br. dans la 5e m. à partir du crochet. Continuer selon le diag. (13 rés. pleines). Poursuivre le modèle en suivant le schéma et à la fin du 103e rg, arrêter et couper le fil.

Colombe

De cercle en cercle, les motifs s'enchaînent toujours différents au milieu d'arceaux qui apportent leur touche de légèreté.

Colombe

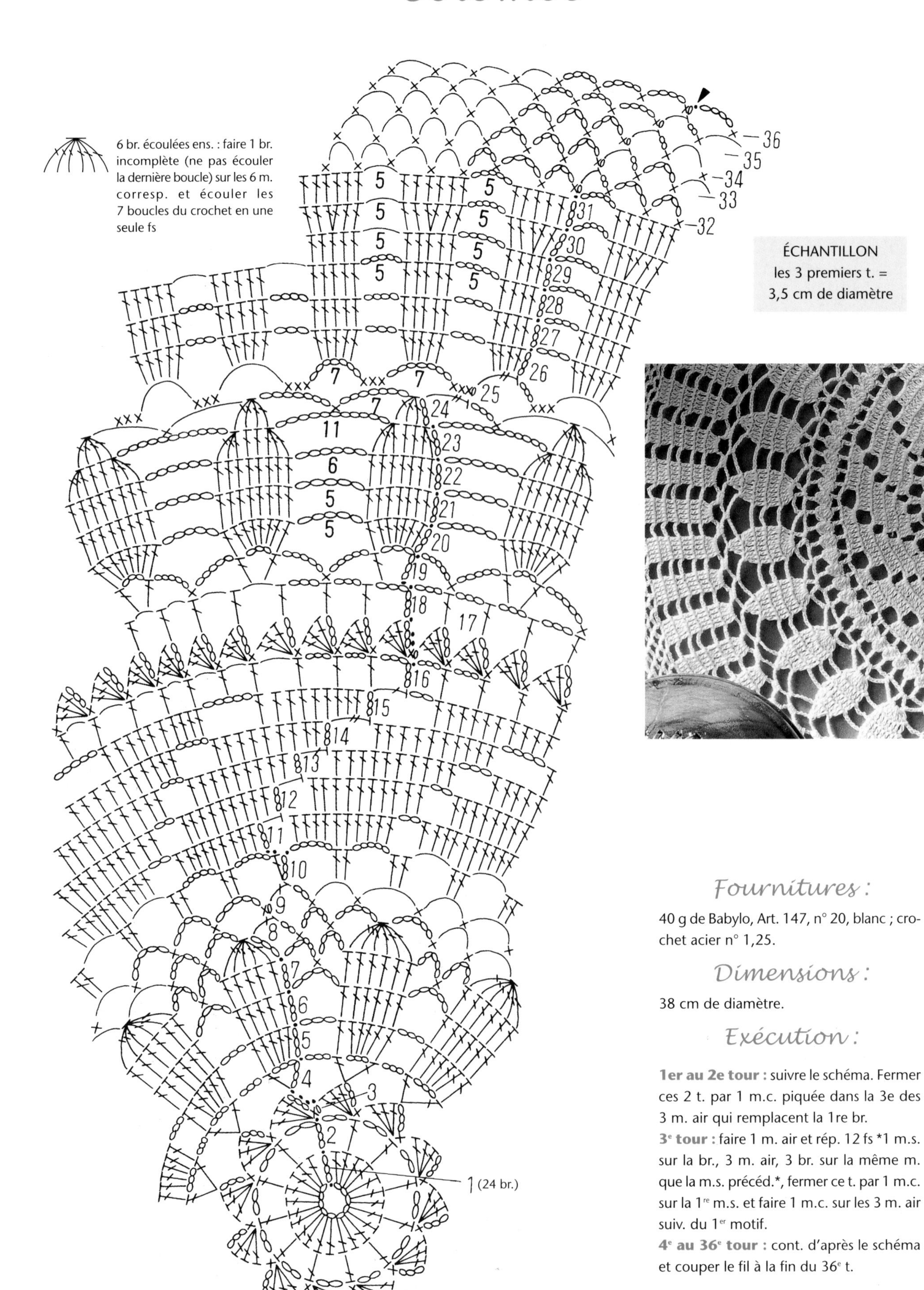

ÉCHANTILLON
les 3 premiers t. = 3,5 cm de diamètre

Fournitures :

40 g de Babylo, Art. 147, n° 20, blanc ; crochet acier n° 1,25.

Dimensions :

38 cm de diamètre.

Exécution :

1er au 2e tour : suivre le schéma. Fermer ces 2 t. par 1 m.c. piquée dans la 3e des 3 m. air qui remplacent la 1re br.

3e tour : faire 1 m. air et rép. 12 fs *1 m.s. sur la br., 3 m. air, 3 br. sur la même m. que la m.s. précéd.*, fermer ce t. par 1 m.c. sur la 1re m.s. et faire 1 m.c. sur les 3 m. air suiv. du 1er motif.

4e au 36e tour : cont. d'après le schéma et couper le fil à la fin du 36e t.

Douce géométrie

Carrés, triangles et losanges adoucis de courbes légères, toute une géométrie poétique dont on peut multiplier les motifs à l'infini.

Douce géométrie

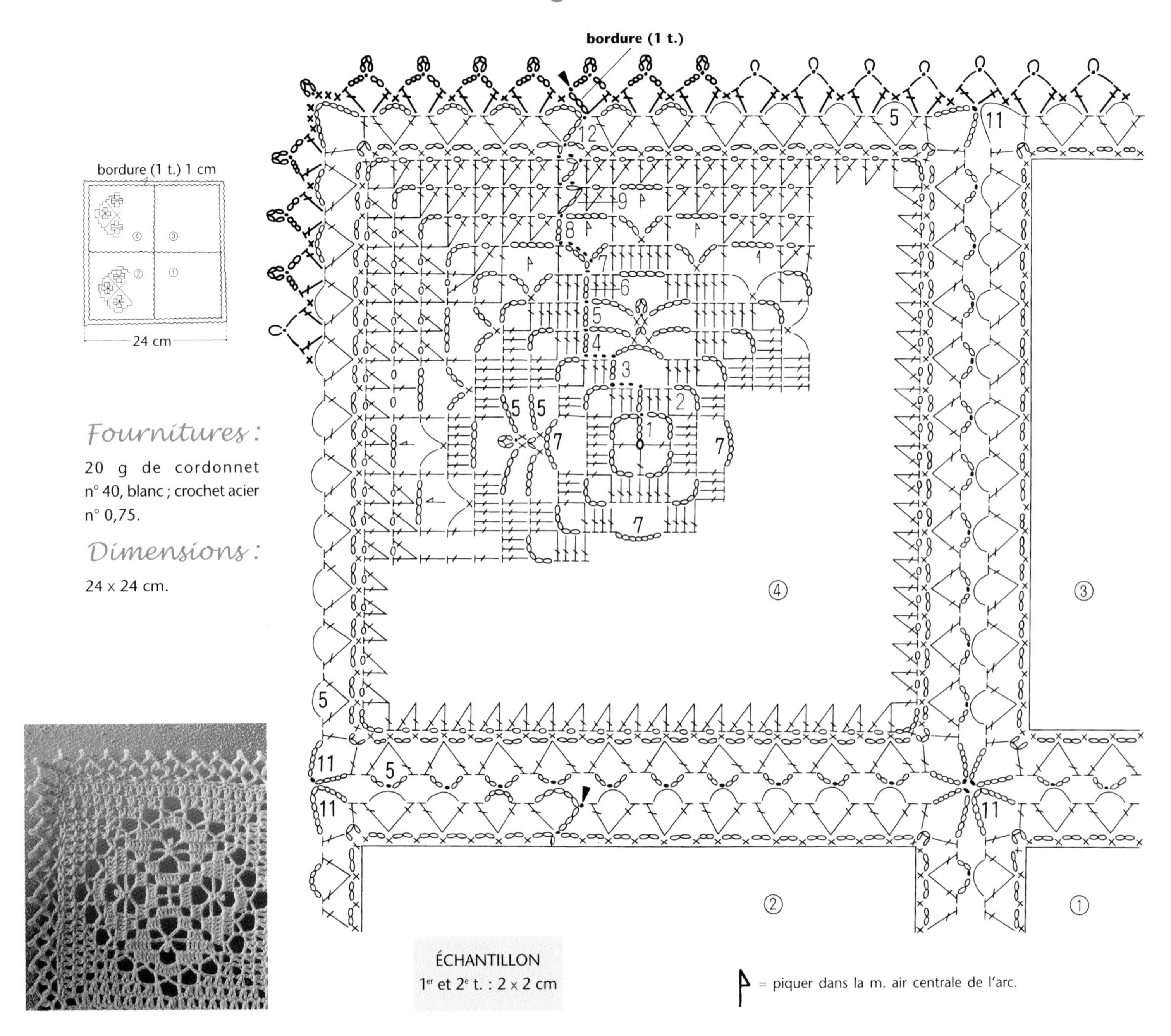

Fournitures :

20 g de cordonnet n° 40, blanc ; crochet acier n° 0,75.

Dimensions :

24 x 24 cm.

ÉCHANTILLON
1er et 2e t. : 2 x 2 cm

= piquer dans la m. air centrale de l'arc.

Exécution :

Motif : 1er tour : rép. 4 fs *1 br., 5 m. air* dans une boucle formée avec l'extrémité du fil, fermer par 1 m.c. piquée dans la 3e des 3 m. air qui remplacent la 1re br.

2e tour : faire 3 m. air (pour la 1re br.) et rép. 4 fs *1 rés. pleine (= 1 br. sur les 3 m. suiv.), 1 rés. d'angle (= 5 m. air, 1 br. sur la même dernière m. ou dans le même arc. précéd.), 1 rés. pleine*, fermer comme le 1er t. et avancer en m.c. sur la 3e br. suiv.

3e au 12e tour : cont. en rond de la même manière en alternant les rés. d'après le schéma. Au début du 7e t., remplacer la 1re m.s. par 1 m. air, fermer ce t. par 1 m.c. piquée sur cette m. air et avancer en m.c. sur la 1re br. suiv. Aux 8e, 9e et 10e t., piquer les coq. simples (= 1 br., 1 m. air et 1 br.) situées au-dessus des grandes rés. (= 5 m. air et 1 br. sur la br. suiv.) dans la m. air centrale de l'arc. comme indiqué par le symbole corresp. Fermer tous les t. comme les t. précéd. et avancer en m.c. sur la m. corresp. si nécessaire. Couper le fil à la fin du 12e t.

Assemblage : au cours du 12e t. (à partir du 2e motif), assembler 4 motifs entre eux en remplaçant la m. air centrale des arc. de 5 m. des côtés et de 11 m. des angles par 1 m.c. piquée dans l'arc. corresp. du motif voisin.

Bordure : à la fin du 12e t. du 4e motif, sans couper le fil, trav. 1 t. autour de l'ouvrage comme indiqué en gras. Pour les arc. avec picot, faire 6 m. air, 1 m.c. dans la 4e m. à partir du crochet et 3 m. air. Fermer ce t. comme le 1er t. du motif et couper le fil.

CONSEIL

Pour les sous-verre, réalisez le motif sans la bordure.

Aphrodite

D'une ronde à l'autre, les points se succèdent dans une parfaite harmonie pour faire de ce napperon un véritable tableau.

Aphrodite

Fournitures :

120 g de Babylo, Art. 147, n° 20, écru; crochet acier n° 1,25.

Dimensions :

62 cm.

Exécution :

1er au 30e tour : suivre le schéma et les indications qui l'accompagnent. Au 30e t., répartir 62 arc. sur les 432 m. du 29e t. en sautant 4 m. au lieu de 5 pour 2 d'entre eux comme indiqué en gras.

31e tour : après les groupes de 6 br. piquées dans les arc. et sur les br. du 30e t., former les arc. comme suit: pour le 1er arc., faire 24 m. air, tourner l'ouvrage sur l'env., 1 m.s. dans le 2e arc. précéd. du 30e t., 3 m. air pour remplacer la 1re br., remettre sur l'end., trav. *14 br., 2 m. air et 15 br.* dans l'arc. obtenu; pour les arc. suiv., après les 6 br., faire 24 m. air, tourner, rabattre les arc. précéd. sur l'end. de l'ouvrage, piquer la m.s. dans l'arc. suiv. du 30e t. pour le 2e arc. et sur la 1re des 6 br. précéd. pour les suiv.

32e au 41e tour : au 35e t., pour obtenir 114 picots, trav. 2 fs 5 br. entre eux au lieu de 6 comme indiqué. De même, au cours du 40e t., sauter 2 fs 4 br. au lieu de 5 de façon à obtenir 147 arc. sur les 1026 br. du 39e t. Former les arc. du 41e t. de la même manière qu'au 31e t. en formant 1 arc. de 10 m. couvert de m.s. et séparées par 1 picot avant de former la 2e moitié de l'arc. (suivre les flèches pour le sens du trav.). Le dernier arc. se trav. séparément après avoir complété le t. comme le montre le schéma détaillé.

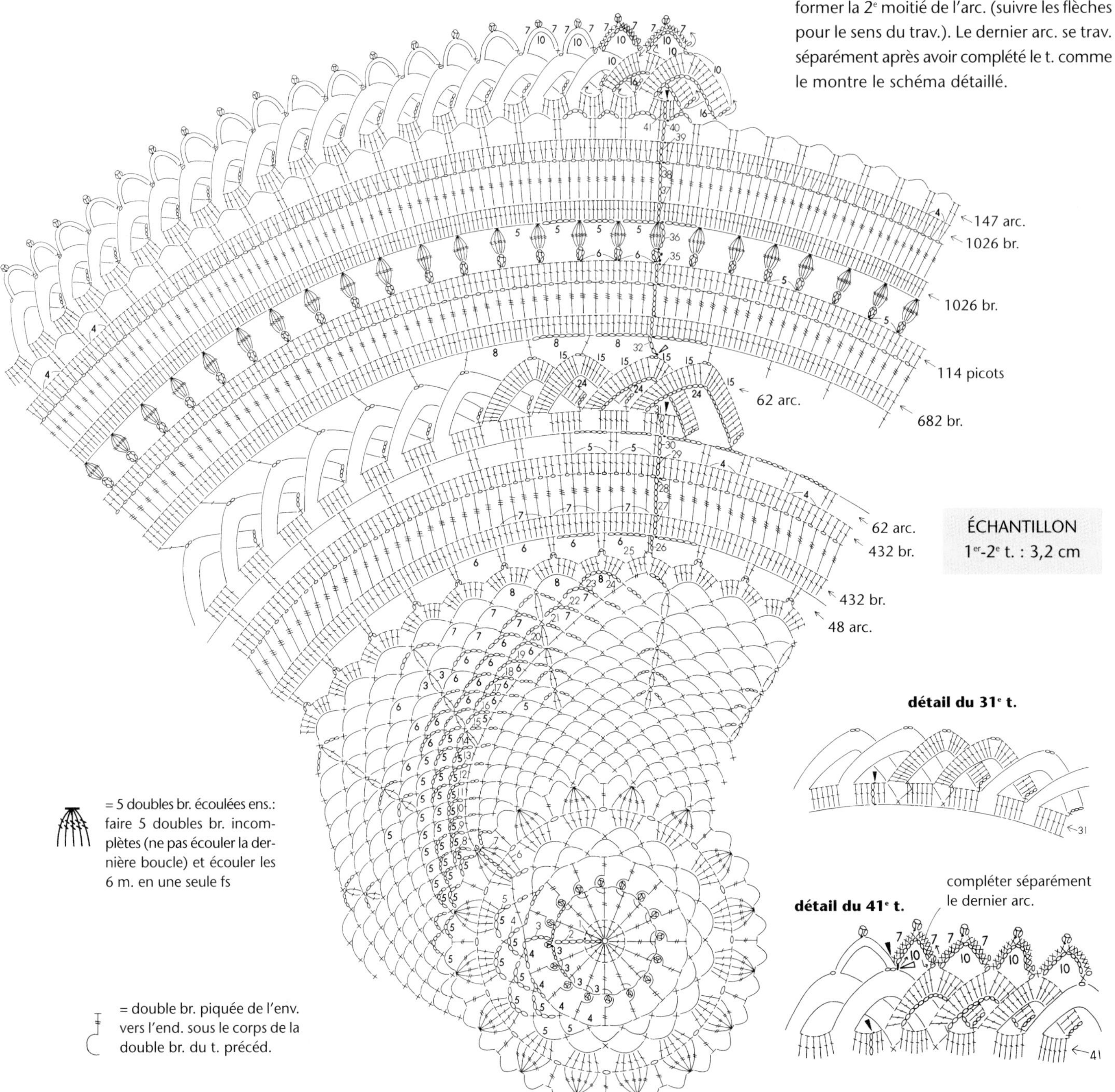

Farandole

Une composition joyeuse de motifs parfaitement dessinés constitue la partition de cet ouvrage aussi beau sur une table qu'encadré au mur.

Farandole

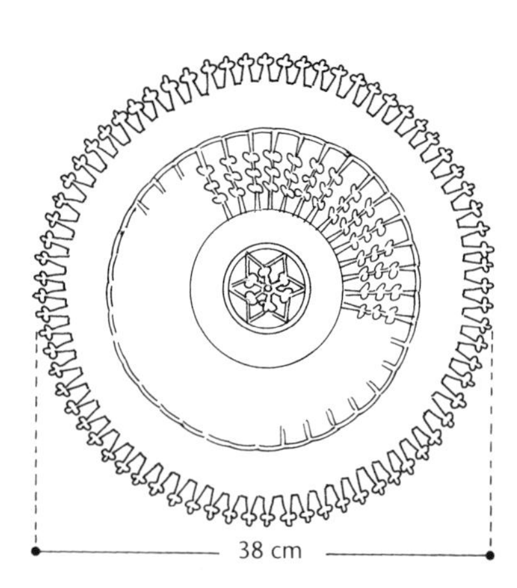

● = piquer la m.c. sous le brin arrière de la m. corresp.du t. précéd.

X = piquer la m.s. sous le brin avant de la m. corresp. du 2e t. précéd.

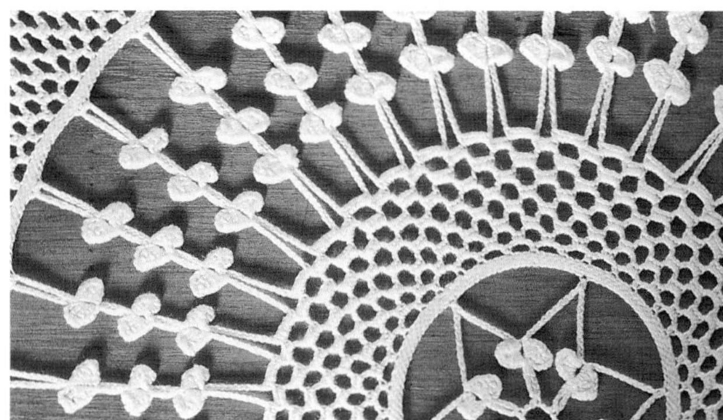

ÉCHANTILLON
1re-4e t. : 7,5 cm

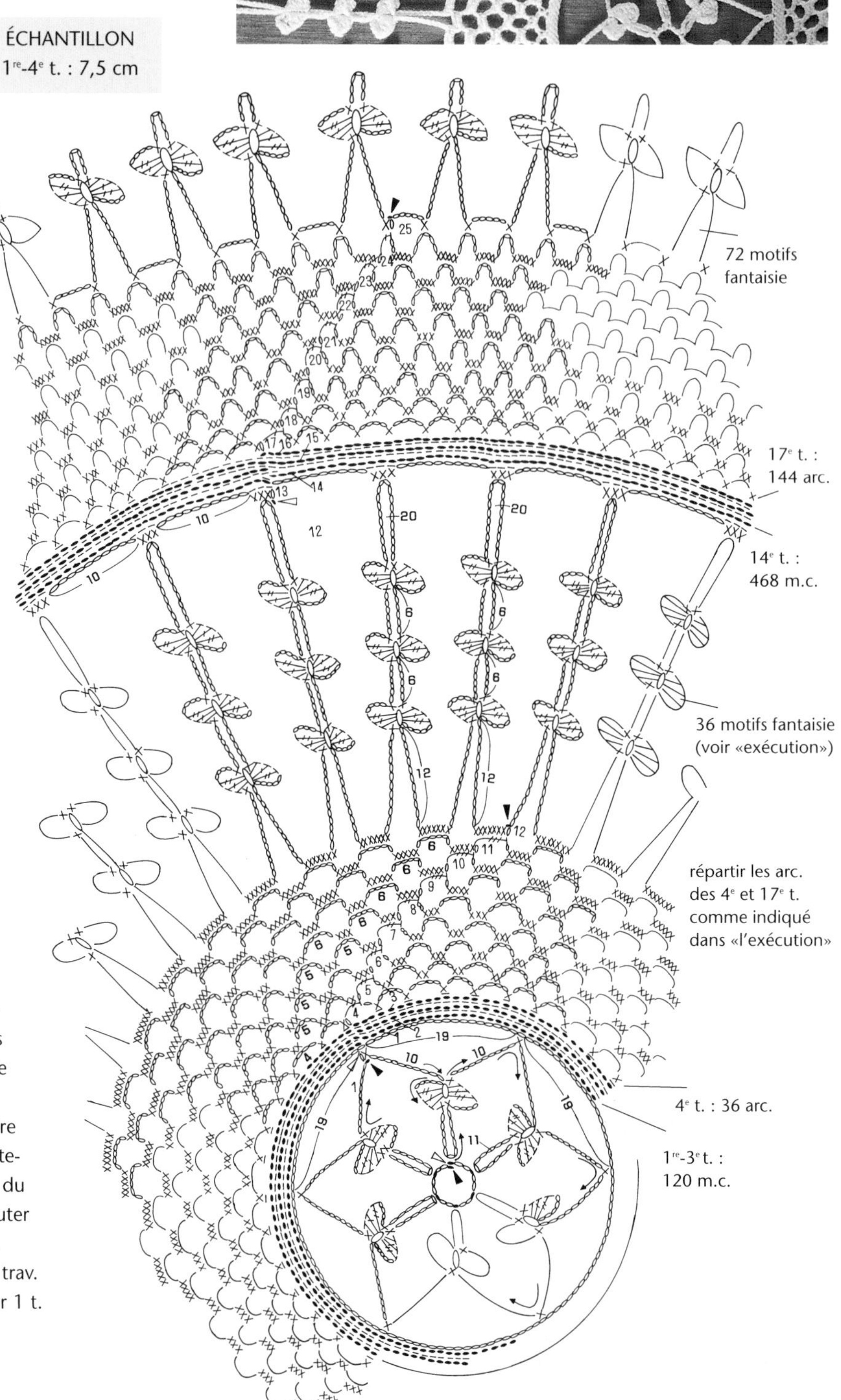

Fournitures :

25 g de fil d'Écosse n° 140, blanc, crochet acier n° 0,75.

Dimensions :

Voir dessin.

Exécution :

1re au 3e tour : fermer en rond une chaîn. de 120 m. et trav. 3 t. de 120 m.c. en les piquant, à partir du 2e t., sous le brin arrière des m. du t. précéd.

4e tour : en piquant sous le brin avant resté libre des m. du 2e t., faire 1 m. air et **trav. 1 fs *1 m.s., 4 m. air, sauter 2 m.*, 1 m.s. sur la m. suiv., 4 m. air, sauter 3 m., rép.3 fs de *à*, former un autre arc. en sautant 3 m. du 2e t. et rép. 5 fs à partir de** de façon à répartir 36 arc. sur les 120 m.c. du 2e t.

3e au 11e tour : suivre le schéma.

12e tour : pour chq. motif fantaisie, faire 18 m. air, 1 pétale (=1 double br., 1 br.,1 demi-br. et 1 m.s.) dans la 6e m. à partir du crochet, rép. 2 fs *12 m. air, 1 pétale*, 20 m. air, 1 m.s. dans la m. air servant de base au pétale précéd., 4 m. air, 1 pétale dans la même m. air que le pétale précéd., rép. 2 fs *6 m. air, 1 m.s., 4 m. air et 1 pétale dans la m. air corresp. du pétale opposé précéd.* et terminer par 12 m. air. Trav. de la même manière les motifs du 25e t. et de la partie centrale d'après le schéma.

13e au 25e tour : suivre le schéma. Au 14e t., faire 1 m.c. sous le brin arrière de chq. m. de façon à obtenir 468 m. au total. Pour répartir les 144 arc. du 17e t., trav. 36 fs **rép. 3 fs *1 m.s., 4 m. air, sauter 2 m.*, et former un autre arc. en sautant 3 m.**.

Partie centrale : remplir l'anneau central en trav. 1 t. de motifs fantaisie et les réunir entre eux par 1 t. d'arc. de 2 m. air et m.c.

La rose des vents

La beauté si parfaite de cette rosace alliée à la légèreté du point employé donnent un napperon raffiné, superbe sur un plateau de bois massif.

IDÉE

Le motif est si beau que le napperon mériterait d'être encadré sur un fond de toile !

La rose des vents

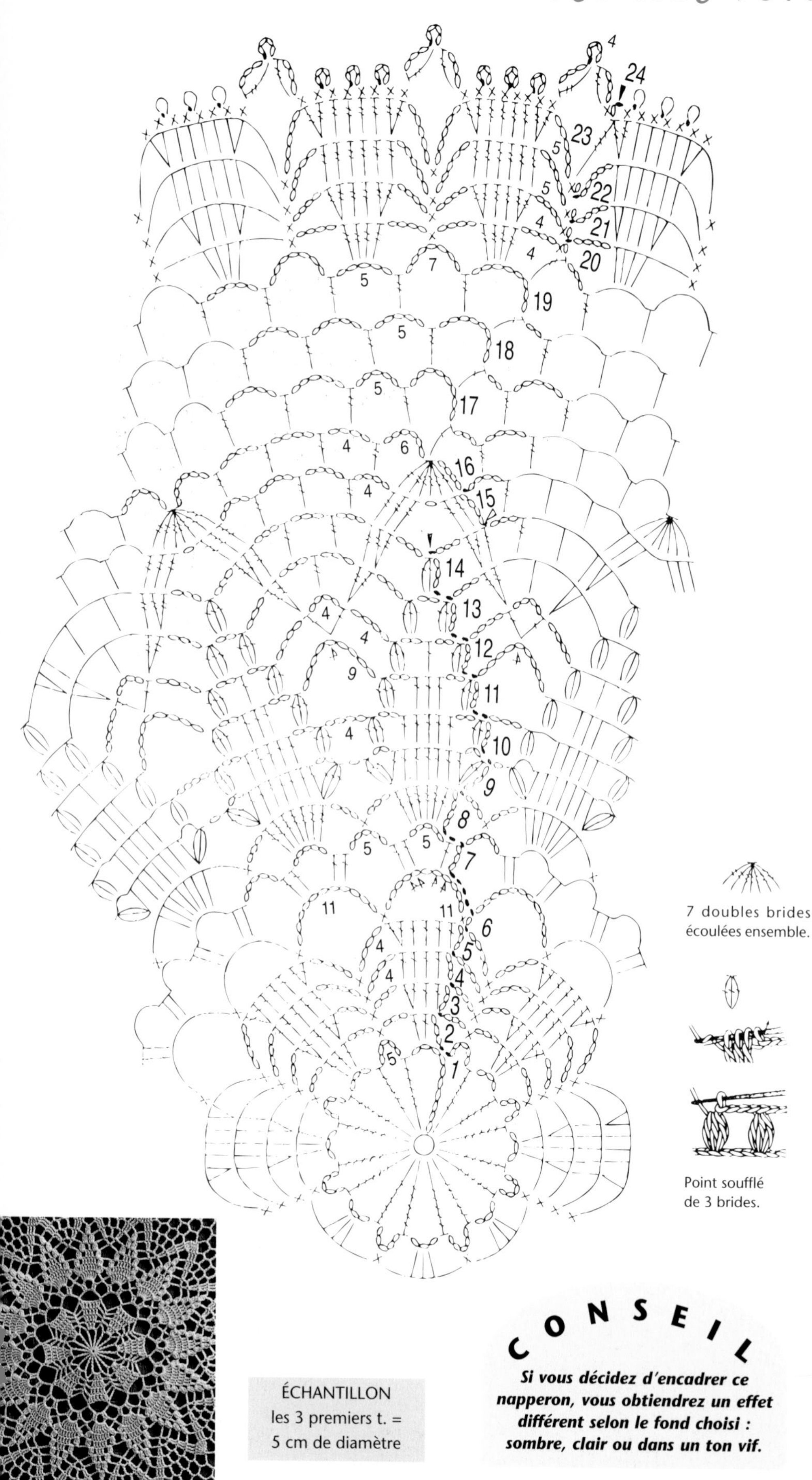

ÉCHANTILLON
les 3 premiers t. =
5 cm de diamètre

CONSEIL

Si vous décidez d'encadrer ce napperon, vous obtiendrez un effet différent selon le fond choisi : sombre, clair ou dans un ton vif.

Fournitures :

20 g de coton n° 40, blanc ; crochet acier n° 1,00.

Dimensions :

35 cm de diamètre.

Exécution :

Commencer dans une boucle formée par l'extrémité du fil.

1er tour : 10 m. air ou chaîn. (7 pour remplacer la 1re quintuple br., 3 pour le 1er arc.), rép. 7 fs * 1 quintuple br. (et 5 jetés, piquer le crochet dans 1 m., tirer une boucle et rép. 6 fs *, 1 jeté, écouler 2 boucles *), 5 m. air, 1 quintuple br., 3 m. air *. Terminer par 1 quintuple br. et 5 m. air, fermer par 1 m.c. sur la 7e des 10 m. air du début.

2e tour : 1 m.c. pour commencer au centre du 1er arc. et rép. * 3 br. sur l'arc. de 3 m., 3 m. air, 1 m.s. sur l'arc. de 5 m. suiv., 3 m. air *. Fermer par 1 m.c. sur la 3e des 3 m. air qui remplacent la 1re br.

3e au 6e tour : suivre le schéma.

7e tour : exécuter 4 m.c. supplémentaires pour commencer sur la 4e m. air de l'arc. de 11 m. du t. précéd. et piquer les br. comme indiqué sur le schéma.

8e au 14e tour : à partir du 8e t., trav. des pts soufflés de 3 br. et ce jusqu'au 13e t. Fermer tous les t. par 1 m.c. sur le 1er pt soufflé. Faire 1 autre m.c. dans le 1er arc. Fermer le 14e t. par 1 m.c. et couper le fil pour le rattacher sur la 3e double br. précéd. (voir flèche).

15e au 19e tour : fermer le 15e t. comme le 8e, puis les 3 t. suiv. en remplaçant les 3 dernières m. air par 1 br. piquée sur la 3e des 8 m. air du début. De la même façon, remplacer les 4 dernières m. air du 19e t. par 1 double br.

20e au 23e tour : suivre le schéma.

24e tour : faire 1 m. air, 1 m.s., ** 3 m. air, 1 double br. sur la m. précéd.,1 picot (= 4 m. air, 1 m.c. dans la 1re de ces 4 m.), * 3 m. air, 1 double br. piquée sur la m.c. du picot *, 1 m.s. sur les 2 doubles br. suiv., 3 fs * 1 picot, 1 m.s. sur les 2 m. suiv. * et rép. à partir de **. Fermer par 1 m.c. sur la 1re m.s. et couper le fil.

Blé mûr

Des gerbes d'épis rythment ce beau duo. Le modèle ovale pourra être posé sur un meuble et le rond, encadré, fixé au mur.

Blé mûr

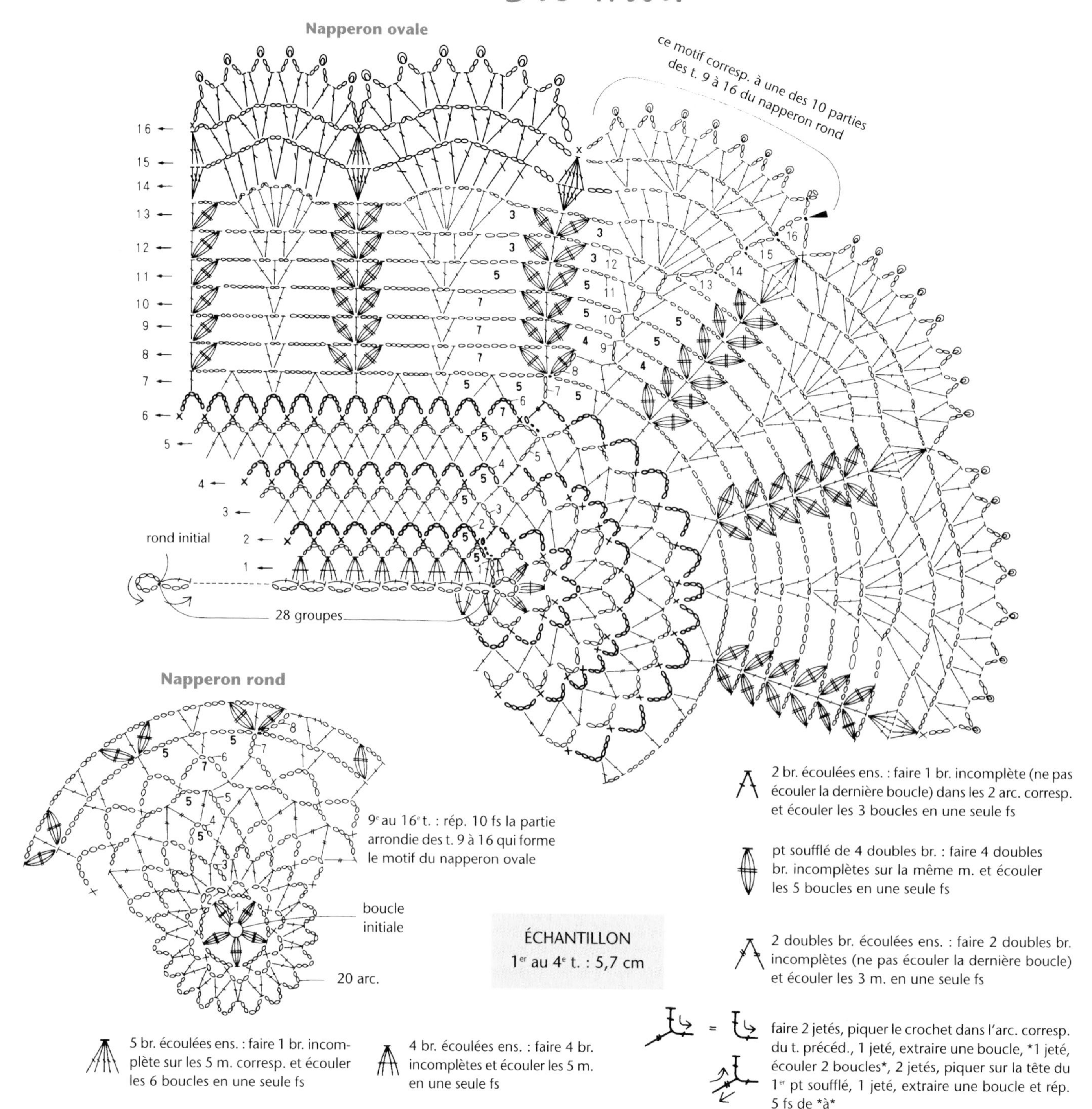

Fournitures :

35 g (20 g pour le napperon ovale et 15 g pour le rond) de Babylo, Art. 147, n° 20, blanc ; crochet acier n° 1,25.

Dimensions :

Ovale = 50 x 26 cm.

Rond = 26 cm de diamètre.

Exécution :

Ovale : commencer par 7 m. air, 1 m.c. dans la 1re de ces 7 m. pour former le rond initial, rép. 28 fs *3 m. air, 1 br. dans la 1re de ces 3 m.*, terminer par 7 m. air et 1 m.c. dans la 1re de ces 7 m. pour former le rond de la 2e extrémité.

1er au 7e tour : trav. autour du ruban obtenu formant la base d'après le schéma. Au 5e t., piquer les doubles br. incomplètes dans la m. air centrale des arc., de même, au 7e t., piquer les coq. (= 1 br., 2 m. air et 1 br.) sur la 4e des 7 m. air des arc. du t. précéd.

8e au 16e tour : à partir du 15e t., augm. le nombre de m. des 5 éventails des 2 parties arrondies de façon à obtenir 8 arc. avec picot au 16e t. et seulement 6 pour les éventails des 2 parties rectilignes de l'ouvrage. Couper le fil à la fin du 16e t.

Rond : suivre le schéma et les indications qui l'accompagnent. Au 7e t., piquer les coq. sur la m. air centrale des arc. et à partir du 9e t., rép. les t. 9 à 16 d'un motif de la partie arrondie de l'ouvrage ovale comme indiqué.

Jasmin

Des points ajourés bien ordonnés encadrent joliment un tapis de petites fleurs blanches qui évoquent le jasmin.

Jasmin

Fournitures :

30 g de Babylo, Art. 147, n° 40, blanc ; crochet acier n° 1,00.

Dimensions :

29 cm de diamètre au niveau de la bande centrale de 9 fleurs.

Exécution :

Partie centrale : crocheter 61 fleurs et les assembler entre elles (voir dessin) en remplaçant la m. air centrale des picots par 1 m.c. piquée dans le picot corresp. de la fleur voisine.

Base de bordure : trav. 1 t. de m.s. et doubles br. séparées de 7 m. air et faire 2 m.s. consécutives séparées de 7 m. air tous les 5 motifs de façon à former un hexagone.

Bordure : trav. 9 t. sur la base précéd. d'après le schéma et les indications qui l'accompagnent en respectant le nbr. de rés. et m.s. indiqué à chaq. t.

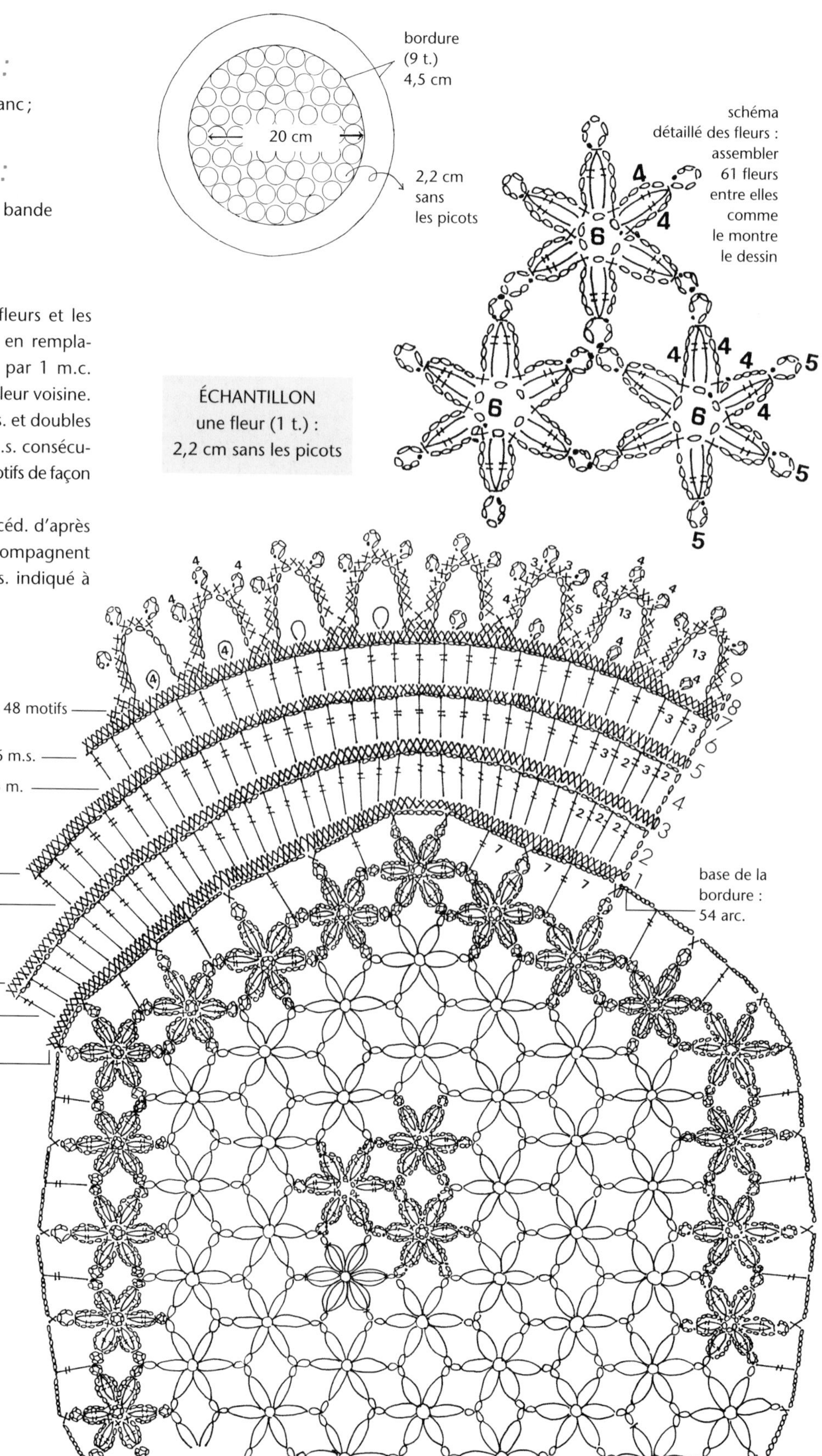

2 doubles br. écoulées ens. avec picot : faire 2 doubles br. incomplètes (ne pas écouler la dernière boucle) dans le rond initial, écouler les 3 boucles en une seule et pour le picot, faire 5 m. air et 1 m.c. sur la tête des 2 doubles br. écoulées ens.

Provence

Une couleur d'un bleu intense comme un parfum d'été rappelant celui des champs de lavande ondulant sous le vent.

IDÉE

En réalisant trois modules et en les assemblant, on obtient un beau chemin de table.

Provence

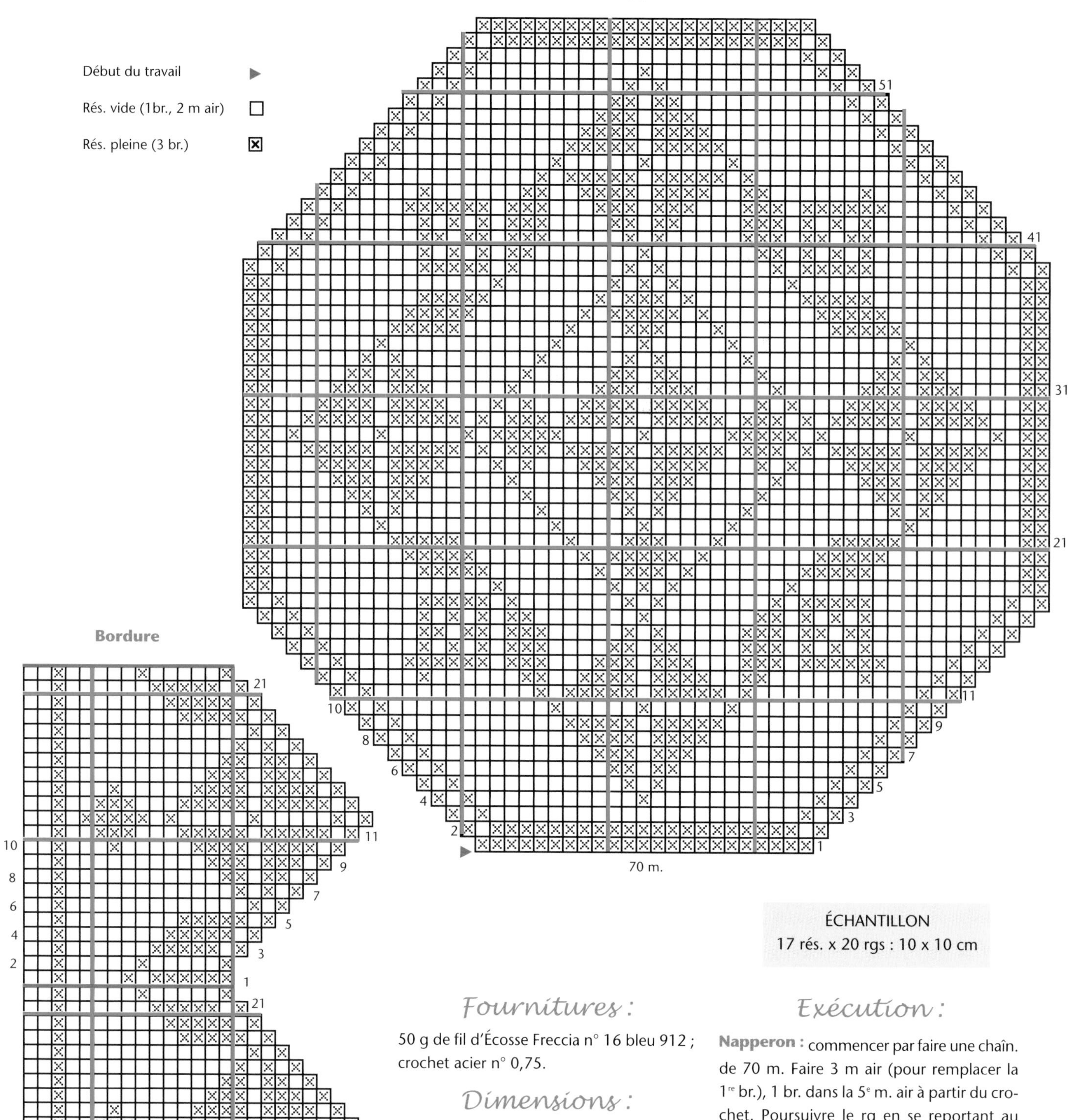

ÉCHANTILLON
17 rés. x 20 rgs : 10 x 10 cm

Fournitures :

50 g de fil d'Écosse Freccia n° 16 bleu 912 ; crochet acier n° 0,75.

Dimensions :

32,5 x 27,5 cm.

CONSEIL

Pour le chemin de table, assemblez de préférence le premier rang d'un module au dernier du suivant.

Exécution :

Napperon : commencer par faire une chaîn. de 70 m. Faire 3 m air (pour remplacer la 1re br.), 1 br. dans la 5e m. air à partir du crochet. Poursuivre le rg en se reportant au diag. (23 rés. pleines). Continuer en suivant le diag. À la fin du 55e rg, arrêter et couper le fil.

Bordure assortie : commencer par faire une chaîn. de 46 m. Faire 3 m air (pour remplacer la 1re br.), 1 br. dans la 5e m. air à partir du crochet. Poursuivre le rg en se reportant au diag. (15 rés.). Répéter du 1er au 22e rg jusqu'à obtenir la longueur désirée.

Index